LE CHÂTEAU NOIR

GLEN COOK

LE CHÂTEAU NOIR

DEUXIÈME LIVRE DES ANNALES DE LA COMPAGNIE NOIRE

TRADUIT DE L'AMÉRICAIN
PAR ALAIN ROBERT

Titre original :
SHADOWS LINGER

Pour la traduction française :
©Librairie l'Atalante, 1999

1

Génépi

Tous les hommes naissent condamnés, disent les sages. Tous tètent le sein de la mort.

Tous s'inclinent devant ce monarque silencieux. Ce souverain des ténèbres lève un doigt. Une plume volette et se pose à terre. Nulle raison dans son chant. Les bons partent jeunes. Les mauvais prospèrent. Il règne sur les seigneurs du chaos. Son souffle apaise toutes les âmes.

Nous avons découvert une ville autrefois dédiée à son culte, mais elle est si vieille aujourd'hui qu'elle a perdu le souvenir de cette consécration. Le sombre prestige de sa divinité s'est érodé, tous l'ont oubliée sauf ceux qui sont restés dans son ombre. Mais Génépi a dû affronter une menace plus immédiate, un spectre d'hier s'infiltrant dans le présent depuis une éminence surplombant la ville. Voilà pourquoi la Compagnie noire a fait route vers cette ville, au-delà des frontières de l'Empire de la Dame... Mais ceci n'est pas le début. Au début, nous étions loin. Seuls deux vieux amis et une poignée d'hommes que nous devions rencontrer par la suite se trouvaient nez à nez avec le péril.

2

Bord de route à Tally

Les enfants ont pointé la tête au-dessus des herbes folles comme deux marmottes. Ils ont regardé la troupe qui approchait. Le garçon a murmuré : « Y en a au moins mille. » La colonne s'étirait de loin en loin. La poussière qu'elle soulevait dérivait, estompait le contour d'une colline distante. Les cliquetis, les grincements des harnais devenaient plus sonores.

Chaude journée ; les enfants transpiraient. Ils regrettaient le ruisseau proche et la mare où ils venaient de se baigner. Mais on les avait envoyés surveiller la route. Des rumeurs couraient : la Dame entendait mater la rébellion renaissante dans la province de Tally.

Et c'étaient ses soldats qui étaient en marche, qui arrivaient, tout près maintenant. Gueules de durs à cuire, patibulaires. Des vétérans. Largement assez âgés pour avoir contribué à la déroute des rebelles, six ans auparavant, qui avait coûté la vie d'un quart de million d'hommes, dont leur père.

« Ce sont eux ! » a haleté le garçon. L'effroi de sa voix se teintait d'un soupçon de respect presque admiratif. « C'est la Compagnie noire ! »

La fillette ne passait pas l'ennemi en revue. « Comment tu le sais ? »

Le garçon a désigné un cavalier taillé comme un ours et monté sur un rouan. Il avait les cheveux gris argent. Son port dénotait l'habitude du commandement. « C'est lui qu'ils appellent le capitaine. Le petit Noir à côté doit être Qu'un-Œil, le sorcier. Tu vois son chapeau ? C'est à ça qu'on le reconnaît. Les autres derrière sont sans doute Elmo et le lieutenant.

— Il y a des Asservis avec eux ? » La fille a haussé encore un peu la tête pour mieux voir. « Où sont les autres, les connus ? » Elle était plus jeune que lui. Le garçon, âgé d'une dizaine d'années, se prenait déjà pour un soldat de la Rose Blanche.

Il a plaqué sa sœur contre le sol. « Andouille, tu veux qu'ils nous repèrent ?

— Qu'est-ce que tu veux qu'ils nous fassent ? »

Le garçon s'est fendu d'un rictus. Elle avait cru l'oncle Net qui prétendait que l'ennemi ne s'en prendrait pas aux enfants. Lui détestait son oncle. Il n'avait rien dans le ventre.

D'ailleurs les rangs de la Rose Blanche ne comptaient que des poules mouillées. Leur lutte contre la Dame s'apparentait encore à un jeu. Leurs coups les plus audacieux se bornaient à tendre occasionnellement une embuscade à une estafette. Au moins, l'ennemi ne manquait pas de cran, lui.

Estimant qu'ils avaient vu ce qu'on les avait envoyés voir, le garçon a effleuré le poignet de la fillette. « On met les bouts ! » Ils ont filé dans les herbes vers la rive boisée du ruisseau.

Une ombre leur a barré le chemin. Ils ont levé les yeux et sont devenus blêmes. Trois cavaliers les guignaient du haut de leur monture. Le garçonnet a ouvert la bouche toute grande : impossible qu'ils se soient faufilés jusque-là à son insu. « Gobelin ! » a-t-il laissé échapper.

Le cavalier du milieu, un petit bonhomme avec une tête de grenouille, a grimacé un sourire. « Pour te servir, petiot. »

Malgré sa terreur, le garçon n'a pas perdu ses moyens. Il s'est écrié : « Cours ! » Si l'un des deux pouvait s'en tirer...

Gobelin a décrit un cercle d'une main. Des filaments lumineux rose pâle se sont entortillés. Il a fait un geste de lancer. Le garçon s'est écroulé et débattu contre d'invisibles liens comme une mouche dans une toile d'araignée. Sa sœur gémissait à une douzaine de pas.

« On les embarque, a déclaré Gobelin. Ils devraient nous servir une histoire intéressante. »

3

Génépi : Au Lis de Fer

Le Lis se trouve dans la rue Florale, au cœur de la Cothurne, le quartier le plus miteux de Génépi, où le goût de la mort titille toutes les langues, où une vie humaine vaut moins qu'une heure au chaud ou qu'un repas correct. Sa devanture s'affaisse sur le bâtiment qui le jouxte à droite, comme si elle cherchait désespérément un support pour s'y cramponner, à l'image de ses ivrognes de clients. Sa façade arrière ploie dans la direction opposée. Des taches grisâtres de moisissure éclaboussent ses murs de bois brut. Des planches de récupération calfeutrées de chiffons en obturent les fenêtres. Le vent mordant s'engouffre en hurlant dans les trous de son toit quand il souffle depuis les montagnes du Wolander, où l'on voit, même l'été, les glaciers scintiller comme de lointaines veinures d'argent.

Les vents marins ne valent guère mieux. Ils apportent une humidité glaciale qui vous ronge les os et poussent dans le port des flottilles de glaçons.

Les contreforts broussailleux des monts Wolander s'avancent jusqu'à la mer et encadrent l'embouchure du fleuve comme deux mains jointes en une cuvette contenant le port et la ville. Les habitations s'égrènent le long du court d'eau et rampent sur chaque versant.

Les classes riches, à Génépi, s'accaparent les hauteurs et fuient le fleuve. Les habitants de la Cothurne, quand ils lèvent le nez de leur misère, lorgnent les maisons des nantis, là-haut, qui se font face de part et d'autre de la vallée.

Encore au-dessus, deux châteaux coiffent les crêtes. Sur les hauteurs sud : Duretile, bastion héréditaire des ducs de Génépi. Duretile est dans un piteux état de délabrement. Comme d'ailleurs l'immense majorité des bâtiments de Génépi.

Sous Duretile s'étend le cœur dévot de la ville, la Clôture, sous laquelle se trouvent les catacombes. Une cinquantaine de générations y reposent, attendant le jour du passage sous la garde des Veilleurs des morts.

Sur l'arête nord se dresse une forteresse inachevée, laconiquement appelée le château noir. Son architecture échappe à toute référence connue. Des monstres grotesques vous regardent depuis ses créneaux. Des serpents tordent leur agonie pétrifiée le long de ses remparts. Aucun joint ne cimente ses blocs, d'une matière rappelant l'obsidienne. Cette construction grandit.

Les gens de Génépi ne prêtent aucune attention au château ni à sa croissance. Ils ne veulent rien savoir de ce qui se passe là-haut. C'est bien rare qu'ils aient le temps de s'accorder une pause dans leur lutte pour survivre, et de lever les yeux vers les cimes.

4

Guet-apens à Tally

J'ai tiré un sept, ajusté mes cartes, rejeté un trois, et j'ai contemplé l'as solitaire. À ma gauche, Prêteur a marmonné : « Pour le coup, le voilà à sec. »

Je l'ai regardé, intrigué. « Qu'est-ce qui te fait dire ça ? »

Il a pris une carte, poussé un juron et s'est défaussé.

« Tu tires une tronche de cadavre quand t'as pas de jeu, Toubib. Même ton regard s'éteint. »

Candi a tiré une carte, juré, rejeté un cinq. « Il a raison, Toubib. T'es si impénétrable que t'en deviens transparent. À toi, Otto. »

Otto a contemplé son jeu, puis la pile, comme s'il pouvait arracher une victoire aux crocs de la défaite. Il s'est servi une carte. « Et merde ! » Il s'en est défaussé aussitôt : c'était une carte royale. J'ai montré mon as et raflé les mises.

Candi lorgnait derrière mon épaule pendant qu'Otto rassemblait les cartes. Son regard était dur et froid. « Qu'est-ce qu'il y a ? ai-je murmuré.

— Notre hôte rassemble son courage. Il n'attend que l'occasion de sortir pour les prévenir. »

Je me suis retourné. Les autres aussi. Un à un, le tavernier et ses clients ont baissé le regard et se sont ratatinés en eux-mêmes. Tous sauf un grand escogriffe ténébreux, assis seul dans la pénombre près de la cheminée. Il a cligné de l'œil et levé sa chope, comme en guise de salut. J'ai froncé les sourcils. Il a répondu par un sourire.

Otto a distribué les cartes.

« Cent quatre-vingt-trois », ai-je annoncé.

Candi s'est renfrogné. « Va chier, Toubib », m'a-t-il dit sans s'émouvoir. Je comptais les tours de jeu. Ils rythmaient comme une pendule notre vie de frères de la Compagnie noire. J'avais dû jouer facilement dix mille mains depuis la bataille de Charme. Les dieux seuls savent combien de fois j'ai tapé le carton depuis que j'ai commencé à tenir les annales.

« Croyez qu'ils ont eu vent de quelque chose à notre sujet ? » a demandé Prêteur. Il était à cran. Un effet de l'attente.

« Je ne vois pas comment. » Candi disposait ses cartes dans sa main avec un soin exagéré. Ha ! ça, c'était révélateur. Il avait sans doute du jeu. J'ai repassé mes cartes en revue. Vingt et un. J'allais sûrement me faire griller, mais le meilleur moyen de lui faire barrage... J'ai abattu mon jeu. « Vingt et un.

— Fils de pute ! » a bafouillé Otto. Il s'est défaussé de ses grosses cartes pour réduire ses points. Mais il lui en restait quand même vingt-deux à cause d'une carte royale. Candi avait trois neuf, un as et un trois. J'ai tout raflé, une fois encore, en grimaçant un sourire.

« Si tu gagnes au prochain tour, tu peux être sûr qu'on fouille tes manches », a marmotté Prêteur. J'ai rassemblé les cartes et commencé à les battre.

Les gonds de la porte du fond ont grincé. Tout le monde s'est figé et les regards se sont tournés vers l'accès à la cuisine. On s'agitait derrière.

« Cingle ! T'es où, bon sang ? »

Le tavernier a lancé un regard à Candi, rongé d'angoisse. Candi lui a fait signe. Le tavernier a braillé : « Ici, Net.

— On continue la partie », a murmuré Candi.

J'ai commencé à distribuer les cartes.

Un type d'une quarantaine d'années est sorti de la cuisine. D'autres ont suivi. Tous vêtus en vert pommelé. Des arcs leur barraient le dos. « Ils ont dû choper les gamins. Je ne sais pas, mais... » Quelque chose dans le regard de Cingle lui a mis la puce à l'oreille. « Qu'est-ce qui se passe ? »

Nous avions suffisamment intimidé Cingle. Il ne nous donnerait pas.

Tout en contemplant mes cartes, j'ai sorti mon tube à ressort. Mes compagnons en ont fait autant. Prêteur s'est défaussé de la carte qu'il venait de tirer, un deux. D'habitude il cherche le score minimal. Son jeu trahissait sa nervosité.

Candi a raflé la carte rejetée et aligné une suite : as, deux, trois. Il s'est défaussé d'un huit.

Un des comparses de Net a gémi : « Je te l'avais dit qu'on n'aurait pas dû envoyer les gosses. » Ça sonnait comme une vieille histoire ressassée.

« Tes je-te-l'avais-dit, tu peux te les garder, a grogné Net. Cingle, j'ai fait passer le mot pour la réunion. Faudra disperser l'équipement.

— On ne sait rien de sûr, Net, est intervenu un autre type en vert. Tu sais ce que c'est que les gamins.

— Tu te leurres. Les limiers de la Dame sont à nos trousses.

— Je t'avais dit qu'on n'aurait pas dû s'en prendre à ces... » a repris le geignard.

C'est alors qu'il s'est tu, s'apercevant qu'il y avait des étrangers dans la salle et que tous les clients habituels tiraient des mines de déterrés.

Net a empoigné son épée.

Ils étaient neuf, si on comptait Cingle et quelques clients qui commençaient à se ranger à leurs côtés. Candi a renversé la table de jeu. Nous avons actionné les taquets de nos tubes à ressort. Quatre fléchettes empoisonnées ont fusé à travers la salle commune. Nous avons dégainé les épées.

Ça a duré quelques secondes.

« Tout le monde va bien ? a demandé Candi.

— M'ont égratigné », a dit Otto. Je l'ai examiné. Rien d'inquiétant.

« Retourne derrière le comptoir, mon pote, a commandé Candi à Cingle, qu'il avait épargné. Les autres, remettez la salle en ordre. Prêteur, surveille-les. Au moindre écart, tu les descends.

— Qu'est-ce que je fais des cadavres ?

— Balance-les dans le puits. »

J'ai remis la table sur ses pieds, me suis rassis, et j'ai déroulé une feuille de papier. Dessiné dessus, il y avait l'organigramme de l'état-major insurgé. J'ai biffé *Net*. Il se trouvait au milieu de la hiérarchie. « Cingle ! ai-je appelé. Amène-toi par ici. »

Le tavernier s'est approché avec l'enthousiasme d'un chien promis à une volée de coups de trique.

« T'en fais pas. Tout se passera très bien pour toi. Si tu coopères. Dis-moi qui étaient ces types. »

Il s'est mis à bafouiller. Comme de juste.

« Seulement les noms », ai-je insisté. Il a regardé le papier en fronçant les sourcils. Il ne savait pas lire. « Cingle ? C'est étroit, pour nager, le fond d'un puits encombré de cadavres. »

Il a dégluti, balayé la salle du regard. J'ai jeté un coup d'œil au grand type près de la cheminée. Il n'avait pas bougé de toute l'échauffourée. Il continuait d'observer la scène avec une apparente indifférence.

Cingle a énoncé les noms.

Certains figuraient sur ma liste, d'autres pas. J'ai supposé que ceux qu'elle ne mentionnait pas n'étaient que des sous-fifres. Tally avait été suffisamment bien quadrillée pour que cette liste soit fiable.

Le dernier cadavre a été débarrassé du plancher. J'ai donné une piécette d'or à Cingle. Il a gloussé. Les clients lui ont jeté des regards mauvais. J'ai grimacé un sourire. « Pour tes services. »

Cingle a blêmi, les yeux rivés sur sa pièce. Le cadeau empoisonné. Ses patrons allaient penser qu'il avait contribué à tendre l'embuscade. « Tu l'as dans l'os, ai-je soufflé. Tu veux t'en sortir vivant ? »

Il m'a lancé un regard lourd de peur et de haine. « Mais, bordel, vous êtes qui ? a-t-il haleté d'une voix rauque.

— La Compagnie noire, Cingle. La Compagnie noire. »

Je ne sais pas comment il s'y est pris, mais il est devenu encore plus blanc.

5

Génépi : Marron Shed

La journée était grise, froide et humide, calme, brouillardeuse et morne. Les conversations, au Lis de fer, se résumaient à des monosyllabes péremptoires grommelées devant un feu malingre.

Puis la bruine s'est installée, tirant hermétiquement les rideaux du monde. Le long des rues sales et boueuses se faufilaient des silhouettes grises et brunes, tête rentrée dans les épaules avec un air de chien battu. C'était un jour pourri, rongé jusqu'au trognon par le ver de la morosité. À l'intérieur du Lis, Marron Shed s'est interrompu un moment dans son essuyage de chopes. Histoire d'épousseter, comme il disait. Personne ne buvait dans ses pots de grès minables parce que personne n'achetait jamais de sa vinasse aigre. Personne n'en avait les moyens.

Le Lis se dressait à l'extrémité sud de la rue Florale. Le comptoir de Shed, face à la porte d'entrée, se renfonçait à vingt pas dans la pénombre de la salle commune. Un troupeau de petites tables, abritant chacune sa couvée de chaises bancales, composait un dédale périlleux pour tout client débouchant de la lumière du jour. Une demi-douzaine de piliers de bois mal équarris s'ajoutaient au parcours d'obstacles. Les poutres du plafond étaient trop basses pour les clients de grande taille. Les lattes du plancher, gauchies et fendillées, grinçaient et tout ce qui se répandait dessus s'écoulait inexorablement dans le sens de la pente.

De vieux bibelots décoraient les murs, ainsi que des curiosités laissées jadis par des clients dont ceux d'à présent ignoraient l'histoire. Marron Shed était trop feignant pour les astiquer ou pour les décrocher. La salle commune formait un L au bout de son comptoir et s'étirait devant l'âtre où étaient disposées les meilleures tables. Au-delà de la cheminée, au plus sombre de la salle et à un mètre de la porte de la cuisine, se trouvait le pied de l'escalier desservant les chambres à l'étage.

Un petit bonhomme chafouin a pénétré dans le labyrinthe. Il portait un fagot de débris de bois. « Shed ? Je peux ? »

— Eh, tiens ! Pourquoi pas, Asa ? On en profitera tous. » Du feu moribond ne subsistait qu'un banc de cendres grises. Asa s'est installé près de la mère de Shed. La vieille June était aveugle. Elle ne pouvait pas le reconnaître. Il a déposé son fagot à ses pieds et s'est mis à tisonner le feu.

« Rien du côté du port, aujourd'hui ? » a demandé Shed.

Asa a secoué la tête. « Rien à entrer, rien à sortir. Ils n'avaient que cinq portefaix à recruter. Déchargement de chariots. Fallait se battre pour être retenu. »

Shed a opiné du chef. Se battre n'était pas le fort d'Asa. Gagner honnêtement sa vie non plus, d'ailleurs. « Chérie, sers donc un coup à Asa. » Shed avait accompagné ses paroles de gestes. La jeune serveuse a saisi une timbale cabossée et l'a amenée près du feu.

Shed n'aimait pas le bonhomme. C'était un sournois, un voleur, menteur et tire-au-flanc, du genre à flanquer sa sœur sur le trottoir pour quelques gershs de cuivre. Il était geignard et poltron. Mais il servait bien Shed, qui n'était guère enclin de nature à la charité. Asa était l'un des vagabonds qu'il laissait dormir sur le plancher de la salle commune quand ils ramenaient de quoi nourrir le feu. Laisser les sans-abri passer la nuit chez lui ne remplissait pas son escarcelle, mais c'était une façon d'assurer un peu de chaleur pour les os arthritiques de June.

À Génépi, trouver du bois de chauffage en hiver s'avérait encore plus dur que trouver du boulot. La détermination d'Asa pour éviter tout travail honnête amusait Shed.

Le crépitement du feu a succédé au silence. Shed a reposé son chiffon crasseux. Il s'est approché de l'âtre, derrière sa mère, et a tendu les mains vers les flammes. Les ongles ont commencé à l'élancer ; il ne s'était pas rendu compte à quel point il faisait froid.

L'hiver serait rude et long. « Asa, tu saurais où t'approvisionner régulièrement en bois ? » Le pétrole dépassait les moyens de Shed. Quant au bois de chauffe, on l'acheminait désormais par barges jusqu'au port depuis l'intérieur des terres. Dans sa jeunesse...

« Non. » Asa contemplait les flammes. Une odeur de résine a envahi le Lis. Shed s'inquiétait pour sa cheminée. Encore un hiver à passer à coups de rebuts de sapin, or il n'avait pas fait ramoner le conduit. Un incendie restait à craindre.

Il fallait un changement, vite. Il avait passé les bornes du supportable, ses dettes l'étranglaient. Il était à bout.

« Shed. »

Il s'est retourné vers ses tables, vers son seul client vraiment solvable. « Corbeau ?

— La même chose, s'il te plaît. »

Shed a cherché Chérie du regard. Elle avait disparu. Il a grommelé un juron. Rien ne servait de l'appeler. La fille était sourde, elle ne communiquait que par signes. Un capital, avait-il pensé quand Corbeau lui avait proposé de la prendre à son service. Il s'échangeait quantité de secrets à voix basse, au Lis. Shed s'était dit qu'il s'en échangerait peut-être plus encore si le bruit courait qu'on pouvait y parler sans risque d'être entendu.

Shed a baissé la tête et saisi le gobelet de Corbeau. Il n'aimait pas ce gars-là, en partie parce qu'il s'en sortait bien en jouant le même jeu qu'Asa. Corbeau ne disposait d'aucune ressource en apparence, pourtant il ne manquait jamais d'argent. Une autre raison, c'était que Corbeau était plus jeune, plus robuste et vigoureux que le cortège des clients du Lis. Sa présence relevait de l'anomalie. Le Lis se trouvait au pied du coteau de la Cothurne, près du fleuve. L'établissement attirait des ivrognes, des prostituées défraîchies, des vagabonds, tout un ramassis d'épaves qui dérivaient dans ce dernier bras mort avant de s'engloutir dans l'obscurité. Shed était parfois pris d'angoisse, assailli par la crainte que son précieux Lis ne soit rien d'autre qu'une ultime étape.

Corbeau échappait à tout cela. Il pouvait se permettre mieux. Shed aurait voulu pouvoir le flanquer dehors. Il avait la chair de poule quand il le voyait assis à son coin de table, à jeter de son regard dur des lances de suspicion sur tous les clients qui franchissaient le seuil de la taverne, à se curer les ongles à longueur de temps à la pointe de son couteau acéré comme un rasoir, à lâcher quelques mots glacés, atones, quand quiconque évoquait la possibilité de monter à l'étage avec Chérie... Ça le déconcertait, d'ailleurs. Bien qu'ils n'aient manifestement aucun lien de parenté, Corbeau la protégeait comme sa propre fille encore pucelle. Et puis à quoi aurait servi une entraîneuse dans sa taverne, de toute façon ?

Shed a haussé les épaules, s'est forcé à penser à autre chose. Il avait besoin de Corbeau. Il avait besoin de tous les clients solvables qu'il pourrait trouver. Il survivait de prières.

Il a servi le vin. Corbeau a laissé tomber trois pièces dans sa paume. L'une était un leva d'argent. « Monsieur ?

— Ramène un bois correct, Shed. Si je voulais geler, je resterais dehors.

— Bien, monsieur ! »

Shed s'est avancé jusqu'à la porte, a jeté un coup d'œil dans la rue. Le dépôt de bois de Latham se trouvait juste un pâté de maisons plus loin.

Le crachin s'était mué en pluie verglacée. La boue de la rue se recouvrait d'une gangue. « Il neigera avant la nuit, a-t-il annoncé sans s'adresser à personne.

— Sors ou rentre, a grogné Corbeau. Mais ne gaspille pas le peu de chaleur de la pièce. »

Shed s'est faufilé dehors. Il espérait pouvoir atteindre le dépôt avant que le froid ne commence à le mordre.

Deux silhouettes se profilaient à travers le grésil. L'une d'elles était très grande. Toutes les deux se penchaient en avant, le cou emmailloté de chiffons pour éviter que la glace ne leur dégouline dans le dos.

Shed est revenu au Lis au pas de course. « Je vais passer par-derrière. » Puis il a ajouté par signes : Chérie, je sors. Tu ne m'as pas vu depuis ce matin.

Krage ? a-t-elle demandé, par signes elle aussi.

Krage, a confirmé Shed. Il a filé vers la cuisine, décroché de la patère son manteau élimé qu'il a enfilé en se trémoussant. Il a dû s'y prendre à deux fois pour ouvrir le loquet de la porte.

Un sourire malsain dépouillé de trois dents l'a accueilli quand il s'est penché dehors. Une haleine fétide a assailli ses narines. Un doigt crasseux s'est vissé sur son torse. « Tu vas quèque part, Shed ?

— Salut, Rouge. Je vais juste faire un saut chez Latham pour du bois de chauffe.

— Nenni, tu restes là. »

Le doigt poussait. Shed a reculé jusqu'à la salle commune.

En sueur, il a proposé : « Un coup de vin ?

— C'est bien urbain, Shed. Mets-en donc trois.

— Trois ? a couiné Shed.

— Tu vas pas me dire que t'es pas au courant de la venue de Krage ?

— Je te jure, pourtant. » Shed mentait. Le rictus lardé de chicots de Rouge attestait qu'il n'était pas dupe.

6

Mêlée à Tally

On a beau s'évertuer, il y a toujours quelque chose qui foire. Ainsi va la vie. Quand on a de la jugeote, on anticipe.

Pourtant, un des vingt-cinq rebelles environ tombés dans notre traquenard avait réussi à s'enfuir, alors qu'il semblait que Net nous ait rendu un fier service en convoquant l'état-major local pour une table ronde. À qui la faute ? Difficile à déterminer après coup. Chacun d'entre nous a fait son boulot. Mais rester aux aguets dans une tension permanente a ses limites, à la longue. Le fuyard avait dû attendre des heures avant de saisir l'occasion de s'esbigner. Nous n'avons remarqué son absence que bien longtemps plus tard.

C'est Candi qui s'en est aperçu. Il a disposé une carte à la queue de celles qu'il avait en main et il a dit : « Il nous manque un bonhomme, les mecs. Un de ces cochons de fermiers. Le petit, celui qu'avait justement une trogne de cochon. »

J'avais la tablée en périphérie de mon champ de vision. « T'as raison. Merde, ai-je grogné. On aurait dû recompter les têtes après chaque voyage au puits. »

La table se trouvait derrière Prêteur. Il ne s'est même pas retourné. Il a attendu qu'on lui donne ses cartes puis, au trot, est allé chercher une cruche de bière au comptoir de Cingle. Tandis que son va-et-vient distrayait les habitués de la taverne, j'ai fait des signes à toute allure en langage des sourds. Préparez-vous à une descente. Ils savent qui nous sommes. J'ai ouvert ma grande gueule.

Les rebelles en voudraient salement à notre peau. La Compagnie noire s'était forgé une fameuse réputation de nettoyeur de pestilence rebelle, où qu'elle se mette à sentir. Nous ne sommes pourtant pas aussi vicieux qu'on le prétend, mais la terreur nous précède où que nous allions. Les rebelles flanchent le plus souvent dès notre arrivée et démissionnent purement et simplement.

Mais pour l'heure nous n'étions que quatre, séparés de nos compagnons, et nous donnions l'air d'être inconscients de la menace. Ils allaient essayer. Restait à savoir s'ils frapperaient fort.

Nous avions quelques atouts dans nos manches. On évite de jouer à la loyale autant que possible. La règle au sein de la Compagnie, c'est d'assurer l'efficacité optimale pour le minimum de risques.

L'escogriffe taciturne s'est levé puis est sorti de l'ombre, la démarche raide, et a gravi l'escalier qui menait aux chambres. Candi a claqué des doigts. « Va voir, Otto. » Otto lui a filé le train ; il avait l'air tout gringalet dans son sillage. Les habitués observaient, curieux.

Prêteur a demandé par signes : Et maintenant ?

« On attend », a répondu Candi à voix haute, et il a rajouté avec les mains : Conformément à la mission.

Pas marrant de jouer les appâts, a rétorqué Prêteur par signes. Il lorgnait nerveusement les escaliers. « On n'a qu'à donner son jeu à Otto quand même », a-t-il proposé.

J'ai consulté Candi du regard. Il a opiné du chef. « Pourquoi pas ? Donne-lui dans les dix-sept. » Otto abattait systématiquement son jeu au premier tour s'il avait moins de vingt. C'était un bon calcul.

J'ai rapidement passé mes cartes en revue et esquissé un sourire. J'étais en mesure de le gratifier de dix-sept points en gardant assez de cartes faibles pour donner à chacun de nous une main qui le grillerait. « Donne-moi les cartes. »

J'ai reclassé le jeu en hâte pour constituer des suites. « Et zou. » Aucun de nous n'avait davantage qu'un cinq. Seule la main d'Otto comportait des cartes plus fortes.

Candi a grimacé un sourire. « Ouais ! »

Otto tardait à revenir.

« Je monte voir, a déclaré Prêteur.

— Si tu veux », a répliqué Candi. Il est allé se servir une bière. Je gardais l'œil sur les clients. Ils se faisaient des idées. J'en ai fixé un du regard et j'ai secoué la tête.

Précédés du ténébreux qui est allé se rencogner dans l'ombre, Prêteur et Otto sont revenus la minute d'après. Ils avaient l'air soulagés. Ils se sont attablés pour jouer.

« Qui a distribué ? a demandé Otto.

— Candi, ai-je répondu. À toi. »

Il a abattu son jeu. « Dix-sept.

— Hé, hé, hé, ai-je gloussé. Je te bats. Quinze. »

Prêteur a ajouté. « Je vous coiffe tous les deux. Quatorze. »

Et Candi : « Quatorze. Tu douilles, Otto. »

Il est resté immobile quelques secondes, interdit. Puis il a compris. « Fumiers ! C'était pipé ! Vous imaginez pas que je vais raquer...

— Du calme. C'était pour rigoler, mon pote, a dit Candi. Pour rigoler. C'était à toi de donner, de toute façon. »

Il a redistribué les cartes et la nuit est tombée. Toujours pas d'insurgés. Les habitués redoublaient de nervosité. Certains se faisaient du mouron pour leur famille, craignaient de rentrer tard. Comme partout, les habitants de Tally ne s'intéressent qu'à leur propre vie. Ils se moquent de savoir qui domine, de la Rose Blanche ou de la Dame.

La minorité de sympathisants aux rebelles se demandait avec inquiétude quand l'attaque surviendrait. Ils craignaient de se trouver pris entre deux feux.

Nous faisions mine de n'en rien voir.

Lesquels sont dangereux ? a demandé Candi par signes.

Après concertation, nous en avons jugé trois susceptibles de nous donner du fil à retordre. Sur ordre de Candi, Otto les a ligotés à leur chaise.

Les habitués ont commencé à comprendre que nous savions à quoi nous attendre, que nous étions prêts. Pas impatients, mais prêts.

Nos agresseurs attendaient minuit. Ils se montraient plus prudents que la plupart des rebelles rencontrés jusqu'alors. Peut-être notre réputation était-elle *trop* impressionnante...

Ils ont déboulé d'un coup. Nous avons déchargé nos tubes à ressort et commencé à ferrailler en nous repliant vers un angle de la salle, loin de la cheminée. Le grand type regardait avec détachement.

Les rebelles étaient nombreux. Beaucoup plus que nous n'attendions. Il s'en engouffrait sans cesse de nouveaux, ils se pressaient les uns contre les autres, se gênaient, enjambaient les corps de leurs compagnons tombés.

« Le piège ! ai-je haleté. Sont une bonne centaine !

— Ouais ! m'a lancé Candi. Sales draps ! » Il a décoché un coup de pied dans l'aine d'un assaillant et l'a tailladé comme il cherchait à se protéger.

La salle regorgeait d'insurgés d'un mur à l'autre et, à en juger par le bruit, il devait encore y en avoir une belle palanquée dehors. Il avait été décidé qu'on ne s'en tirerait pas.

À vrai dire, c'était le plan.

Mes narines ont frémi. Une odeur flottait dans l'air, très ténue mais incongrue, subtile dans la puanteur de peur et de trouille. « Protection ! » ai-je braillé avant de sortir un tampon de laine mouillé de la giberne pendue à ma ceinture. Ça empestait pire qu'une mouffette écrasée. Mes compagnons m'ont imité.

Un type a hurlé quelque part. Puis un autre. Les voix sont montées en une cacophonie infernale. Nos ennemis se sont agités, déroutés, paniqués. L'agonie déformait leurs traits. Des combattants se sont écroulés en se tordant convulsivement, main crispée sur le nez ou la gorge. Je prenais garde à conserver mon tampon bien appliqué sur mon visage.

L'escogriffe est sorti de l'ombre. De sang-froid, il a commencé à passer les guérilleros au fil de sa lame argentée longue d'une quarantaine de centimètres. Il a épargné ceux des clients que nous n'avions pas ligotés à leur chaise.

Par signes, il a annoncé : L'air est de nouveau respirable.

« Toi, tu surveilles la porte », m'a dit Candi. Il connaissait mon aversion pour ce genre de massacre. « Otto, tu te charges de la cuisine. Prêteur et moi, on file un coup de main à Silence. »

Les rebelles dehors ont essayé de nous avoir à coups de flèches par l'ouverture de la porte. Sans succès. Puis ils ont tenté d'incendier la taverne. Cingle verdissait de colère. Silence, l'un des trois sorciers de la Compagnie qu'on avait dépêchés à Tally plusieurs semaines auparavant, a éteint le feu grâce à ses pouvoirs. La rage au cœur, les rebelles se sont préparés au siège.

« Ils ont dû rameuter tous les hommes de la province », ai-je dit.

Candi a haussé les épaules. Il empilait les cadavres afin de dresser des barricades défensives. « Ils ont sans doute établi un camp de base pas loin. » Nous avions efficacement infiltré les insurgés de Tally. La Dame nous prépare au mieux avant de nous envoyer au feu. Pourtant nous étions loin de nous douter qu'ils pouvaient lever de telles forces en si peu de temps.

Malgré notre succès, j'avais peur. Il y avait une sacrée foule dehors, que des nouveaux venus grossissaient sans cesse, à ce qu'il me semblait entendre. Silence, comme atout de réserve, ne faisait guère le poids.

« T'as envoyé ton pigeon ? » ai-je demandé, pensant que c'était pour cette raison qu'il était monté à l'étage. Il a hoché la tête. Ça m'a soulagé. Mais pas beaucoup.

Le tumulte a décru. Ils devenaient plus calmes, dehors. De plus en plus de flèches fusaient par l'ouverture de la porte, déboîtée de ses gonds lors du premier assaut. Les corps entassés en travers ne freineraient pas les rebelles longtemps.

« Ils vont s'amener, ai-je crié à Candi.

— Reçu. »

Il est allé retrouver Otto dans la cuisine. Prêteur s'est joint à moi. Silence, l'air sournois et implacable, s'est planté au milieu de la salle commune.

Une clameur a retenti dehors.

« Les voilà ! »

Nous avons encaissé le gros de l'assaut, avec l'aide de Silence, mais d'autres commençaient à défoncer les volets des fenêtres. Puis Candi et Otto ont été refoulés de la cuisine. Candi a tué un assaillant un peu trop fougueux et battu en retraite pour se donner le temps de beugler : « Où sont-ils, Silence ? »

Silence a haussé les épaules. L'imminence de la mort paraissait le laisser de glace. Il a jeté un sort à un homme que ses compagnons hissaient par une fenêtre.

Des trompettes tonitruantes ont vagi dans la nuit. « Ah ! ai-je laissé échapper. Les voilà ! » Le dernier verrou du piège s'enclenchait.

Restait la question subsidiaire : la Compagnie arriverait-elle avant que nos adversaires aient raison de nous ?

De plus en plus de fenêtres cédaient. Silence ne pouvait plus faire face partout.

« L'escalier ! a lancé Candi. On se replie sur l'escalier ! »

Nous nous y sommes précipités. Silence a répandu un brouillard délétère. Ce n'était pas la substance mortelle qu'il avait utilisée un moment plus tôt. Il ne pouvait plus y recourir maintenant. Il manquait de temps de préparation.

Nous avons tenu l'escalier sans problème. Deux hommes épaulés par Silence pouvaient le défendre une éternité.

Les rebelles s'en sont rendu compte. Ils ont commencé à rallumer des feux.Cette fois Silence ne pouvait plus venir à bout de tous les foyers.

7

Génépi : Krage

La porte d'entrée s'est ouverte. Deux hommes ont déboulé dans le Lis, tapé du pied, épousseté la neige qui les poudrait. Shed s'est précipité pour leur offrir son aide. Le plus grand des deux l'a repoussé. L'autre a traversé la pièce, écarté Asa d'une bourrade et s'est installé à sa place devant la cheminée, mains tendues vers les flammes. Les clients de Shed fixaient le feu, aveugles et sourds à tout le reste.

Tous sauf Corbeau, a remarqué Shed. Corbeau affichait un certain intérêt pour la scène, sans pour autant s'en émouvoir.

Shed transpirait. Krage a fini par se retourner. « Tu n'es pas passé me voir hier, Shed. Je le déplore.

— Je n'ai pas pu, Krage. Je n'avais rien à t'apporter. Tu peux vérifier dans ma caisse. Tu sais que je te paierai. Je n'y manque jamais. Il me faut juste un petit délai.

— Tu étais en retard la semaine dernière, Shed. Je me suis montré patient. Je sais que tu as des ennuis. Mais en retard, tu l'étais aussi la semaine précédente. Et celle d'avant. De quoi j'ai l'air ? Je te sais sincère quand tu dis que tu me paieras. Mais que vont croire les gens ? Hein ? Peut-être vont-ils penser qu'eux aussi peuvent s'autoriser des retards. Ou même qu'ils peuvent carrément s'abstenir de payer.

« — Krage, je ne peux pas. Regarde dans ma caisse. Sitôt que les affaires reprendront... »

Sur un geste de Krage, Rouge s'est penché derrière le comptoir.

« Les affaires sont mauvaises partout, Shed. J'ai mes ennuis aussi. J'ai mes frais. Je ne peux plus les couvrir si tu ne règles pas tes dettes. » Il s'est mis à arpenter la salle commune à grands pas, à examiner le mobilier. Shed lisait ses pensées. Il voulait le Lis. Il voulait le savoir, lui, Shed, acculé au point de devoir lui céder la taverne.

Rouge a passé la caisse à Krage, qui a grimacé.

« Les affaires vont vraiment mal. » Il a esquissé un geste. Le grand gaillard, Comte, a empoigné Shed par les bras et lui a rabattu les coudes dans le dos. Shed a failli s'évanouir. Krage a grimacé un sourire mauvais. « Fouille-le un peu, Rouge. Au cas où il nous ferait des cachotteries. » Puis il a empoché le contenu de la caisse. « Pour acompte, Shed. »

Rouge a trouvé le leva d'argent que Corbeau avait donné au tavernier.

Krage a secoué la tête. « Shed, Shed, tu m'as menti. »

Comte a commencé à lui écraser douloureusement les coudes l'un contre l'autre.

« C'est pas à moi, a protesté Shed. C'est à Corbeau. Il voulait que j'aille acheter du bois. C'est pour ça que je m'apprêtais à partir chez Latham. »

Krage l'a transpercé du regard. Il le croyait, Shed le savait. Il n'avait pas le cran de mentir.

Shed avait peur. Krage était bien capable de s'acharner sur lui jusqu'à ce qu'il finisse par donner le Lis, ne serait-ce qu'en échange de sa peau.

Qu'adviendrait-il alors ? Il se retrouverait sans un gersh, à la rue avec une vieille femme à charge.

La mère de Shed a insulté Krage. Tout le monde l'a ignorée, Shed compris. Elle ne pouvait faire de mal à une mouche. Chérie, pétrifiée dans l'encoignure de la porte de la cuisine, un poing plaqué contre la bouche, lançait des appels du regard. Elle regardait Corbeau bien plus que Krage et Shed.

« Qu'est-ce que je lui casse, Krage ? » a demandé Rouge. Shed s'est liquéfié. Rouge aimait son boulot. « Tu ne devrais pas nous faire de cachotteries, Shed. Tu ne devrais pas mentir à Krage. » Il a décoché un méchant coup de poing. Shed a eu un haut-le-cœur, il a essayé de s'affaler en avant. Comte l'a redressé. Rouge a cogné de nouveau.

Une voix froide et posée a retenti. « Il dit vrai. Je l'avais envoyé chercher du bois. »

Krage et Rouge se sont retournés. Comte n'a pas relâché sa prise.

« T'es qui, toi ? a demandé Krage.

— Corbeau. Laissez-le. »

Krage a échangé un regard avec Rouge. Lequel a déclaré : « Je crois que vous n'auriez peut-être pas intérêt à causer sur ce ton à M. Krage. »

Corbeau a levé les yeux. Rouge s'est voûté en position de défense. Puis, conscient qu'on le regardait, il s'est avancé et a voulu le gifler.

Corbeau a saisi la main au vol et lui a imprimé une torsion. Rouge est tombé à genoux en grinçant un gémissement entre ses dents serrées. « C'était pas malin », a commenté Corbeau.

Interloqué, Krage a répliqué : « Les malins, c'est à leurs actes qu'on les reconnaît, monsieur. Relâchez-le tant que vous avez encore le loisir d'agir. »

Corbeau a souri, pour la première fois d'autant que Shed s'en souvenait. « C'était vraiment pas malin. » Il y a eu un craquement sonore. Rouge a hurlé.

« Comte ! » a aboyé Krage.

Comte a envoyé Shed dinguer. Deux fois plus grand que Rouge, il était vif, fort comme une montagne et à peu près aussi intelligent. Personne ne lui résistait.

Une méchante lame d'une vingtaine de centimètres est apparue dans le poing de Corbeau. Comte a pilé si brusquement qu'il a perdu l'équilibre. Il a basculé en avant et repoussé le bord de la table de Corbeau dans sa chute.

« Oh merde ! » a grogné Shed. L'un des deux allait y rester. Krage ne passerait pas l'éponge. Les affaires en souffriraient trop.

Mais quand Comte s'est relevé, Krage lui a demandé d'un ton presque badin : « Comte, va aider Rouge. »

Comte s'est retourné docilement vers Rouge qui s'était traîné à l'écart en se tenant le poignet.

« Je crois qu'il y a un petit malentendu entre nous, a repris Krage. Je vais être clair, Shed. Tu disposes d'une semaine pour me payer. Dette et intérêts.

— Mais...

— Pas de mais, Shed. Ce sont les termes qui étaient convenus. Tue, dévalise qui tu voudras. Vends ta bicoque. Mais trouve l'argent. » Le *sinon* coulait de source.

Je vais m'en sortir, a estimé Shed. Il ne me fera pas de mal. Je suis trop bon client.

Restait à savoir comment, bordel. Impossible de liquider le fonds. Pas à l'approche de l'hiver. Sa vieille mère ne survivrait pas à la rue.

Une bouffée d'air glacial s'est engouffrée dans le Lis. Krage, immobile sur le pas de la porte, a dardé un regard noir sur Corbeau. L'autre ne s'est pas donné la peine d'y répondre.

« Du vin, Shed, a exigé Corbeau. On dirait que j'ai renversé mon verre. »

Shed s'est empressé malgré sa douleur. Il avait la servilité dans le sang.

« Je te remercie, Corbeau, mais tu n'aurais pas dû t'en mêler. Il te tuera maintenant. »

Corbeau a haussé les épaules. « File chez le marchand de bois avant que quelqu'un d'autre n'essaie de te délester de mon argent. »

Shed a jeté un coup d'œil vers la porte. Il n'avait pas envie de sortir. Peut-être qu'ils l'attendaient. Et puis son regard s'est posé de nouveau sur Corbeau. Il se curait les ongles avec sa saleté de couteau. « J'y vais. »

Il neigeait maintenant. La rue était traîtresse. Seule une fine pellicule blanche recouvrait la boue.

Shed ne pouvait s'empêcher de se demander ce qui avait poussé Corbeau à intervenir. Protéger son argent ? Explication raisonnable... seulement quelqu'un de raisonnable aurait filé doux en présence de Krage. Pour un regard de travers, Krage égorgeait.

Corbeau était nouveau dans le coin. Peut-être ignorait-il sa réputation ?

Il allait l'apprendre à ses dépens. Sa vie ne valait pas plus de deux gershs.

Corbeau avait manifestement de l'argent. Il ne se promenait sûrement pas avec tout son pécule en permanence. Peut-être qu'il en cachait une partie dans sa chambre. Assez pour payer Krage, qui sait ? Peut-être qu'il pourrait lui tomber sur le râble. Krage apprécierait.

« Montre la couleur du pognon », a répondu Latham quand il lui a demandé un peu de bois. Shed a exhibé le leva d'argent de Corbeau. « Qui c'est qu'est mort, cette fois ? »

Shed a rougi. Une vieille prostituée avait rendu l'âme au Lis l'hiver précédent. Shed l'avait détroussée avant d'appeler les Veilleurs. Sa mère et lui avaient vécu au chaud le restant de l'hiver. Toute la Cothurne était au courant parce qu'il avait commis la bévue d'en parler à Asa.

En principe, les Veilleurs empochaient les biens des morts. C'était, outre les donations, ce qui leur permettait de subvenir à leurs besoins et d'entretenir les catacombes.

« Personne. C'est un client qui m'envoie.

— Bah ! Le jour où t'auras un client qui pourra se permettre des largesses... a commenté Latham en haussant les épaules. Mais passons ! Ta pièce me va, peu m'importe d'où tu la sors. Prends ton bois. Avance, c'est par là. »

Shed est revenu vers le Lis en titubant, le visage brûlant, les côtes douloureuses. Latham ne s'était même pas donné la peine de masquer son mépris.

De retour chez lui, quand le feu s'est mis à mordre le bon chêne, il a servi deux gobelets de vin en venant s'asseoir face à Corbeau. « Au frais de la maison. »

Corbeau a gardé le regard fixe un moment, il a siroté une gorgée, puis il a placé son gobelet avec une méticuleuse précision sur une macule du plateau de la table. « Qu'est-ce que tu veux ?

— Te remercier à nouveau.

— Y a pas à me remercier.

— Te mettre en garde, alors. Tu n'as pas pris Krage assez au sérieux. »

Latham est entré à pas lourds, chargé d'une brassée de bois, ronchonnant parce qu'il ne pouvait pas utiliser sa carriole. Il lui faudrait effectuer pas mal d'allers et retours.

« Va-t'en, Shed. » Alors, comme Shed se levait, le feu aux joues, Corbeau l'a retenu en claquant des doigts. « Attends. Tu te sens redevable ? Alors un de ces quatre je te demanderai un service. Tu le feras, pas vrai ?

— Bien sûr, Corbeau. Ce que tu voudras. Tu n'as qu'à dire.

— Retourne t'asseoir près du feu, Shed. »

Le tavernier s'est insinué entre Asa et sa mère, et s'est comme eux muré dans un silence maussade. Ce Corbeau lui donnait vraiment la chair de poule.

L'homme en question était pour l'heure lancé dans un vif échange de signes avec la jeune serveuse sourde.

8

Tally : Verrou

J'ai posé la pointe de mon épée sur le sol de la taverne. Le dos voûté de fatigue, j'ai toussé faiblement dans la fumée. J'ai titubé, me suis traîné mollement vers une table renversée pour m'y appuyer. Le contrecoup. J'avais bien cru que c'était la fin, cette fois. S'ils n'avaient pas été contraints d'éteindre eux-mêmes les feux...

Elmo a traversé la salle et m'a passé un bras sur l'épaule.

« T'es blessé, Toubib ? Tu veux que je te ramène Qu'un-Œil ?

— Non, non. Juste vidé. Ça faisait longtemps que je ne m'étais pas payé une frousse pareille, Elmo. Je me suis vu y passer. »

Il a crocheté une chaise avec le pied, l'a rapprochée et m'a fait asseoir. C'était mon ami le plus proche, un vieux dur à cuire, maigre et noueux, rarement d'humeur maussade. Du sang frais maculait sa manche gauche. J'ai essayé de me lever. « Assis, m'a-t-il ordonné. Poches s'en chargera. »

Poches, c'était le gars que je formais au métier de médecin, un jeunot de vingt-trois ans. La Compagnie vieillit – en tout cas son noyau, ceux de ma génération. Elmo a passé la cinquantaine. Le capitaine et le lieu-

35

tenant campent de part et d'autre du cinq-zéro. Et mes quarante ans sont loin.

« On les a tous eus ?

— Pour ainsi dire. » Elmo s'est assis sur une autre chaise. « Qu'un-Œil, Gobelin et Silence sont partis traquer ceux qui se sont fait la belle. » Sa voix était distraite. « La moitié des rebelles de la province, du premier coup.

— On se fait trop vieux pour ça. »

Des hommes ramenaient des prisonniers à l'intérieur et les passaient en revue pour essayer de démasquer ceux qui détenaient des renseignements utiles.

« On devrait laisser ce genre de boulot aux gamins.

— Ils ne sauraient pas s'en dépêtrer. » Les yeux dans le vide, il s'est mis à rêvasser d'un lointain et ancien ailleurs.

« Ça va ? »

Il a opiné du chef pour se démentir aussitôt. « À quoi ça rime, Toubib ? Ça n'aura donc pas de fin ? »

J'ai attendu la suite. Il en est resté là. Pas loquace, le gaillard. Surtout quand il s'agit de se livrer. Je lui ai donné un petit coup de coude. « Qu'est-ce que tu veux dire ?

— Ça continue, toujours pareil. La chasse au rebelle. Quand il n'y en a plus, il y en a encore. C'était déjà comme ça à l'époque où on travaillait pour le syndic, à Béryl. On pourchassait les dissidents. Et avant Béryl déjà... Trente-six ans à rabâcher la même vieille rengaine. Et pour ce qui me concerne, jamais assuré de faire bien. Maintenant moins que jamais. »

C'était bien d'Elmo de taire ses réserves pendant huit ans avant de les déballer abruptement. « On n'est pas en mesure de changer quoi que ce soit. La Dame n'apprécierait pas qu'on prétende tout d'un coup mener ceci comme ci ou s'abstenir de cela. »

Nous n'avions pas trop eu à nous plaindre, au bout du compte, au service de la Dame. Bien que nous écopions des missions les plus dures, nous n'avions jamais eu à effectuer les sales besognes. Les troupiers s'en chargeaient. Des coups de main préventifs, oui, d'accord. Des massacres sporadiques. Mais toujours dans la logique du boulot. Nécessité militaire. Nous n'avions jamais eu à commettre d'atrocités. Le capitaine, d'ailleurs, ne l'aurait pas toléré.

« Il ne s'agit pas de moralité, Toubib. Qu'est-ce qui est moral dans une guerre ? Être plus fort que l'autre. Non. Je suis seulement fatigué.

— Ça n'a plus le parfum de l'aventure, hein ?

— Depuis longtemps. C'est devenu un boulot. Que je fais faute de connaître autre chose.

— Et dont tu t'acquittes très bien. » Ça ne l'aidait pas mais c'était tout ce que j'avais trouvé à dire.

Le capitaine est entré de son pas traînant d'ours et a observé le capharnaüm d'un œil froid. Il s'est approché. « Combien en avez-vous eu, Toubib ?

— On n'a pas encore procédé au décompte. L'essentiel de leur état-major, je dirais. »

Il a opiné du chef. « T'es blessé ?

— À plat. Physiquement et nerveusement. Ça faisait une paye que je ne m'étais pas offert une trouille pareille. »

Il a remis une table sur ses pieds, attiré une chaise, déballé un paquet de cartes. Le lieutenant est venu le rejoindre. Plus tard, Candi a ramené Cingle. On ne sait trop comment, le tavernier avait sauvé sa peau.

« Notre ami a quelques noms à te donner, Toubib. »

J'ai déplié mon papier, biffé ceux que m'énumérait Cingle.

Les chefs de peloton ont commencé à désigner des prisonniers pour les assigner à creuser des tombes. Négligemment, je me suis demandé s'ils se doutaient qu'il allait s'agir des leurs. Aucun prisonnier n'est remis en liberté sur parole, à moins qu'on puisse l'enrôler sans risque de trahison dans les rangs de la Dame. Nous avons enrôlé Cingle. Nous lui avons fourni un boniment crédible pour qu'il puisse expliquer sa survie, puis nous avons éliminé tous ceux qui risquaient de le démentir. Candi, dans un élan magnanime, a fait nettoyer son puits des cadavres.

Silence est revenu avec Gobelin et Qu'un-Œil ; les deux petits sorciers s'envoyaient des piques caustiques. Comme d'habitude. J'ai oublié le pourquoi de leur chamaillerie. Aucune importance. Il ne s'agissait que d'un prétexte, leur dispute durait depuis des dizaines d'années.

Le capitaine leur a lancé un regard aigre, puis a demandé au lieutenant : « Cœur ou Tome ? » Cœur et Tome sont les deux seules villes de Tally dignes de ce nom. À Cœur habite un roi qui s'est allié à la Dame. Elle l'a couronné il y a deux ans, après que Murmure a liquidé son prédécesseur. Il est tout sauf populaire dans la contrée. Mon point de vue, qu'on ne me demande d'ailleurs pas, c'est qu'elle devrait le destituer avant qu'il ne lui cause trop d'ennuis.

Gobelin a allumé un feu. Ça pinçait, le matin. Il s'est agenouillé devant pour se rôtir les doigts.

Qu'un-Œil farfouillait derrière le comptoir de Cingle ; il a trouvé une cruche de bière miraculeusement rescapée. Il l'a lampée d'un trait, s'est essuyé les lèvres, a jeté un coup d'œil à la ronde et m'a adressé un clin d'œil.

« C'est reparti », ai-je murmuré.

Le capitaine a levé le regard. « Hein ?

— Qu'un-Œil et Gobelin.

— Ah. » Il s'est replongé dans son travail pour ne plus s'en distraire.

Une tête s'est composée dans les flammes, devant la petite face de grenouille de Gobelin. Il ne la voyait pas. Il avait les paupières closes. J'ai regardé Qu'un-

Œil. Lui aussi avait le sien scellé ; son visage était tout sillonné, ride sur ride sous l'ombre de son chapeau à bords flottants. La tête dans le feu s'est précisée.

« Eh ! » Le visage m'a fait tressaillir un instant. Le regard braqué dans ma direction, il me rappelait celui de la Dame. Disons celui que la Dame arborait le jour où je l'avais rencontrée. C'était pendant la bataille de Charme. Elle m'avait convoqué pour sonder mon esprit, elle craignait une conspiration ourdie par les Dix qui étaient Asservis... Ça a réveillé ma trouille. Cette peur ne me lâche plus depuis des années. Si jamais la Dame me questionne de nouveau, la Compagnie noire devra se passer de son plus vieux médecin et annaliste. Je sais des choses pour lesquelles elle aplatirait des royaumes.

Le visage dans le feu a tiré une langue comme celle d'une salamandre. Gobelin a poussé un cri aigu. Il s'est levé d'un bond, une main sur son nez cloqué.

Qu'un-Œil sifflait une autre bière, tournant le dos à sa victime. Gobelin a grimacé en se frottant le nez et s'est rassis. Qu'un-Œil a pivoté un petit peu, juste assez pour l'ajuster en périphérie de son champ de vision. Il attendait que Gobelin recommence à dodeliner de la tête.

Ce petit jeu durait depuis des années. Tous les deux appartenaient déjà à la Compagnie lors de mon intégration, Qu'un-Œil depuis au moins un siècle. Il est vieux, mais aussi alerte que n'importe quel gaillard de mon âge.

Peut-être même plus vif. Dernièrement, je me suis pris à ressentir de plus en plus le poids de mon âge, qui trop souvent me hante et me rappelle tout ce que j'ai manqué. J'ai beau me moquer des citadins ou des paysans enchaînés à leur petit lopin de terre tandis que j'arpente le monde à nu et découvre ses merveilles, quand mon heure viendra, aucun enfant ne portera mon nom, aucune famille ne me pleurera, sinon mes frères d'armes, nul ne se souviendra de moi et ne dressera de stèle sur mon ultime parcelle de terre froide. J'aurai beau avoir assisté à tant d'événements, je partirai sans rien avoir accompli, à part ces annales.

Quelle vanité. Écrire ma propre épitaphe en la fardant de l'histoire de la Compagnie.

Je suis dans une veine morbide. Il va falloir que je me surveille.

Tout en marmottant, Qu'un-Œil a posé ses mains jointes en coupe sur le plateau du comptoir, puis les a écartées. Une méchante araignée grosse comme le poing est apparue, dotée d'une queue d'écureuil ébouriffée. Qui a prétendu que Qu'un-Œil manquait d'humour ? La bestiole est descendue précipitamment jusqu'au sol, a sautillé jusqu'auprès de moi, esquissé un rictus à l'attention de la trogne noire de Qu'un-Œil, qui ne portait pas son bandeau oculaire, puis s'est élancée vers Gobelin.

L'essence de la sorcellerie, même pour ceux qui la pratiquent sans fumisterie, c'est de dérouter. L'araignée à queue broussailleuse en était l'illustration.

Gobelin ne roupillait pas. Il était tapi aux aguets. Quand l'araignée s'est approchée, il s'est retourné subitement et lui a lancé un tison. L'araignée s'est baissée pour esquiver. Gobelin s'est mis à marteler le sol. En vain. Sa cible bondissait d'un côté puis de l'autre comme une flèche, gloussant avec la voix de Qu'un-Œil.

Le visage s'est reformé dans les flammes. Sa langue a pointé. Le fond de culotte de Gobelin a commencé à roussir.

« Je n'y crois pas ! me suis-je exclamé.

— Quoi ? » a demandé le capitaine sans tourner la tête. Lui et le lieutenant étaient en train de se disputer ferme à propos des avantages respectifs de Tome et de Cœur comme prochaine tête de pont.

D'une façon ou d'une autre, le mot passe. Les hommes ont afflué pour le dernier round de la querelle. « Qu'un-Œil me paraît parti pour l'emporter, ai-je commenté.

— Vrai ? » Pendant un moment, le grand ours gris a prêté un peu attention : Qu'un-Œil n'avait pas surclassé Gobelin depuis des années.

La bouche de grenouille de Gobelin s'est tordue pour émettre un aboiement de surprise et de colère. Il s'est mis à danser en s'administrant à deux mains de grandes claques sur le postérieur. « Espèce de petit serpent ! a-t-il vociféré. Je vais t'étrangler ! Je vais t'arracher le cœur et le bouffer ! Je vais... Je vais... »

Sidérant. Absolument sidérant. Gobelin ne perd jamais ses moyens. Il réplique. Alors Qu'un-Œil se creuse de nouveau ses méninges vicelardes : si Gobelin a pris sa revanche, lui s'estime perdant.

« Calmez-les avant que ça ne vire au vinaigre ! » a commandé le capitaine.

Elmo et moi nous sommes interposés. Dans nos petits souliers. Gobelin ne lançait pas ses menaces en l'air. Qu'un-Œil l'avait vraiment fichu en rogne, pour la première fois dont je me souvenais. « Du calme ! » ai-je soufflé à Qu'un-Œil.

Il s'est arrêté. Lui aussi se rendait compte que ça prenait mauvaise tournure.

Plusieurs hommes ont maugréé. Des paris tombaient à l'eau. D'habitude, personne ne mise un radis sur Qu'un-Œil, tant il coule de source que c'est Gobelin qui aura le dessus ; pourtant cette fois il avait l'air vulnérable.

Gobelin n'entendait pas en rester là. Il n'entendait pas non plus respecter les règles tacites. Il a saisi une épée par terre et s'est précipité sur Qu'un-Œil.

Je n'ai pas pu m'empêcher de sourire. Gobelin, tout petit, les traits déformés par un rictus féroce, brandissant une arme ébréchée trop grande pour lui : il avait l'air d'une caricature. D'une caricature assoiffée de sang. Elmo n'a pas pu le maîtriser. J'ai appelé de l'aide. Quelques gars lestes ont aspergé le dos de Gobelin. Il a virevolté, poussé un juron et s'est mis à préparer un maléfice.

Du vilain, à coup sûr. Une douzaine d'hommes sont intervenus. Quelqu'un lui a balancé un autre seau d'eau. Ça l'a refroidi. Au moment où on le délestait de son épée, il avait l'air confus. Hargneux mais confus.

Je l'ai ramené près du feu et me suis assis à côté de lui. « Qu'est-ce qu'il y a ? Qu'est-ce qui s'est passé ? » J'ai jeté un regard en coin au capitaine. Qu'un-Œil se tenait devant lui, penaud ; il essuyait un savon pas piqué des vers – et pas volé non plus.

« Je ne sais pas, Toubib. » Gobelin s'est affaissé et s'est absorbé dans la contemplation du feu. « Ç'a été comme la goutte qui a fait déborder le vase. L'embuscade de ce soir. Toujours la même rengaine. Il y a toujours une nouvelle province à mater, toujours plus de rebelles. Ils prolifèrent comme des asticots dans une tourte à la viande. Je vieillis de plus en plus et je n'ai rien fait jusqu'à présent pour rendre le monde meilleur. Même, à bien y regarder, je trouve qu'on n'a contribué qu'à le rendre pire. » Il a secoué la tête. « Bon, ce n'est pas vrai. Enfin, ce n'est pas ce que je voulais dire. Mais je ne vois pas comment l'exprimer mieux.

— Ça tient de l'épidémie.

— Quoi ?

— Rien. Je pense à voix haute. »

Elmo. Moi. Gobelin. Et bien d'autres, à en juger par leur attitude ces derniers temps. Quelque chose clochait au sein de la Compagnie noire. Des questions me taraudaient, mais je ne me sentais pas de taille à les creuser. Trop déprimantes.

« Ce qu'il nous faut, c'est un défi, ai-je suggéré. On n'a pas eu l'occasion de se donner à fond depuis

Charme. » Ce n'était qu'une demi-vérité. S'investir complètement dans une opération dans le seul but d'y survivre était peut-être une bonne prescription pour les symptômes, mais certainement pas un remède aux causes. En tant que médecin, je répugnais à traiter les symptômes uniquement. Ils risquaient de resurgir indéfiniment. C'était à la racine du mal qu'il fallait s'attaquer.

« Ce qu'il nous faut, a répondu Gobelin d'une voix basse, à peine audible dans le crépitement du feu, c'est une cause en laquelle on puisse croire.

— Ouais, ai-je reconnu. Aussi. »

D'un peu plus loin sont montés les cris de terreur atroces des prisonniers : ils venaient de comprendre qu'ils allaient remplir les fosses qu'ils avaient eux-mêmes creusées.

9

Génépi : La mort paie

Au fil des jours, la peur de Shed croissait. Trouver de l'argent pressait. Krage répandait la nouvelle. Il allait servir d'exemple.

Il reconnaissait bien là sa tactique. Krage voulait l'intimider jusqu'à ce qu'il cède le Lis. Si la taverne ne valait pas grand-chose, elle valait quand même bien plus que sa dette. Krage en tirerait plusieurs fois le montant de son investissement initial en la revendant. À moins qu'il ne l'aménage en maison close. Marron Shed et sa mère se retrouveraient à la rue, où le rire funèbre de l'hiver leur cinglerait le visage.

Tuer quelqu'un, avait insinué Krage. Détrousser. Shed soupesait les deux options. Il était prêt à tout pour garder le Lis et protéger sa mère.

Si seulement il avait pu compter sur une véritable clientèle ! Il ne logeait jamais que des filous qui resquillaient leur nuit, ou des parasites. Il lui fallait des hôtes solvables et réguliers. Mais pas moyen d'en attirer sans rénover son auberge. Et pour cela, il fallait de l'argent.

Asa a déboulé par la porte d'entrée. Pâle, hagard, il s'est précipité droit vers le comptoir.

« T'as déjà trouvé une réserve de bois ? » lui a demandé Shed.

Le petit bonhomme a secoué la tête et posé deux gershs sur le comptoir. « Donne-moi à boire. »

Shed a rangé les pièces dans sa cassette. On ne pose pas de question sur l'origine de l'argent. L'argent n'a pas de provenance. Il a rempli une chope jusqu'à la mesure. Asa a tendu le bras avidement.

« Oh, non, a dit Shed. Raconte un peu d'abord.

— Allez, quoi. Je viens de te payer, Shed.

— Ouais. Et moi je te servirai quand tu m'auras dit ce qui te chamboule à ce point.

— Où il est, Corbeau ?

— En haut, il dort. » Corbeau avait passé la nuit dehors.

Asa a eu un regain de frissons. « Donne-moi ça, Shed.

— Parle.

— C'est bon. Krage et Rouge m'ont alpagué. Ils voulaient des tuyaux sur Corbeau. »

Shed a deviné aussitôt d'où Asa tirait son argent. Il avait essayé de vendre Corbeau. « Mais encore... ?

— Ils voulaient savoir des choses à propos de lui.

— Quoi au juste ?

— S'il lui arrive de sortir.

— Pourquoi ? »

Asa a essayé d'atermoyer. Shed a repris la chope. « Bon, bon. Ils avaient assigné deux types à le surveiller. Les deux types ont disparu. Personne ne sait rien. Krage est furieux. » Shed lui a rendu son vin. Il l'a lampé d'un trait.

Shed a lancé un regard vers l'escalier en frémissant. Peut-être qu'il avait sous-estimé son hôte. « Qu'est-ce que Krage a dit à propos de moi ?

— Ça pourrait valoir une autre chope, Shed.

— Je t'en donnerai une, de chope, et pleine à ras bord, même.

— J'ai pas besoin de toi, Shed. Je me suis fait des relations. Je peux dormir chez Krage quand je veux. »

Shed a grommelé, son visage est devenu masque. « T'as gagné. » Il a servi le vin.

« Il va te mettre hors jeu, Shed. Quel qu'en soit le prix. Il s'est fourré dans la tête que t'étais de mèche avec Corbeau. » Petit sourire vicieux. « Le seul truc qui le turlupine, c'est de savoir où t'as trouvé le cran de t'opposer à lui.

— C'est pas le cas. J'ai rien à voir avec Corbeau, Asa. Tu le sais bien. »

Asa savourait l'instant. « J'ai essayé de le dire à Krage, Shed. Il n'a pas voulu l'entendre.

— Vide ton verre et dégage, Asa.

— Shed ? » La voix d'Asa retrouvait son vieil accent geignard.

« Tu m'as entendu ? Du vent ! Va retrouver tes nouveaux amis. Voir combien de temps ils se serviront de toi.

— Shed !...

— Ils te rejetteront à la rue, Asa. Tu m'y retrouveras, avec m'man. Barre-toi, espèce de sangsue ! »

Asa a bu son vin et pris la porte, la nuque rentrée dans les épaules. Il avait compris que Shed voyait juste. Son association avec Krage serait fragile et brève.

Shed a voulu prévenir Corbeau. Il ne lui a pas accordé la moindre attention. Shed s'est remis à épousseter ses gobelets. Il a regardé son client lancé dans une discussion parfaitement silencieuse en langage des signes avec Chérie, tout en essayant de concevoir un moyen de réussir un coup dans la ville haute. D'habitude, il passait plutôt ces heures matinales à zyeuter Chérie en rêvant de droit de cuissage, mais ces derniers temps la terreur venue de la rue avait jugulé ses ardeurs coutumières.

Un cri de cochon qu'on égorge a retenti à l'étage. « Mère ! » Shed a gravi l'escalier quatre à quatre.

Sa mère se trouvait dans le chambranle de la porte du grand dortoir, haletante. « M'man ? Qu'est-ce qu'il y a ?

— Il y a un homme mort ici. »

Le cœur de Shed s'est mis à palpiter. Il s'est engouffré dans la pièce. Un vieillard était étendu sur la couchette du bas, derrière la porte.

Quatre clients seulement avaient demandé un lit la veille. Six gershs par tête de pipe. La pièce mesurait deux mètres de large pour trois et demi de long et elle comptait quatre lits superposés de six couchettes, soit vingt-quatre au total. Quand il affichait complet, Shed octroyait contre deux gershs le droit de dormir affalé sur un treillis de cordage tendu au milieu.

Shed a palpé le vieillard. Son corps était froid. Il avait rendu l'âme depuis plusieurs heures.

« Qui était-ce ? a demandé la vieille June.

— J'en sais rien. » Shed a fouillé ses vêtements élimés. Il a trouvé quatre gershs et une bague en argent. « Et merde ! » Pas question de les garder. Les Veilleurs se montreraient suspicieux s'ils ne trouvaient rien. « La poisse ! C'est notre quatrième cadavre de l'année.

— C'est les clients, fils. Ils ont déjà tous un pied dans les catacombes. »

Shed a craché. « Autant que je prévienne les Veilleurs maintenant. »

Une voix a retenti. « Il a attendu un bon moment, il attendra bien encore un peu. »

Shed a pivoté. Corbeau et Chérie se tenaient derrière sa mère.

« Quoi ?

— Il se peut qu'il soit la réponse à tes problèmes », a dit Corbeau. Aussitôt Chérie s'est mise à papillonner des mains, si vite que Shed ne captait pas un signe sur vingt. Manifestement, c'était une mise en garde. Corbeau n'en a pas tenu compte.

47

« Shed ! » a couiné la vieille June. Sa voix était lourde d'avertissement.

« Ne t'inquiète pas, m'man. Je m'en occupe. Retourne à ton travail. » June était aveugle, mais quand elle était en état de s'activer, elle allait jeter les ordures ou se chargeait de ce qui passait pour le service d'une femme de chambre – à savoir poudrer les lits entre les clients pour tuer la vermine. Quand sa santé fragile la confinait au lit, Shed faisait appel à son cousin Wally, un bon à rien comme Asa, mais qui avait une femme et des gosses. Shed l'employait par pitié pour sa femme.

Il est redescendu au rez-de-chaussée. Corbeau a suivi sans cesser de s'expliquer avec Chérie. L'espace d'un instant, Shed s'est demandé s'il la couchait dans son lit. Quel foutu gâchis pour un si joli brin de donzelle si personne ne s'occupait d'elle.

Comment un cadavre lesté de quatre gershs pouvait-il le sortir du pétrin vis-à-vis de Krage ? Réponse : il ne le pouvait pas. En toute logique.

Corbeau s'est installé sur son siège habituel. Il a étalé une poignée de petite monnaie. « Du vin. Sers-t'en une timbale aussi. »

Shed a ramassé les pièces, les a déversées dans sa cassette. Son contenu était pitoyable. Pourtant il ne dépensait rien. Il était fichu. Quand bien même sa dette envers Krage s'effacerait-elle miraculeusement, il resterait dans la panade.

Il a posé la chope devant Corbeau et s'est assis. Il se sentait beaucoup plus vieux que son âge, infiniment fatigué.

« Je t'écoute.

— Le vieux. Qui était-ce ? Il n'avait pas de proches ? »

Shed a haussé les épaules. « Juste un type qui voulait échapper au froid. La Cothurne en regorge.

— Comme tu dis. »

Le ton de Corbeau a fait frissonner Shed.

« Est-ce que tu me proposes ce que je pense ?

— C'est-à-dire ?

— Je ne sais pas. À quoi sert un cadavre ? Je veux dire, même les Veilleurs se contentent de les empiler dans les catacombes.

— Supposons qu'il y ait un acheteur ?

— Ça m'avait effleuré l'esprit.

— Et... ?

— Que faudrait-il que je fasse ? » Sa voix portait à peine de l'autre côté de la table. Il ne pouvait imaginer crime plus révoltant. Même la lie des défunts de la ville étaient honorés par les vivants. Rien n'était plus sacré qu'un mort dans une ville comme Génépi dont la Clôture constituait l'épicentre.

« Pas grand-chose. Il est tard, traîne le corps jusqu'à la porte de derrière. Tu peux faire ça ? »

Shed a vidé sa chope d'un trait. Il l'a remplie de nouveau et a entrepris d'astiquer ses pots de grès avec zèle. C'était un mauvais rêve. Il allait se réveiller.

Le corps paraissait presque dépourvu de poids, pourtant Shed a peiné pour négocier l'escalier. Il avait trop bu. Il s'est glissé doucement dans la salle commune noyée d'ombre, avançant pas à pas, avec une prudence exagérée. Les clients agglutinés devant le feu avaient l'air de démons dans le rougeoiement morne des derniers brandons.

Un pied du cadavre a heurté un pot quand Shed est entré dans la cuisine. Il s'est pétrifié. Rien ne s'est passé. Les battements de son cœur se sont calmés peu à peu. Il se répétait qu'il n'agissait que dans un seul but : éviter à sa mère de geler dans les rues l'hiver.

Il a cogné du genou contre la porte. Aussitôt, elle s'est ouverte vers l'intérieur. Une ombre a soufflé « Dépêche ! » et a saisi les pieds du cadavre pour aider Shed à le hisser dans une carriole.

Pantelant, terrifié, Shed a croassé : « Et maintenant ?

— Va te coucher. Tu recevras ta part demain matin. »

Le soupir de soulagement de Shed a failli virer aux larmes. « Combien ? a-t-il haleté.

— Un tiers.

— Un tiers seulement ?

— Je prends tous les risques. Toi, tu es déjà hors d'affaire.

— Bon. Ça se montera à combien ?

— Le marché est fluctuant. »

Corbeau s'est détourné. Shed a fermé la porte et s'y est adossé, les yeux clos. Qu'avait-il fait là ?

Il a une dernière fois alimenté le feu avant de monter se coucher ; dans son lit, il a écouté les ronflements de sa mère. Avait-elle deviné ? Peut-être ne se douterait-elle de rien. Les Veilleurs passaient souvent de nuit. Il lui raconterait que tout s'était réglé durant son sommeil.

Il ne parvenait pas à dormir. Qui était au courant de cette mort ? Si la rumeur se répandait, les gens allaient se poser des questions. On se mettrait à soupçonner l'insoupçonnable.

Et si Corbeau se faisait pincer ? Les inquisiteurs le feraient-ils parler ? Bœuf pouvait faire chanter une pierre.

Il a observé sa mère toute la matinée suivante. Elle n'a rien dit hormis quelques monosyllabes, comme à son habitude.

Corbeau est revenu peu après midi. « Un thé et un bol de gruau, Shed. » Au moment de payer, ce n'est pas une piécette de cuivre qu'il a poussé sur le comptoir.

Shed a écarquillé les yeux. Dix levas d'argent s'alignaient devant lui. Dix ? Pour un seul vieillard canné ? C'était ça, le tiers ? Et Corbeau avait déjà réalisé de pareilles transactions ? Il devait être cousu d'or. Les mains de Shed sont devenues moites. Son esprit s'est mis à mugir à l'idée de crimes potentiels.

« Shed ? a murmuré Corbeau au tavernier qui lui servait son thé et son gruau. N'y pense même pas.

— Quoi ?

— Ne pense pas à ce que tu penses. C'est *toi* qui finirais dans la carriole. »

Chérie dardait sur eux un regard sévère depuis l'embrasure de la porte de la cuisine. L'espace d'un instant, Corbeau a paru embarrassé.

Shed s'est introduit furtivement dans l'hôtel où Krage tenait sa cour. Extérieurement, la bâtisse était aussi minable que le Lis. Timidement, il a cherché Comte et fait semblant de ne pas voir Asa. Comte ne chercherait pas à le tourmenter pour le plaisir. « Comte, j'ai besoin de voir Krage. »

Comte a ouvert ses grands yeux bruns et bovins. « Pourquoi ?

— Je lui amène de l'argent. Un premier versement. »

Comte s'est levé avec effort. « Bon. Attends ici. » Il s'est éloigné, la démarche raide.

Asa s'est amené subrepticement. « Où qu't'as trouvé l'argent, Shed ?

— Où trouves-tu le tien, Asa ? » Asa s'est abstenu de répondre. « Ça ne se fait pas de demander. Occupe-toi de tes oignons ou reste à distance.

— Shed, je croyais qu'on était amis.

— J'ai voulu être ton ami, Asa. Je te laissais même un coin pour dormir. Et dès que tu t'es mis de mèche avec Krage... »

Une ombre a traversé le visage d'Asa. « Je suis désolé, Shed. Tu me connais. Je suis pas une flèche. J'fais des boulettes. »

Shed a grogné. Ainsi Asa était parvenu à l'inévitable conclusion : Krage l'enverrait au diable dès qu'il aurait réglé son compte à Corbeau.

Trahir Corbeau tentait Shed. Ce type possédait une fortune cachée. Mais parmi les milliers de choses qui effrayaient Shed, son hôte arrivait en première place.

« J'ai une combine pour récupérer du bois mort de la Clôture, a déclaré Asa, le visage illuminé d'une pathétique adjuration. Du pin surtout, m'enfin du bois quand même.

— La Clôture ?

— Rien d'illégal, Shed. Ça lui fait un peu de nettoyage. »

L'aubergiste a grimacé vertueusement.

« Shed, c'est moins mal que détrousser quelqu'un... »

Shed a endigué sa colère. Il lui fallait des alliés infiltrés dans le camp ennemi. « Le bois de chauffe, ça pourrait être comme l'argent, Asa. Pas de provenance.

— Merci, Shed. » Asa arborait un sourire servile.

« Shed ! » C'était Comte qui l'appelait.

Il tremblait en traversant la pièce. Les hommes de Krage ricanaient.

Ça n'allait pas marcher. Krage n'écouterait pas. Il allait jeter son argent.

« Comte m'annonce que tu as quelque chose à me donner en acompte, a déclaré Krage.

— Hum. » On aurait dit le repaire de Krage aménagé avec le mobilier d'un manoir de la ville haute. Shed était stupéfait.

« Arrête de rouler ces yeux ronds et viens-en au fait. Et abstiens-toi de me refiler une poignée de fifrelins et de supplier pour un délai supplémentaire. Tu as trouvé un coin au chaud pour passer la nuit ? Tes paiements sont une plaisanterie, Shed.

— Pas une plaisanterie, m'sieur Krage. J'vous jure. Je peux en régler plus de la moitié. »

Krage a haussé les sourcils. « Intéressant. » Shed a posé neuf levas d'argent devant lui. « Très intéressant. » Il a dardé sur Shed un regard pénétrant.

« C'est plus de la moitié, a bredouillé Shed. En comptant les intérêts. Je me disais que peut-être on pourrait voir jusqu'à quelle date...

— Silence. » Shed s'est tu. « Tu t'imagines que je vais passer l'éponge ?

— C'était pas ma faute, m'sieur Krage. C'est pas moi qui lui ai dit de... vous ne connaissez pas ce Corbeau.

— La ferme ! » Krage couvait les pièces du regard. « Peut-être qu'on pourrait parvenir à un arrangement. Je sais que tu n'as pas monté le coup. T'es trop trouillard pour ça. »

Shed gardait les yeux rivés au sol, incapable de démentir sa couardise.

« Bon, Shed. T'es un client en règle. On en revient au calendrier habituel. » Il a contemplé l'argent. « Tu as une avance de trois semaines, à ce qu'il semble.

— Merci, m'sieur Krage. Vraiment. Vous ne savez pas ce que cela signifie...

— Tais-toi. Je sais très bien ce que cela signifie. File. Débrouille-toi pour réunir la même somme. C'est ton dernier sursis.

— Oui, monsieur. » Shed a battu en retraite. Comte lui a ouvert la porte.

« Shed ! Je pourrais bien te demander un service, un de ces jours. Donnant, donnant. Compris ?

— Oui, monsieur.

— Parfait. File. »

Shed est sorti, son soulagement s'est mué en abattement. Krage allait le solliciter pour coincer Corbeau. Il en aurait pleuré pendant qu'il rentrait chez lui d'un pas traînant. Il était toujours dans une impasse. Ça ne s'arrangeait jamais.

10

Tally : Tournant

Tome était une ville comme on en avait connu beaucoup ces derniers temps, en garnison. Petite, sale, puant l'ennui. À se demander ce que la Dame lui trouvait. À quoi lui servaient ces provinces reculées ? Était-ce pour flatter son ego qu'elle tenait tant à les plier sous son joug ? Il n'y avait rien à en tirer, si ce n'était le plaisir d'opprimer leurs habitants.

Eux-mêmes, d'ailleurs, méprisaient leur pays.

La présence de la Compagnie noire grevait lourdement les ressources locales. En moins d'une semaine, le capitaine envisageait de cantonner une compagnie à Cœur et de disperser de petites unités dans les villages. Nos patrouilles rencontraient rarement les rebelles, même quand nos sorciers prenaient part à la traque. L'échauffourée chez Cingle n'avait pas éradiqué l'infestation, loin de là.

Les espions de la Dame nous ont appris que les quelques ardents rebelles survivants s'étaient réfugiés à Tambor, un royaume plus austère encore, au nordest. Je supposais que Tambor serait notre prochaine mission.

Un jour que j'étais à noircir ces annales, je me suis demandé combien de kilomètres nous avions pu abattre au cours de notre progression vers l'est. J'ai calculé. Les chiffres m'ont consterné. Tome se trouvait à trois mille kilomètres à l'est de Charme ! Bien au-delà des frontières de l'Empire tel qu'il existait six ans plus tôt. Les gigantesques et sanglantes conquêtes de l'Asservie Murmure avaient distendu la frontière de ce côté de la plaine de la Peur. J'ai énuméré les villes-États qui jalonnaient cette frontière oubliée. Ade et Gelée, Choc et Granges, et Rouille, où les rebelles défiaient la Dame avec succès depuis des années. Toutes des villes immenses, formidables, les dernières que nous ayons vues de cette ampleur. Je frissonnais encore rien qu'à me remémorer la plaine de la Peur.

Nous l'avions traversée sous l'égide de Murmure et Plume, deux des Asservis, les sinistres apprentis de la Dame, deux magiciennes d'une autre carrure que nos trois piteux sorciers. Même ainsi, escortés par des armées régulières au complet de la Dame, nous avions souffert. C'est un pays âpre et hostile où les règles habituelles n'ont plus cours. Les rochers parlent, des baleines volent. Du corail pousse en plein désert. Les arbres marchent. Et ses habitants sont plus étranges encore que tout le reste... Mais tout cela est loin. C'est juste un cauchemar du passé. Un cauchemar qui continue de me hanter, quand les hurlements de Cougar et de Flotte résonnent dans les couloirs du temps et qu'à nouveau je me retrouve incapable de les sauver.

« Qu'est-ce que t'as ? m'a demandé Elmo en me retirant doucement la carte des doigts, la tête penchée vers moi. On dirait que tu viens de voir un fantôme.

— Je me rappelais la plaine de la Peur.

— Ah. Ouais. Ben, secoue-toi. Va boire une bière. » Il m'a administré une claque dans le dos. « Hé, Pilier ! Où qu't'étais encore à traîner ? » Il s'est éloigné au pas de course à la poursuite du plus fameux tire-au-flanc de la Compagnie.

L'arrivée de Qu'un-Œil, un moment plus tard, m'a fait sursauter. « Comment va Gobelin ? » m'a-t-il demandé à voix basse. Ils ne s'étaient pas croisés depuis l'incident chez Cingle. Il a jeté un coup d'œil sur la carte. « Les collines du Vide, marrant comme nom.

— On les appelle aussi les collines Creuses. Il va bien. Pourquoi tu ne vas pas t'en assurer toi-même ?

— Manquerait plus que ça. C'est lui qui a dérapé. Si on ne peut même plus le taquiner...

— Tes taquineries se font un peu raides, Qu'un-Œil.

— Mouaih. Peut-être. Écoute, t'as qu'à venir avec moi.

— Faut que je prépare ma lecture. »

Un soir par mois, le capitaine exige que je stimule les troupes par une lecture tirée des annales. Pour qu'on se souvienne de nos origines, qu'on se rappelle nos ancêtres au sein de l'équipe. Fut un temps où cela voulait dire beaucoup. La Compagnie noire. La dernière des compagnies franches de Khatovar. Tous frères. Soudés. Un esprit de corps en acier trempé. Nous contre le reste du monde, et que le monde prenne garde. Mais quelque chose que trahissait l'attitude de Gobelin, le passage à vide d'Elmo et des autres nous affectait tous. La cohésion se délitait.

J'avais intérêt à choisir un bon extrait. D'une époque où la Compagnie, dos au mur, s'était tirée d'affaire en se cramponnant à ses valeurs traditionnelles. Des situations pareilles, il y en avait eu beaucoup en quatre cents ans. Je voulais en retrouver une racontée par un annaliste de talent, avec l'ardeur d'un tribun de la Rose Blanche haranguant des recrues potentielles. Peut-être m'en fallait-il une série, à lire sur plusieurs soirs de rang.

« À d'autres, a dit Qu'un-Œil. Tu connais ces bouquins par cœur. T'as tout le temps le nez fourré dedans. Et puis tu pourrais raconter un truc à ta sauce que personne n'y verrait que du feu.

— Sans doute. D'ailleurs tout le monde s'en ficherait. Tout fout le camp, mon petit vieux. Bon. Allons voir Gobelin. »

Peut-être qu'il fallait relire les annales à un autre niveau. Peut-être que je ne traitais que les symptômes. Les annales possèdent une certaine densité mystique, à mon avis. Peut-être que je parviendrais à identifier le mal en m'immergeant dedans, en traquant du sens caché entre les lignes.

Gobelin et Silence étaient en train de jouer au couteau, sans les mains.

Il faut reconnaître ça à nos trois invoque-démons : s'ils n'ont pas une carrure exceptionnelle, au moins ils entretiennent leurs talents. Gobelin menait aux points. Il était de bonne humeur. Il a même adressé un petit hochement de tête à Qu'un-Œil.

Et voilà. C'était fini. On allait pouvoir entériner l'affaire. Qu'un-Œil n'avait qu'à dire le mot qu'il fallait.

À ma grande surprise, il est allé jusqu'à s'excuser. Par signes, Silence m'a proposé de sortir pour les laisser se réconcilier en privé. Ces deux-là avaient leur fierté, en dose surabondante.

Nous sommes sortis. Comme souvent quand personne ne peut intercepter nos signes, nous nous sommes mis à parler du vieux temps. Lui aussi connaissait la raison secrète qui poussait la Dame à anéantir les nations.

Une demi-douzaine d'autres s'en étaient autrefois doutés, puis avaient oublié. Nous, nous savions, et nous ne risquions pas d'oublier. Les autres en question, si on le leur demandait, laisseraient à la Dame le bénéfice du doute. Nous deux, jamais. Nous connaissions l'identité de son plus puissant ennemi – et pendant six ans, nous n'avions rien fait pour la prévenir que cet ennemi était autre chose qu'un fantasme des rebelles.

Les rebelles ont tendance à donner dans la superstition. Ils affectionnent les oracles et leurs augures, les prédictions grandiloquentes de victoires à venir. C'est d'ailleurs stimulés par une telle prophétie qu'ils avaient donné tête baissée dans le piège de Charme qui avait failli les écraser définitivement. Ils étaient parvenus à reprendre du poil de la bête après coup, en se convainquant qu'ils avaient été victimes de mauvais oracles et de prophéties erronées, manipulés par des scélérats plus rusés qu'eux. Persuadés de cela, ils pouvaient continuer de s'enferrer dans leurs erreurs et de croire à plus invraisemblable encore.

Le plus drôle, c'était qu'ils se mentaient tout en étant dans le vrai. J'étais peut-être la seule personne extérieure au cercle intime de la Dame à savoir qu'on les avait menés au casse-pipe. Seulement, cet ennemi qui les avait menés, ce n'était pas la Dame, comme ils le croyaient. Cet ennemi était un mal pire encore : c'était le Dominateur, son ancien époux qu'elle avait trahi et fait enterrer vif au fond d'une tombe, dans la Grande Forêt qui s'étend au nord d'une ville appelée Aviron. Depuis son sépulcre, subtilement, il avait émis une invisible force et s'était insinué dans l'esprit des chefs de l'état-major rebelle. Il les avait soumis à sa volonté, espérant se servir d'eux pour abattre la Dame et préparer sa propre résurrection. Il n'y était pas parvenu ; le complot avait échoué en dépit de l'aide de plusieurs des Asservis originels.

S'il connaissait mon existence, je figurais probablement en tête de sa liste. Il devait être toujours étendu là-bas, à échafauder des plans d'action, à me haïr sans doute, car j'avais contribué à démasquer les Asservis passés dans son camp... De quoi frémir. La Dame était un fléau. Mais le Dominateur passait pour l'incarnation d'un mal dont elle n'était que l'ombre. S'il faut en croire la légende. Je me demande parfois, si tel est le cas, comment il se fait qu'elle puisse arpenter le monde tandis qu'il continue de se morfondre vivant dans sa tombe.

J'ai mené pas mal de recherches depuis que j'ai découvert le pouvoir de ce monstre au nord, j'ai approfondi des tas d'histoires méconnues. Chaque fois je me suis fait peur. La Domination, l'époque où régnait le Dominateur, avait des relents d'enfer importé sur terre. Cela semblait tenir du miracle que la Rose Blanche ait pu le terrasser. Dommage qu'elle n'ait pu le détruire. Lui et tous ses larbins, la Dame incluse. Le monde serait dans de moins sales draps à l'heure actuelle.

Je me demande quand la lune de miel prendra fin. La Dame n'a pas été si terrible. Quand va-t-elle se laisser aller, débrider les ténèbres qui l'habitent et faire revivre la terreur du passé ?

Je m'interroge aussi à propos des horreurs qu'on impute à la Domination. L'histoire, inévitablement, est écrite par les vainqueurs qui la tournent à leur avantage.

Un cri a retenti dans les quartiers de Gobelin. Silence et moi avons échangé un regard, l'espace d'un instant, puis nous nous sommes rués à l'intérieur.

Pour tout dire, je pensais trouver l'un d'eux saigné à mort. Je ne m'attendais pas à voir Gobelin en proie à une attaque et Qu'un-Œil s'évertuant désespérément à l'empêcher de se blesser. « Quelqu'un opère le contact, a haleté Qu'un-Œil. Aidez-moi. C'est costaud. »

Ça m'a estomaqué. Un contact. Nous n'avions pas reçu de communication directe depuis les campagnes menées tambour battant, à l'époque où les rebelles encerclaient Charme, voilà des années. Depuis lors, la Dame et les Asservis s'étaient contentés d'utiliser des messagers.

La crise a duré une poignée de secondes. Comme d'habitude. Et puis Gobelin s'est détendu en gémissant. Il allait lui falloir plusieurs minutes avant de pouvoir délivrer son message. Nous nous sommes dévisagés tous les trois avec des mines de joueurs de cartes, intérieurement angoissés. « Faudrait prévenir le capitaine, ai-je dit.

— Ouais », a fait Qu'un-Œil. Mais il n'a pas esquissé le moindre mouvement. Silence non plus.

« C'est bon. Je vois que je suis élu. » Je suis sorti. J'ai trouvé le capitaine plongé dans une occupation où il excelle : les pieds campés sur le bureau, il ronflait. Je l'ai réveillé et mis au courant.

Il a soupiré. « Trouve le lieutenant. » Il s'est replongé dans ses cartes. Je lui ai posé une ou deux questions qui sont restées sans réponse. Compris. Je me suis éclipsé.

Est-ce qu'il s'attendait à un événement du genre ? Est-ce qu'il y avait du grabuge dans la région ? Comment alors se faisait-il qu'on en ait eu vent à Charme d'abord ?

C'était idiot de gamberger avant d'avoir entendu ce que Gobelin avait à dire.

Le lieutenant n'avait pas l'air plus surpris que le capitaine. « Il se passe quelque chose ? ai-je demandé.

— Peut-être. Une estafette est arrivée après votre départ pour Tally, à Candi et toi. On sera peut-être appelés à l'ouest. Pourrait s'agir de ça.

— À l'ouest, sérieux ?

— Ouais. » Le méchant sarcasme qu'il avait mis dans sa réponse !

Idiot. Si on considérait – et c'était l'usage – que Charme marquait le point de démarcation entre l'est et l'ouest, il y avait au moins trois mille kilomètres à parcourir depuis Tally. Une trotte de trois mois, par des conditions clémentes. Or la région à traverser était tout sauf commode. Sur certains tronçons, les routes étaient purement inexistantes. Même six mois, ça me semblait optimiste.

Mais à nouveau je m'inquiétais sans savoir. Il n'y avait qu'à attendre un peu.

La nouvelle, il s'est avéré que même le capi
le lieutenant ne l'avaient pas anticipée.

Nous avons patienté, rongés d'impatience, le temps
que Gobelin recouvre ses esprits. Le capitaine, sa
valise à cartes ouverte, ébauchait un itinéraire jusqu'à
Gelée. Il pestait parce que tout mouvement vers
l'ouest impliquait de traverser la plaine de la Peur.
Gobelin s'est raclé la gorge.

La tension a monté d'un cran. Il gardait les yeux
baissés. La nouvelle ne devait pas être gaie. Il a
couiné : « Ordre de rappel. C'était la Dame. Elle avait
l'air tendue. Première étape : Gelée. Un des Asservis
nous y attendra. Il nous conduira jusqu'aux Tumulus. »

Les autres ont froncé les sourcils, échangé des
regards déconcertés. « Merde, sainte merde ! ai-je grommelé.

— Qu'est-ce qu'il y a, Toubib ? » a demandé le capitaine.

Ils ne savaient pas. Tout ce qui touchait à l'histoire,
ils n'y prêtaient aucune attention. « C'est là qu'est
enterré le Dominateur. Là qu'ils ont tous été ensevelis,
à l'époque. Dans la forêt au nord d'Aviron. » On s'était
déjà trouvés à Aviron sept ans auparavant. Inhospita-
lière, comme ville.

« Aviron ! s'est égosillé le capitaine. Aviron ! C'est à
trois mille huit cents kilomètres !

— Ajoutez-en une centaine ou deux jusqu'aux
Tumulus. »

Il a regardé les cartes. « Formidable. Tout simplement formidable. Ça nous fait non seulement la plaine
de la Peur, mais aussi les collines du Vide et le pays
du Vent. Tout simplemerdement formidable. Faut
qu'on y soit la semaine prochaine, j'imagine ? »

Gobelin a secoué la tête. « Elle n'avait pas l'air pres-
sée, capitaine. Juste contrariée, désireuse de nous voir
partir dans la bonne direction.

— Elle t'a donné des détails ou des raisons ? »

Gobelin a grimacé. La Dame donnait-elle jamais ses raisons ? Punaise, non.

« Elle nous le balance comme ça, a murmuré le capitaine. Sans crier gare. Des ordres de marche pour l'autre bout du monde. J'adore. »

Il a commandé au lieutenant d'entamer les préparatifs pour le départ.

C'était une nouvelle pourrie, une nouvelle folle, de la démence pure et simple, mais ce n'était pas pire que ce qu'il avait craint. Dans le fond, il s'y était préparé depuis que l'estafette lui avait remis le pli. Ce n'était pas si dur de se mettre en route. Le problème, c'est que personne n'en avait envie.

L'Ouest était bien plus beau que tout ce que nous avions pu voir dans les parages, d'accord, mais tout de même pas au point de nous donner envie de nous farcir une telle marche.

Certainement, elle aurait pu rappeler une unité plus proche.

Nous sommes victimes de notre compétence. Elle veut toujours nous avoir où la menace pèse le plus. Elle sait qu'on effectuera le meilleur boulot.

Saloperie de saloperie.

11

Génépi : Besogne nocturne

Shed n'avait donné à Krage que neuf des dix levas. Avec la pièce restante, il avait acheté du bois, du vin et de la bière pour réapprovisionner ses stocks. Alors d'autres créanciers avaient eu vent de sa prospérité. Cette légère embellie dans ses affaires s'était retournée contre lui. Il avait réglé l'échéance suivante à Krage en empruntant à un usurier nommé Gilbert.

Il se prenait à souhaiter un nouveau décès. Avec dix levas supplémentaires, il aurait tenu le bon bout pour finir l'hiver.

Un hiver de surcroît particulièrement rude. Rien ne bougeait dans le port. Pas de boulot dans la Cothurne. Sa seule maigre aubaine, c'était Asa. Il lui apportait du bois chaque fois qu'il sortait de chez Krage, dans un effort pathétique pour s'acheter un ami.

Il est arrivé avec un chargement de combustible et lui a glissé discrètement : « Fais gaffe, Shed. Krage est au courant de ton emprunt à Gilbert. » Shed a pâli. « Il a un acheteur sous le coude pour le Lis. Ils sont déjà en train de réunir des filles. »

Shed a opiné du chef. Les maquereaux recrutaient des femmes dans des situations désespérées, à cette époque de l'année. Le temps que l'été amène ses marins, elles seraient brisées par leur commerce.

« Le salaud. Il m'avait laissé espérer un répit. J'aurais dû m'en douter. Il manœuvre pour empocher mon fric *et* ma taverne. Le salaud.

— Ben... je t'ai prévenu.

— Ouais. Merci, Asa. »

La date du versement suivant approchait à grands pas irrésistibles. Gilbert a refusé toute autre avance. De petits créanciers assiégeaient le Lis. Krage les envoyait directement chez Shed.

Il a offert un verre à Corbeau. « Je peux m'asseoir ? »

Une esquisse de sourire a survolé les lèvres de son client. « T'es chez toi. » Puis : « Ça fait longtemps que tu ne t'es pas montré chaleureux, Shed.

— Je suis nerveux. » Shed mentait. Corbeau irritait sa conscience.

« Nerveux à cause de mes dettes. »

Corbeau a saisi l'allusion au-delà de l'excuse. « Tu pensais que peut-être je pourrais t'aider ? »

Shed a presque grogné son acquiescement.

Corbeau a gloussé doucement. Shed a cru déceler dans son rire une pointe de triomphe. « D'accord, Shed. Ce soir ? »

Shed s'est imaginé sa mère emportée par les Veilleurs dans une carriole. Il a dégluti, écœuré par lui-même. « Ouais.

— Cette fois tu seras assistant, non plus associé. » Shed a dégluti de nouveau et opiné. « Tu couches ta vieille et tu redescends. Pigé ?

— Oui, a murmuré Shed.

— Bien. Maintenant dégage. Tu m'énerves.

— Oui, m'sieur. » Shed a battu en retraite. Il n'a pu regarder personne en face de tout le reste de la journée.

Une bise glaciale semée de flocons de neige s'engouffrait dans la cuvette du port. Shed se pelotonnait misérablement sur le siège de la carriole, aussi froide qu'un bloc de glace. Le temps empirait. « Pourquoi ce soir ? a-t-il gémi.

— C'est le meilleur moment. » Corbeau claquait des dents. « On se fera moins repérer. » Il a tourné dans la rue de l'Accastillage, d'où s'enfonçaient d'innombrables venelles étroites. « C'est un bon terrain de chasse par ici. Avec ce temps, ils se réfugient dans les ruelles et y crèvent comme des mouches. »

Shed a frissonné. Il était trop vieux pour tout ça. Mais c'était justement ce qui l'avait poussé à venir, ne pas devoir affronter le froid chaque nuit par la suite.

Corbeau a arrêté la carriole. « Va voir dans cette venelle. »

Les pieds de Shed l'ont élancé dès qu'il a posé son poids dessus. Bon. Au moins il ressentait quelque chose. Pas de gelure.

Une faible lumière éclairait le passage. Il s'est mis à fureter, en se fiant plus à son intuition qu'à sa vue. Il a découvert une masse sous une saillie de toit, qui s'est mise à remuer, à grommeler. Et a fini par décamper.

Il a rejoint la carriole au moment où Corbeau déposait un fardeau sur le plateau. Shed a détourné le regard. Le garçon n'avait pas plus de douze ans. Corbeau l'a dissimulé sous la paille. « Et d'un. Par une nuit comme ce soir, on devrait en récolter un paquet. »

Shed a ravalé son indignation et regagné son siège. Il pensait à sa mère. Elle ne survivrait pas à une nuit comme celle-ci.

Dans la ruelle suivante, il a trouvé son premier cadavre. Le vieil homme était tombé et, incapable de se relever, avait succombé au froid. La mort dans l'âme, Shed l'a traîné jusqu'à la carriole.

« La nuit sera fructueuse, a commenté Corbeau. Pas de concurrence. Les Veilleurs ne sortiront pas par ce temps. » Et il a ajouté à voix plus basse : « J'espère que tout ira bien pour grimper la colline. »

Plus tard, après avoir ratissé les quais et ramené chacun un corps supplémentaire, Shed a demandé : « Pourquoi est-ce que *toi*, tu fais ça ?

— Moi aussi j'ai besoin de pognon. Un long voyage m'attend. C'est le moyen d'en gagner beaucoup, vite et sans trop de risques. »

Les risques, Shed les estimait plus gros que Corbeau ne voulait bien l'admettre. Ils risquaient de se faire tailler en pièces. « Tu n'es pas de Génépi, dis-moi ?

— Je suis du Sud. Marin, rescapé d'un naufrage. »

Shed ne l'a pas cru. Son accent, pour doux qu'il soit, ne corroborait pas ses dires. Mais il n'avait pas le culot de le traiter de menteur ni d'insister pour obtenir la vérité.

La conversation s'est poursuivie, par intermittence. Sans que Shed ne parvienne à lui tirer les vers du nez sur son passé ni ses projets.

« Essaie par là, lui a dit Corbeau. Je vais jeter un œil de l'autre côté. C'est notre dernier arrêt, Shed. Je suis moulu. »

Shed a opiné du chef. Il avait hâte de finir la nuit. À son dégoût, il en était venu à considérer les vagabonds comme des objets, et il les haïssait d'aller crever dans des coins aussi scabreux.

Il a entendu un appel sourd, il s'est retourné vivement. Corbeau en avait trouvé encore un. C'était suffisant. Il est retourné au trot à la carriole.

Corbeau l'attendait, juché sur son siège. Shed a grimpé sur le sien, s'est recroquevillé, a détourné le visage pour se protéger du vent. Corbeau a fouetté les mules.

La carriole atteignait le milieu du pont enjambant le port quand Shed a entendu un gémissement. « Quoi ? » Un des corps remuait ! « Oh ! Oh, merde, Corbeau...

— Il va clamser de toute façon. »

Shed s'est pelotonné de nouveau, le regard braqué sur les bâtiments de la rive nord. Il aurait voulu éclater, se battre, n'importe quoi pour nier sa participation à cette atrocité.

Quand il a relevé les yeux, une bonne heure plus tard, il n'a rien reconnu. Quelques grosses bâtisses aux fenêtres obscures s'égrenaient le long de la route, à bonne distance les unes des autres. « Où est-on ?

— Presque arrivés. Encore une demi-heure, si la route n'est pas trop verglacée. »

« Shed s'est imaginé la carriole dérapant dans le fossé. Que faire alors ? Tout abandonner en espérant qu'on ne les retrouverait pas à la trace ? Sa répugnance s'est muée en peur.

Et puis il a pris conscience d'où ils se trouvaient. Il n'y avait rien dans ces hauteurs, à part ce maudit château noir.

« Corbeau...

— Quoi ?

— Tu nous diriges vers le château noir.

— Et où tu crois qu'on va ?

— Il y a du monde, là-dedans ?

— Oui. C'est quoi, ton problème ? »

Corbeau était un étranger. Il ne pouvait pas savoir à quel point le château noir pesait sur Génépi. Ceux qui avaient eu le malheur de s'en approcher trop près avaient disparu. Toute la ville préférait ignorer son existence.

Shed s'est mis à bégayer de terreur. Corbeau a haussé les épaules. « Tu étales ton ignorance. »

Shed apercevait la silhouette sombre du château à travers les bourrasques de neige. Elle tombait moins dru sur les crêtes, mais le vent redoublait de violence.

« Finissons-en », a-t-il enfin marmotté, résigné.

La masse précisait ses créneaux, flèches et tours. Pas une lumière n'y brillait. Corbeau a fait halte devant un grand portail et s'en est approché à pied. Il a actionné un lourd heurtoir. Shed, tremblant, espérait que personne ne répondrait.

Le portail s'est ouvert aussitôt. Corbeau est revenu s'asseoir en hâte dans la carriole. « Hue dia, les mules !

— Tu ne vas pas rentrer là-dedans ?

— Et pourquoi pas ?

— Hé ! Pas question. Non.

— La ferme, Shed ! Si tu veux palper ton fric, tu m'aides à décharger. »

Shed a étouffé un gémissement. Il s'était fait prendre de court.

Corbeau a conduit l'attelage par le portail, puis l'a engagé à droite et immobilisé sous une haute voûte. Une unique lanterne luttait contre l'obscurité qui se coagulait dans le passage. Corbeau a sauté à terre. Shed l'a imité, les nerfs en pelote. Ils ont halé les cadavres hors de la carriole et les ont déposés sur le pavé non loin. « Retourne au chariot. Pas un mot », lui a ensuite ordonné Corbeau.

Le moribond a remué de nouveau. Shed s'est mis à geindre. Corbeau lui a pincé la jambe durement. « La ferme ! »

Une silhouette ténébreuse est apparue. Elle était grande, efflanquée, vêtue d'amples braies noires et d'une tunique à capuche. Elle a rapidement passé les corps en revue, a paru satisfaite. Elle s'est retournée face à Corbeau. Shed a entraperçu un visage anguleux aux ombres marquées, au teint olivâtre lustré, froid, doté d'une paire d'yeux luminescents.

« Trente. Trente. Quarante. Trente. Soixante-dix, a-t-elle énuméré.

— Trente. Trente. Cinquante. Trente. Cent, a répliqué Corbeau.

— Quarante. Quatre-vingts.

— Quarante-cinq. Quatre-vingt-dix.

— Quarante. Quatre-vingt-dix.

68

— Conclu. »

Ils marchandaient ! Corbeau ne cherchait pas à ergoter sur les vieux. Son interlocuteur refusait d'augmenter ses propositions pour le jeune. Mais le moribond se négociait.

Shed a regardé la haute silhouette compter ses pièces une à une au pied du tas de cadavres. Ça totalisait une méchante fortune ! Deux cent vingt pièces d'argent ! De quoi raser le Lis et bâtir une nouvelle taverne. Ou plutôt quitter la Cothurne, à tout prendre.

Corbeau a enfourné les pièces dans la poche de son manteau. Il en a donné cinq à Shed.

« C'est tout ?

— C'est pas le salaire d'une nuit de boulot ? »

C'était le salaire d'un bon mois de boulot, et même plus. Mais ramasser seulement cinq pièces sur...

« La dernière fois, on était associés, a dit Corbeau en grimpant prestement sur le siège du conducteur. Peut-être qu'on le sera de nouveau. Mais ce soir, t'étais juste embauché pour la main-d'œuvre. Pigé ? » Le ton n'admettait pas de réplique. Shed a hoché la tête, assailli par de nouvelles peurs.

Corbeau a fait reculer la carriole. Shed a éprouvé soudain le froid de nouveau. Il régnait une chaleur d'enfer sous cette voûte. Il a frissonné, senti la chose affamée qui les regardait comme des proies.

Les moellons noirs et lisses, dépourvus de joints, défilaient à côté d'eux. « Mon Dieu ! » Il voyait à travers le mur. Il voyait des os, des fragments d'os, des corps, des morceaux de corps, tout cela en suspens, comme flottant dans la nuit. Tandis que Corbeau manœuvrait vers le portail, il a vu un visage qui le regardait.

« C'est quoi, ici ?

— Je ne sais pas, Shed. Et je ne veux pas le savoir. Tout ce qui m'intéresse, c'est qu'ils donnent beaucoup d'argent. J'en ai besoin. Un long voyage m'attend. »

12

Les Tumulus

Le Boiteux, un des Asservis, devait retrouver la Compagnie à Gelée. On venait de se taper cent quarante-six jours de marche. De longues journées, dures, éreintantes, durant lesquelles hommes et bêtes avaient avancé par la force de l'habitude plus que par la volonté. Une troupe en bon ordre comme la nôtre peut couvrir soixante où même plus de cent kilomètres par jour en marche forcée, mais non tenir ce rythme pendant des jours, des semaines et des mois, sur de piètres routes. Un chef avisé évite de pousser trop l'allure sur les longues distances. Les jours défilent, chacun ajoutant sa dose de fatigue résiduelle, jusqu'à ce que les hommes commencent à s'effondrer si la moyenne ne fléchit pas.

Vu les territoires que nous avons traversés, nous avons accompli une sacrée performance. Nous avions franchi des montagnes, entre Tome et Gelée, où il fallait s'estimer heureux de progresser de huit kilomètres par jour, des déserts où nous devions effectuer des détours pour trouver de l'eau, des rivières qui prenaient plusieurs jours à traverser sur des radeaux de fortune. Nous pouvions nous estimer heureux d'avoir atteint Gelée en n'ayant perdu que deux hommes.

Le capitaine a roulé des épaules, fier de la prouesse – jusqu'à ce que le gouverneur militaire le convoque.

À son retour, il a réuni les officiers et doyens non-combattants. « Mauvaise nouvelle, nous a-t-il annoncé. La Dame nous envoie le Boiteux pour nous conduire de l'autre côté de la plaine de la Peur. Nous et le convoi qu'on va escorter. »

Réponse maussade de notre part. Le torchon brûlait entre le Boiteux et la Compagnie. Elmo a demandé : « Le départ est pour quand, chef ? » Nous avions besoin de repos. On ne nous en avait promis aucun, bien sûr, la Dame et les Asservis semblaient ignorer que nos capacités avaient des limites, mais quand même...

« Aucune date n'est arrêtée. Ne vous laissez pas trop aller. Il n'est pas encore ici, mais il pourrait arriver dès demain. »

Sûr. Avec les tapis volants dont se servent les Asservis, ils peuvent débouler n'importe où en quelques jours. « Espérons que d'autres affaires le retiendront un peu ailleurs », ai-je grommelé.

Je répugnais à le rencontrer de nouveau. Nous lui avions joué plusieurs sales tours, il y avait longtemps de cela. Avant Charme, nous avions travaillé étroitement avec une Asservie nommée Volesprit. Volesprit nous avait manipulés à plusieurs reprises pour discréditer le Boiteux, à la fois à cause d'une vieille inimitié et parce qu'elle travaillait secrètement pour le compte du Dominateur. La Dame s'était laissé prendre aux apparences. Il s'en était fallu de peu qu'elle élimine le Boiteux, mais elle avait fini par le réhabiliter et le reprendre à son service pour la bataille finale.

Il y a longtemps, bien longtemps de cela, à l'avènement de la Domination, des siècles avant la fondation de l'Empire de la Dame, le Dominateur a vaincu ses principaux rivaux et les a contraints à lui obéir. Dix d'entre eux se sont de la sorte retrouvés à sa botte, ils sont devenus célèbres sous le nom des Dix Asservis. Quand la Rose Blanche a dressé le monde contre la cruauté du Dominateur, les Dix ont été ensevelis avec lui. Elle n'a pu venir à bout complètement d'aucun d'eux.

Des siècles de paix ont émoussé la vigilance du monde quant à sa propre sécurité. Un étrange mage a essayé d'entrer en contact avec la Dame. Elle l'a manipulé pour parvenir à se libérer, et a réussi. Les Dix se sont levés avec elle. En l'espace d'une génération, avec leur aide, elle a réussi à rebâtir un empire de ténèbres. En l'espace de deux, elle entrait en guerre contre les rebelles, dont les oracles s'accordaient pour annoncer la réincarnation de la Rose Blanche, laquelle les conduirait à la victoire finale.

Pendant un bon moment, la balance a penché de leur côté. Nos armées flanchaient. Des provinces tombaient. Les Asservis, à couteaux tirés, s'éliminaient mutuellement. Neuf des Dix ont péri. La Dame est parvenue à Asservir trois chefs rebelles pour compenser une partie de ses pertes : Plume, Trajet et Murmure – sans doute la meilleure générale depuis la Rose Blanche. Elle nous avait donné du fil à retordre avant d'être Asservie.

Les oracles rebelles ne s'étaient pas trompés dans leurs prophéties, sauf concernant la dernière bataille. Ils s'attendaient à ce qu'une Rose Blanche réincarnée prenne leur tête. Il n'en a pas été ainsi. Ils ne l'ont pas trouvée à temps.

Elle était pourtant bien vivante à ce moment-là. Mais elle se trouvait dans notre camp et elle ignorait son identité. Mais j'ai, moi, appris qui elle était. C'est à cause de cette information que je pourrais dire adieu à la vie si je devais passer à la question.

« Toubib ! a aboyé le capitaine. Réveille-toi ! » Tout le monde me dévisageait, l'air de se demander comment j'avais pu rêvasser pendant qu'il annonçait je ne savais quoi.

« Pardon ?

— Tu ne m'as pas entendu ?

— Non, chef. »

Il m'a fusillé de son regard le plus noir. « Alors écoute. Tiens-toi prêt à voyager en tapis dès l'arrivée de l'Asservie. Tu devras te limiter à vingt-cinq kilos d'équipement. »

Tapis ? Asservis ? C'était quoi cette histoire ? J'ai jeté un regard à l'assistance. Certains grimaçaient. D'autres s'apitoyaient. Vol en tapis ? « En quel honneur ? »

Patiemment, le capitaine a expliqué. « La Dame veut qu'on envoie dix hommes pour prêter main-forte à Murmure et Plume aux Tumulus. Pour quelle raison ? je l'ignore. Tu es de ceux qu'elle a désignés. »

Bouffée de trouille. « Pourquoi moi ? » Ça n'avait pas été drôle, cette époque où j'avais pour ainsi dire été son animal familier.

« Peut-être qu'elle en pince toujours pour toi. Après toutes ces années.

— Capitaine...

— Parce qu'elle en a décidé ainsi, Toubib.

— Je suppose que c'est une raison suffisante. Je n'irai pas la discuter. Qui d'autre ?

— Si tu avais écouté, tu le saurais. Tu verras plus tard. On a d'autres chats à fouetter. »

Murmure est arrivée à Gelée avant le Boiteux. Je me suis retrouvé en train d'arrimer mon barda sur son tapis volant. Vingt-cinq kilos. Le reste, je l'avais confié à Qu'un-Œil et Silence.

Le tapis n'avait de tapis que le nom, question de tradition. Concrètement, il s'agissait d'une pièce de lourde étoffe tendue sur un cadre de bois haut d'une trentaine de centimètres lorsque posé sur le sol. Mes compagnons de voyage comptaient Elmo, en charge de commander l'équipe, et Pilier. Pilier est un cossard de première, mais il manie l'épée comme personne.

Nos paquetages et cent kilos de matériel appartenant aux hommes qui nous rejoindraient par la suite étaient entassés au centre du tapis. Tremblants, Elmo et Pilier se sont sanglés à leur place, chacun sur un angle arrière du tapis. La mienne se trouvait à l'avant gauche. Murmure s'est assise à droite. On était tous pesamment harnachés, à n'en plus pouvoir bouger, quasiment. On volerait vite et en altitude, a prévenu Murmure. La température allait dégringoler là-haut.

Ç'avait beau ne pas être pas la première fois que je m'installais sur un tapis, je tremblais autant qu'Elmo et Pilier. J'adorais le panorama mais j'appréhendais l'angoisse de la chute accompagnant chaque vol. Je redoutais également la plaine de la Peur, où d'étranges créatures croisaient dans le ciel.

« Tout le monde a fait son tour aux latrines ? s'est enquise Murmure. Le vol sera long. » Elle n'a pas fait allusion à l'éventualité que nous nous vidions de trouille, ce qui arrive à certains, là-haut. Sa voix, calme et mélodieuse, rappelait celle des femmes qui peuplent les derniers rêves, juste avant le réveil. Son apparence contrastait complètement avec cette voix. Elle avait en tout point l'air de la vieille baroudeuse endurcie qu'elle était. Elle m'a lancé un regard. À l'évidence, elle se souvenait de notre dernière rencontre dans la forêt de la Nuée.

Corbeau et moi nous étions embusqués au point de rendez-vous convenu entre elle et le Boiteux, d'où elle devait l'emmener dans le camp rebelle. Notre guet-apens avait fonctionné à merveille. Corbeau avait capturé le Boiteux, moi Murmure. Volesprit et la Dame étaient arrivées pour conclure. Murmure était devenue la première nouvelle Asservie depuis la Domination.

Elle m'a adressé un clin d'œil.

L'étoffe tendue m'a aplati le cul. Nous avons grimpé en flèche.

Si traverser la plaine de la Peur s'est avéré plus rapide par les airs, le voyage n'a cependant pas été de tout repos. Des baleines de vent ont jalonné notre route. Il a fallu les éviter à toute allure. Elles étaient trop lentes pour nous poursuivre. Des espèces de mantes turquoise s'agitaient sur leur dos, battaient maladroitement des ailes, profitaient de courants ascendants pour monter au-dessus de nous et plongeaient à ras du tapis comme des aigles en piqué pour chasser l'intrus de leur territoire aérien. Nous ne pouvions pas les semer, mais nous grimpions facilement plus haut qu'elles. En revanche les baleines de vent, pas moyen de les prendre d'altitude. Tout là-haut l'air se raréfie, trop pour les humains. Les baleines étaient capables de s'élever de mille mètres encore, d'où elles devenaient des plates-formes de saut pour les mantes.

Et puis nous avons dû faire face à d'autres créatures volantes : plus petites, moins dangereuses, mais de belles saletés quand même. Pourtant nous sommes passés. Quand une mante attaquait, Murmure la neutralisait grâce à ses talents de thaumaturge.

Pour ce faire, elle abandonnait le contrôle du tapis. Nous dégringolions en chute libre jusqu'à ce qu'elle ait repoussé la bête. Je n'ai pas évacué mon petit-déjeuner, mais il s'en est fallu de peu. Je n'ai posé la question ni à Elmo ni à Pilier, de crainte que leur réponse n'entache leur dignité.

Murmure n'attaquait jamais la première. Règle de base pour survivre dans la plaine de la Peur. Ne pas frapper bille en tête. Sans quoi ce n'est plus un duel qu'on se met sur les bras. Tous les monstres des parages se ruent à la curée.

Nous avons filé sans anicroche, comme souvent en tapis volant, et foncé toute la journée jusqu'au soir. Nous avons obliqué vers le nord. L'air a fraîchi. Murmure est descendue à plus basse altitude en freinant l'allure. Au matin, nous survolions le Forsberg, où la Compagnie, nouvellement recrutée dans les rangs de la Dame, avait jadis fait campagne. Elmo et moi nous sommes penchés par-dessus bord.

Au passage, j'ai tendu le doigt et j'ai crié : « Là, la forteresse de Donne ! » Nous l'avions occupée quelque temps. Elmo a désigné quelque chose de l'autre côté.

En contrebas s'étendait Aviron, où nous avions joué de sacrés tours de cochon aux rebelles, et où nous nous étions mis le Boiteux à dos. Murmure volait si bas qu'on pouvait distinguer les visages dans les rues. Aviron n'avait pas l'air plus accueillante que huit ans auparavant.

Nous avons continué, survolé les arbres de la Grande Forêt ; c'était la contrée ancienne, vierge et sauvage d'où la Rose Blanche avait lancé ses offensives contre le Dominateur. Murmure a ralenti vers midi. Nous avons dérivé vers une vaste étendue qu'on avait dû jadis défricher. Des monticules essaimés au milieu attiraient le regard. Ils avaient forcément été édifiés par des mains humaines, même si l'on avait maintenant peine à les identifier comme des tumulus.

Murmure a atterri dans une rue d'une ville presque entièrement en ruine. J'ai supposé qu'il s'agissait de celle qu'occupait la Garde éternelle, dont la tâche consistait à empêcher qu'on aille fouiner dans les Tumulus. Ces gardes avaient rempli leur mission efficacement jusqu'à ce que l'indifférence généralisée ne finisse par les démobiliser.

Il avait fallu trois cent soixante-dix ans aux Résurrectionnistes pour s'ouvrir l'accès des Tumulus, et alors ils n'avaient pas obtenu ce qu'ils voulaient. C'est la Dame qui était revenue à la surface du monde, avec les Asservis, tandis que le Dominateur était resté enterré.

La Dame a écrasé le mouvement résurrectionniste, branche et racine. Belle récompense, non ?

Une poignée d'hommes avaient veillé au bon état d'un bâtiment. J'ai laissé traîner une oreille quand Murmure est allée parler avec eux, et j'ai compris quelques mots. « Tu te rappelles ton forsbergien ? ai-je demandé à Elmo, en m'efforçant d'assouplir mes membres engourdis.

— Il me reviendra. Ausculte donc Pilier, il n'a pas l'air en forme. »

Il n'y avait pas à s'inquiéter pour lui. C'était juste la trouille. Il m'a fallu un moment pour le convaincre qu'on était de retour sur le plancher des vaches.

Des autochtones, descendants des gardes qui avaient défendu l'accès des Tumulus pendant des siècles, nous ont montré nos quartiers. Ils restauraient la ville. Ils étaient les précurseurs d'une horde au sang nouveau.

Gobelin et deux de nos meilleurs soldats nous ont rejoints par le vol suivant de Murmure, trois jours plus tard. Ils ont rapporté que la Compagnie avait quitté Gelée. J'ai demandé si le Boiteux paraissait avoir gardé une dent contre nous.

« Pas à ce qu'il m'a semblé, m'a répondu Gobelin. Mais ça ne veut rien dire. »

Non, certes.

Les quatre derniers gars sont arrivés trois jours plus tard. Murmure s'est installée dans nos baraquements. Nous servions de gorilles autant que de plantons. En plus d'assurer sa protection, nous étions chargés d'empêcher toute personne non autorisée d'approcher des Tumulus.

L'Asservie Plume est apparue, flanquée de sa garde personnelle. Des spécialistes chargés de fouiller les Tumulus sont ensuite arrivés avec une troupe d'ouvriers embauchés à Aviron. Les ouvriers ont déblayé, débroussaillé leurs alentours immédiats. Pénétrer le périmètre interdit sans une assistance adéquate, c'était mourir dans une longue et atroce agonie. Les charmes protecteurs laissés par la Rose Blanche ne s'étaient pas altérés avec la résurrection de la Dame, qui leur avait en outre ajouté les siens propres. J'imagine sa terreur à la seule idée que le Dominateur puisse s'échapper.

L'Asservi Trajet est arrivé escorté de sa phalange personnelle. Il a établi des avant-postes dans la Grande Forêt. Les Asservis se sont relayés pour effectuer des patrouilles aériennes. Nous autres, piétaille, nous montions le guet, vigilants tant entre nous que vis-à-vis du reste du monde.

Un événement d'envergure se préparait. Personne n'en parlait ouvertement, mais ça sautait aux yeux. De toute évidence, la Dame craignait une tentative d'évasion.

Tout mon temps libre, je l'ai passé à compulser les archives de la Garde, surtout celles concernant l'époque où Bomanz vivait là. Il était resté quarante années en garnison dans la ville en se faisant passer pour un chercheur de reliques, avant d'essayer d'entrer en contact avec la Dame et de la libérer accidentellement. Il m'intéressait. Mais il y avait peu à découvrir, et ce peu était faussé.

J'avais détenu, voilà longtemps, ses documents personnels, je les avais trouvés par hasard peu après l'asservissement de Murmure. Je les avais confiés à notre mentor de l'époque, Volesprit, pour qu'elle les achemine à la Tour. Volesprit en avait décidé autrement et les avait gardés par-devers elle ; mais ils avaient fini par retomber entre mes mains au cours de la bataille de Charme, quand la Dame et moi avions poursuivi l'Asservie renégate. Je n'avais parlé de ces documents à personne, hormis un ami, Corbeau. Or Corbeau avait déserté pour protéger une enfant en qui il voyait la réincarnation de la Rose Blanche. Quand j'avais voulu récupérer les documents dans la cachette où je les avais dissimulés, ils avaient disparu. J'en avais conclu que Corbeau les avait emportés.

Je me demandais souvent ce qu'il était devenu. Il projetait de fuir loin, où nul ne pourrait le retrouver. Il se moquait de la politique. Il voulait simplement veiller sur une enfant qu'il aimait. Il était capable de tout pour la protéger. Je présume qu'il avait estimé ces documents susceptibles lui fournir des garanties, un beau jour.

Au quartier général de la Garde, on peut admirer une douzaine de fresques peintes par d'anciens membres de la garnison. La plupart représentent les Tumulus. Le site était magnifique à l'époque.

Il se composait au centre d'un grand tumulus central dressé sur un axe nord-sud, sépulcre du Dominateur et de sa Dame. Ce tertre imposant dominait un terre-plein en forme d'étoile qui s'élevait au-dessus de la plaine, cerné de profondes douves remplies d'eau. À chaque pointe de l'étoile, des tombeaux de moindre dimension abritaient cinq des Dix Asservis. Une plateforme circulaire raccordait les pointes rentrantes de l'étoile et au niveau de chacune se dressait un autre tumulus pour chaque autre Asservi. Chaque tumulus était bardé de charmes et de fétiches. À l'intérieur de cet ultime anneau, autour du Grand Tumulus, les barrières de défense se succédaient rang sur rang. La dernière était un dragon enroulé autour du Grand Tumulus, queue dans la gueule. Une peinture plus tardive d'un témoin oculaire montre ce dragon crachant le feu sur la plaine, la nuit de la résurrection de la Dame. Bomanz s'avance dans les flammes.

Pris entre les Résurrectionnistes et la Dame, il s'était fait manipuler par tout le monde. Son accident relevait pour eux d'un événement prémédité.

Sa femme lui avait survécu, d'après les archives. Selon ses déclarations, il avait pénétré dans les Tumulus pour empêcher ce qui s'y ourdissait. Personne ne l'avait crue, à l'époque. Elle avait prétendu qu'il connaissait le véritable nom de la Dame, et qu'il avait voulu l'atteindre avant qu'elle parvienne à sortir de son trou comme un serpent.

Silence, Qu'un-Œil et Gobelin vous diront que la hantise d'un sorcier, c'est qu'un indésirable apprenne son véritable nom. L'épouse de Bomanz avançait que celui de la Dame figurait en code dans les documents que possédait son mari. Des documents qui avaient disparu cette nuit-là. Que j'avais retrouvés des décennies plus tard. Ce sur quoi Corbeau avait fait main basse contenait peut-être le seul levier capable d'anéantir l'Empire.

Mais revenons-en aux Tumulus des anciens jours. C'étaient d'impressionnantes constructions. Parois externes habillées de calcaire. Douves larges et bleues. Paysage alentour comme un parc... Mais la crainte du Dominateur s'estompant, son nom avait peu à peu cessé de drainer de l'argent. Une peinture plus tardive, contemporaine de Bomanz, montre la campagne à l'abandon, les façades de calcaire décaties, les douves transformées en cloaques. Aujourd'hui, plus moyen de reconnaître leur emplacement. Le calcaire a disparu sous les broussailles. Les tertres et les tumulus ne sont plus qu'accidents de terrain. Le secteur du Grand Tumulus qui contient le Dominateur reste identifiable, malgré l'épaisse végétation qui le recouvre. Certains des fétiches recelant les sortilèges destinés à refouler ses alliés subsistent encore, mais les intempéries ont érodé leurs reliefs.

Les abords des Tumulus sont désormais entourés de piquets ornés de fanions rouges, plantés là quand la Dame a annoncé qu'elle envoyait des étrangers mener des recherches. Les gardes eux-mêmes, ayant toujours vécu sur les lieux, n'avaient pas besoin de ces jalons pour se prémunir du danger.

J'ai apprécié le mois et demi que j'ai passé là. J'assouvissais ma curiosité, et j'ai trouvé Plume et Murmure remarquablement accessibles. Ce qui n'avait pas été le cas des anciens Asservis. Idem pour le chef de la Garde, qui portait le titre de Moniteur et qui fanfaronnait sur le passé de ses troupes, un passé comparable à celui de la Compagnie. Nous avons échangé mensonges et rodomontades en engloutissant des tonnelets de bière.

Pendant la cinquième semaine, quelqu'un a découvert quelque chose. À nous autres, vulgaires troupiers, on n'en a rien dit. Mais une certaine excitation s'est emparée des Asservis. Murmure a commencé à véhiculer d'autres soldats de la Compagnie. Les renforts rapportaient des échos poignants sur la plaine de la Peur et les collines du Vide. La Compagnie arrivait à Seigneurie maintenant, à huit cents kilomètres à peine.

À la fin de la sixième semaine, Murmure nous a rassemblés pour nous annoncer un nouveau mouvement. « La Dame veut que j'emmène certains d'entre vous vers l'ouest. Un peloton de vingt-cinq hommes. Elmo, tu en prendras la tête. Plume et moi, des experts, plusieurs spécialistes en langues, on se joindra à vous. Oui, Toubib, tu es sur la liste. Elle ne va pas mettre sur la touche son amateur d'histoire préféré... »

Frisson de trouille. N'importe quoi plutôt qu'elle s'intéresse à moi de nouveau.

« Où va-t-on ? » a demandé Elmo. Professionnel jusqu'au trognon, le fi' de garce. Pas même un ronchonnement.

« Une ville qui s'appelle Génépi. Bien au-delà des frontières occidentales de l'Empire. Quelque chose la rattache pourtant aux Tumulus. Il faudra remonter pas mal au nord. Attendez-vous à ce qu'il y fasse froid et prévoyez en conséquence. »

Génépi ? Jamais entendu parler. Ni les autres non plus, d'ailleurs. Pas même le Moniteur. J'ai fouiné dans les cartes et j'ai fini par en dénicher une qui détaillait les côtes occidentales. Génépi se trouvait au nord – et pas qu'un peu ! La ville se situait juste à la limite des glaces éternelles. C'était une cité de belle taille. Je me demandais comment elle avait pu s'implanter là, où il devait geler en permanence. J'ai posé la question à Murmure. Elle semblait informée. Elle m'a répondu que Génépi profitait d'un courant marin qui charriait des eaux chaudes vers le nord. Elle a ajouté que c'était une ville très étrange – à en croire Plume qui avait déjà eu l'occasion de s'y rendre.

Je suis ensuite allé questionner Plume, quelques heures seulement avant notre départ. Elle ne m'a pas appris grand-chose de plus, sinon que Génépi est gouvernée par un certain duc Zimerlan, et qu'il avait appelé la Dame à son aide il y avait un an (juste avant que le messager du capitaine ne quitte Charme avec sa lettre), pour résoudre un problème local. Que quelqu'un se soit adressé à la Dame alors que le monde entier cherchait à la fuir prouvait qu'on entrait dans une drôle d'époque. Je me demandais quel était ce lien avec les Tumulus.

Le point négatif : cette méchante tirée qui nous séparait de Génépi. Le positif : je m'y trouverais déjà quand le capitaine aurait connaissance de sa nouvelle destination, après avoir pris un peu de repos à Aviron. Peut-être que je l'entendrais beugler même de si loin. Je savais qu'il allait fulminer.

13

Génépi : La Clôture

Shed a mal dormi pendant des semaines. Il a rêvé de murs de verre noir et d'un cadavre pas tout à fait mort. Par deux fois Corbeau lui a demandé de l'accompagner pour une chasse nocturne. Par deux fois il a refusé. Corbeau n'a pas insisté, pourtant tous les deux savaient qu'il aurait alors franchi le pas.

Shed priait pour que Corbeau s'enrichisse et s'en aille. Il taraudait sa conscience en permanence.

Bordel, mais pourquoi Krage ne s'occupait-il pas de lui ?

Shed ne pouvait s'imaginer comment Corbeau parvenait à rester imperturbable face à Krage. L'homme n'était ni fou ni stupide. L'alternative – qu'il n'ait pas peur – ne se concevait pas. Pas pour un Marron Shed.

Asa restait à la solde de Krage, mais passait régulièrement avec du bois. De pleines carrioles, parfois. « À quoi tu joues ? lui a demandé Shed un beau jour.

— J'essaye de me constituer une créance, a admis Asa. Les gars de Krage m'apprécient pas beaucoup.

— Personne ne t'apprécie beaucoup, Asa.

— Ils pourraient essayer de me jouer un sale tour...

— Tu cherches une planque pour le jour où ils te tomberont sur le paletot, pas vrai ? À qui t'emploie Krage ? Pourquoi est-ce qu'il s'encombre de toi ? » Asa s'est mis à bafouiller. Shed l'a tarabusté. Enfin quelqu'un qu'il pouvait se permettre de brimer. « Je surveille Corbeau, Shed. Je rapporte ses faits et gestes. »

Shed a grogné. Krage se servait d'Asa parce qu'il n'était pas irremplaçable. Deux de ses hommes avaient disparu récemment. Shed croyait savoir où ils avaient fini.

Il a soudain pris peur. Et si Asa racontait les équipées nocturnes de Corbeau ? Supposons qu'il l'ait vu, lui, Shed...

Impossible. Asa n'aurait pas su tenir sa langue. Il passait sa vie à chercher des moyens de chantage.

« Tu mènes la grande vie depuis quelque temps, Asa. D'où tires-tu ce pognon ? »

L'autre a pâli. Il a jeté un coup d'œil à la ronde, dégluti à plusieurs reprises. « Le bois, Shed. Je vends du bois.

— Tu mens, Asa. Où tu le trouves, ce bois ?

— Shed, ça se demande pas, des trucs pareils.

— Peut-être pas. Mais j'ai salement besoin d'argent. J'en dois à Krage. J'avais presque fini de le rembourser. Mais il s'est mis à racheter mes petites dettes de droite et de gauche. Salopard de Gilbert !... Il me faut amasser un pécule pour ne plus rien avoir à emprunter. »

Le château noir. Deux cent vingt pièces d'argent. Quand il avait été tenté d'attaquer Corbeau, celui-ci avait simplement esquissé un sourire mystérieux – ce type lisait ses pensées. « Le pognon, Asa, où le trouves-tu ?

— Et toi, où qu't'as trouvé celui pour payer Krage ? Hein ? Les gens se posent des questions, Shed. On ne dégotte pas une somme pareille du jour au lendemain. Pas toi. Parle et je parlerai. »

Shed s'est dérobé. Asa rayonnait de triomphe.

« Espèce de petit serpent. Fous le camp avant que je m'énerve ! »

Asa n'a pas demandé son reste. Il s'est retourné quand même une dernière fois, le visage froncé, songeur. Merdouille, a pensé Shed. Ça lui avait mis la puce à l'oreille. Il a enfourné son torchon dans un gobelet poisseux.

« Qu'est-ce qui s'est passé ? »

Shed a pivoté. Corbeau venait de s'accouder au comptoir. Vu son regard, pas question de le baratiner. Shed l'a mis au courant de l'essentiel.

« Ainsi Krage ne lâche pas ?

— Si tu le connaissais, tu ne demanderais pas. C'est toi ou lui, Corbeau.

— Alors faut que ce soit lui, pas vrai ? »

Shed est resté bouche bée.

« Une suggestion, Shed. Suis donc ton ami quand il ira ramasser du bois. »

Corbeau est retourné s'asseoir à sa place habituelle. Il est entré en grande conversation avec Chérie, par signes qu'il s'arrangeait pour masquer à Shed. À en juger par les mouvements d'épaules de la jeune fille, elle s'opposait à toutes ses propositions. Dix minutes plus tard, il est sorti du Lis. Il avait pris l'habitude, chaque après-midi, de sortir quelques heures. Shed le soupçonnait de mettre à l'épreuve les guetteurs de Krage.

Chérie s'est appuyée au chambranle de la porte et a regardé dans la rue. Shed la reluquait de haut en bas, caressait de l'œil sa silhouette. Elle est à Corbeau. Sont comme les doigts de la main. J'ose pas.

Pourtant quelle belle plante, grande, la gambette bien tournée, prête pour un homme... Ce n'était pas le moment de jouer à l'imbécile. Pas besoin d'aller se fourrer dans ce guêpier. Lui qui croulait déjà sous les ennuis par ailleurs.

« Je crois qu'aujourd'hui serait le bon jour, a dit Corbeau à Shed quand le tavernier lui a servi son petit-déjeuner.

— Hein ? Le bon jour pour quoi faire ?

— Une balade sur la colline pour surveiller l'ami Asa.

— Ah. Non. Impossible. Je n'ai personne pour garder la taverne. »

Revenue près du comptoir, Chérie s'est baissée pour ramasser quelque chose par terre. Les yeux de Shed se sont écarquillés, son pouls s'est emballé. Il devait faire quelque chose. Aller voir une pute par exemple. Ou souffrir. Mais il n'avait pas les moyens de s'en payer une. « Chérie ne pourrait pas tenir la baraque seule.

— Ton cousin Wally t'a déjà remplacé par le passé. »

Pris de court, Shed peinait pour opposer un argument du tac au tac. Et cette Chérie qui le perturbait n'arrangeait rien. Il était grand temps qu'elle s'habille en sorte de se cacher un peu mieux le derrière. « Heu... Il ne s'en tirerait pas avec Chérie. Il ne connaît pas le langage des signes. »

Corbeau s'est rembruni légèrement. « Libère-la pour la journée. Fais venir cette Lisa que tu as employée quand Chérie était malade. »

Lisa, a songé Shed. Gironde, elle aussi. « Je ne prends Lisa que si je peux la garder à l'œil. » Une môme gironde, et libre. « Elle en profiterait pour me vider ma caisse. S'il faut accorder une confiance aveugle à quelqu'un, autant que tu t'adresses à ma mère...

— Shed !

— Hein ?

— Ramène Wally et Lisa ici, puis va espionner Asa. Je veillerai à ce qu'ils n'embarquent pas l'argenterie de famille.

— Mais... »

Corbeau a frappé la table du plat de la main. « J'ai dit : va ! »

La journée était claire et lumineuse, douce pour l'hiver. Shed a suivi les traces d'Asa devant la résidence de Krage.

Asa a loué une charrette. Shed était stupéfait. En hiver, les gérants des écuries exigeaient des cautions énormes. Souvent les animaux de trait disparaissaient pour être saignés et mangés. Ça tenait du miracle, de son point de vue, qu'on puisse confier un attelage à Asa.

Asa s'est rendu directement à la Clôture. Shed l'a filé à distance, tête baissée, persuadé qu'il ne concevrait aucun soupçon même s'il se retournait. Les rues regorgeaient de monde.

Asa a garé sa charrette dans un petit bois entre le mur d'enceinte de la Clôture et la rue qui le longeait. Il s'agissait d'un de ces nombreux boqueteaux où l'ensemble de la population se rassemblait pour les rites funéraires d'automne et de printemps. La carriole était invisible de la rue.

Shed s'est dissimulé dans une zone d'ombre, derrière un buisson, et a regardé Asa s'insinuer vers le rempart de la Clôture. Un bon débroussaillage s'imposait dans le coin, a songé Shed. La végétation avait décrépi le mur. D'ailleurs même la maçonnerie avait besoin d'être restaurée. Shed s'est avancé et a trouvé une brèche assez grande pour qu'un homme puisse s'y faufiler à croupetons. Il s'est glissé de l'autre côté. Asa traversait une prairie dégagée et se hâtait de remonter la pente vers un bosquet de pins.

À l'intérieur de l'enceinte, le mur était également mangé de broussailles. Des fagots en quantité s'essaimaient parmi les buissons. Asa travaillait avec plus de zèle que Shed ne l'aurait imaginé. Traîner avec la bande de Krage l'avait changé. À cause d'eux, il pétochait sec.

Asa a disparu entre les pins. Shed s'essoufflait à ses trousses. Devant, on aurait dit qu'Asa s'appliquait à imiter une vache chargeant dans un sous-bois.

Toute la Clôture était décatie. Du temps où Shed était garçonnet, c'était un parc, un séjour digne pour ceux qui étaient partis. Maintenant elle avait l'aspect pitoyable caractéristique du reste de Génépi.

Shed a rampé vers le raffut tonitruant. Qu'est-ce qu'il fabriquait au juste, pour faire un chambard pareil ?

Il coupait du bois sur un arbre abattu et ficelait les branches en fagots bien nets. Shed n'arrivait pas à s'imaginer le bonhomme méticuleux non plus. Ce qu'une bonne frousse pouvait susciter comme changement !

Une heure plus tard, Shed était près d'abandonner. Il était gelé, engourdi et affamé. Il venait de perdre une demi-journée. Asa ne faisait rien d'extraordinaire. Pourtant il a persévéré. Il avait un investissement de temps à couvrir. Et un Corbeau irritable qui l'attendait au rapport.

Asa bossait dur. Quand il n'était pas à couper son bois à la hache, il allait entasser ses fagots en hâte dans sa charrette. Shed était impressionné.

Il restait sur place, observait, se disait qu'il était un imbécile. Ça ne le menait nulle part.

Et puis Asa s'est fait discret. Il a rassemblé ses outils, les a cachés, puis s'est mis à scruter les alentours, sur le qui-vive. Nous y voilà, s'est dit Shed.

Asa est reparti au trot dans la pente. Shed a suivi en ahanant. Ses muscles courbatus protestaient à chaque pas. Asa a cheminé un bon kilomètre et demi entre les ombres qui s'allongeaient. Shed a bien failli le perdre de vue. Un tintement l'a remis sur sa piste.

Le petit bonhomme s'activait sur un silex et un bout de métal. Il était accroupi au-dessus d'une brassée de torches enveloppées dans une toile cirée qu'il venait de sortir d'une cache. Il a allumé un flambeau et filé entre des buissons. Un moment plus tard, il descendait en s'aidant des mains sur des rochers, en contrebas. Shed s'est accordé une minute de répit, puis a suivi. Il a contourné le roc où il avait vu Asa pour la dernière fois. Derrière, une faille béait dans le sol, juste assez large pour qu'un homme s'y introduise.

« Bon Dieu ! a murmuré Shed. Il a trouvé un accès aux catacombes. Il détrousse les morts. »

« Je suis revenu aussitôt », a haleté Shed. Corbeau s'amusait de le voir si bouleversé. « Je savais Asa ignoble, mais je n'aurais jamais imaginé qu'il irait jusqu'au sacrilège. »

Corbeau souriait.

« Ça ne te révolte pas ?

— Non. Ça te révolte, toi ? Il n'a volé aucun corps. »

Shed s'est retenu d'un cheveu de lui voler dans les plumes. Il était *pire* qu'Asa.

« Il se tire bien d'affaire ?

— Pas aussi bien que toi. Les Veilleurs font main basse sur tous les présents funéraires, à part les urnes de passage. »

Tous les cadavres des catacombes portaient sur eux une petite urne scellée, habituellement fixée à une chaînette passée autour du cou. Les Veilleurs ne touchaient pas aux quelques pièces qu'elle contenait. Le jour du passage, les passeurs exigeaient paiement pour emmener les morts au paradis.

« Toutes ces âmes en rade », a murmuré Shed. Il a expliqué le pourquoi des urnes.

Corbeau n'en est pas revenu. « Comment peut-on croire ces balivernes avec une once d'intelligence ? Quand on est mort on est mort. Garde la tête froide, Shed. Contente-toi de me répondre. Combien de corps dans les catacombes ?

— Qui sait ? On les y entrepose depuis... Fichtre, au moins mille ans. Il y en a peut-être des millions.

— Ils ont dû les y empiler comme des cordes de bois. »

Shed a réfléchi. Les catacombes étaient vastes, mais les morts d'une ville de la taille de Génépi, au bout d'un millénaire, ça devait faire un paquet. Il a regardé Corbeau. Qu'il aille au diable. « C'est la combine d'Asa. On s'en mêle pas.

— Pourquoi pas ?

— Trop dangereux.

— Ton pote s'en tire impec'.

— Il est petit joueur. S'il devient gourmand, il se fera tuer. Il y a des gardes dans les profondeurs. Des monstres.

— Décris-les.

— Je ne peux pas.

— Peux pas ou veux pas.

— Peux pas. Tout ce qu'on en sait, c'est qu'ils existent.

— Je vois. » Corbeau s'est levé. « La question vaut d'être approfondie. N'en parle à personne. Surtout pas à Asa.

— Oh non. » Pris de panique, Asa commettrait une bêtise.

La nouvelle se propageait en ville. Krage avait assigné deux de ses meilleurs hommes à la surveillance de Corbeau. Ils avaient disparu. Trois autres s'étaient évaporés depuis. Krage lui-même, blessé par un mystérieux agresseur, n'avait dû son salut qu'à la force herculéenne de Comte. Comte dont les jours étaient en danger.

Shed était terrifié. Krage n'était ni raisonnable ni rationnel. Le tavernier a demandé à Corbeau de partir. Corbeau lui a retourné un regard méprisant. « Écoute, je n'ai pas envie qu'il t'assassine ici, a expliqué Shed.

— Ce serait mauvais pour les affaires.

— Pour ma peau, peut-être. Il est obligé de t'éliminer, maintenant. Tout le monde lui rira au nez, sinon.

— Une tête de mule, hein ? Quelle ville de tarés. »

Asa a franchi la porte d'entrée comme si on l'avait propulsé. « Shed, faut que je te cause. » Il avait l'air aux abois. « Krage s'imagine que je me suis rangé dans le camp de Corbeau. Il est à mes trousses. Faut me planquer, Shed.

— Bordel. » Le piège se refermait. Ça en faisait deux, ici. Sans l'ombre d'un doute, Krage allait le tuer aussi et flanquer sa mère à la rue.

« Shed, je t'ai fourni en bois tout l'hiver. J'ai fait en sorte que Krage ne s'en prenne pas à toi.

— Oui, bien sûr. Donc il faudrait que je me fasse descendre aussi ?

— T'as une dette, Shed. J'ai jamais dit à personne que tu vadrouilles la nuit avec Corbeau. Peut-être que ça l'intéresserait, ça, Krage, pas vrai ? »

Shed a saisi les mains d'Asa et, d'une traction, l'a plaqué contre le comptoir. Dans un mouvement qu'on aurait pu croire concerté, Corbeau est venu se planter derrière le petit homme. Shed a entrevu un couteau. Tout en appuyant sa pointe contre le dos d'Asa, Corbeau a murmuré : « On monte dans ma chambre. »

Asa est devenu livide. Shed s'est fendu d'un sourire forcé. « Ouais. » Il a relâché Asa, pris une bouteille de grès sous le comptoir. « J'ai à te parler, Asa. » Il a aussi embarqué trois gobelets.

Shed est monté le dernier, il sentait peser intensément sur lui le regard aveugle de sa mère. Qu'avait-elle entendu au juste ? Qu'avait-elle deviné ? Elle manifestait une certaine froideur, ces derniers temps. Sa honte s'était insinuée entre eux. Il ne s'estimait plus guère digne de son respect.

Il a giflé sa conscience. Hé ! c'est pour elle que je l'ai fait !

La chambre de Corbeau était la seule de l'étage encore nantie d'une porte. Son locataire l'a ouverte pour laisser entrer Shed et Asa. « Assis », a-t-il commandé à Asa en lui désignant son lit. Asa s'est assis. Il avait l'air prêt à se pisser dessus de trouille.

La chambre de Corbeau était aussi spartiate que sa tenue. Rien n'y trahissait le moindre soupçon de richesse.

« J'investis, Shed, a déclaré Corbeau, un sourire moqueur aux lèvres. Dans une affaire maritime. Sers le vin. » Et il s'est mis à se curer les ongles avec un couteau.

Avant même que Shed ait fini de remplir les gobelets, Asa avait sifflé le sien. « Remets-lui ça », a dit Corbeau. Lui-même sirotait. « Shed, comment as-tu pu me servir ton infâme pisse d'âne quand t'avais ce nectar sous le coude ?

— Celui-là, faut le demander. Il est plus cher.

— Je n'en boirai plus d'autre à compter de maintenant. » Corbeau a rivé son regard dans celui d'Asa tout en se tapotant la joue avec la lame de son couteau.

Non, Corbeau n'était sûrement pas contraint de vivre si chichement. Son commerce de cadavres devait être lucratif. Il investissait ? Une affaire maritime ? Bizarre, la façon qu'il avait eue de l'évoquer. L'emploi de ce fric était sûrement aussi intéressant que sa provenance.

« Tu as effrayé mon ami, a dit Corbeau. Oh, excuse-moi, Shed. Rectification : mon associé, pas mon ami. Les associés ne s'apprécient pas nécessairement, petit homme. As-tu quelque chose à dire ? »

Shed a frissonné. Foutu Corbeau. Ce qu'il venait de dire à Asa, il voulait qu'il l'ébruite. Le salaud prenait le contrôle de sa vie. Il la grignotait comme une souris rongeant un rogaton de fromage.

« J'vous jure, m'sieur Corbeau. J'vous voulais pas de mal. J'avais peur. Krage s'est mis dans la tête que je vous avais tuyauté. Faut que je me planque. Et Shed qu'a les foies de me cacher. Je voulais simplement le convaincre de…

— Tais-toi. Shed, je croyais qu'il était ton ami ?

— Je lui ai juste rendu quelques services. J'étais embêté pour lui.

— Tu lui offres un asile contre les intempéries, mais pas contre les ennemis. T'es un phénomène de couardise, Shed. Peut-être que je me suis trompé. Je m'apprêtais à faire de toi mon associé à part égale. À te laisser l'affaire à toi tout seul pour finir. Je comptais t'accorder une faveur. Mais t'es une lopette, un chiasseux. Tu n'as même pas le cran de dire le contraire. » Il a pivoté. « Parle, petit homme. Parle-moi de Krage. Parle-moi de la Clôture. »

Asa est devenu blanc. Il a fallu que Corbeau menace d'appeler les Veilleurs pour qu'il ouvre la bouche.

Les genoux de Shed s'entrechoquaient. Le manche de son couteau de boucher, moite de sueur, glissait sous ses doigts. Il serait incapable d'utiliser son arme, mais Asa avait bien trop peur pour s'en apercevoir. Il a juste couiné un ordre à son attelage et s'est mis à rouler. Corbeau les suivait dans sa propre charrette. Shed a jeté un coup d'œil vers la vallée. Le château noir qui se découpait au nord contre l'horizon étendait son ombre sinistre sur Génépi.

Pourquoi se dressait-il là ? Quelle était son origine ? Il a étouffé la question. Mieux valait ne pas savoir.

Comment avait-il pu se fourrer dans ce pétrin ? Il craignait le pire. Corbeau ne faisait pas de sentiment.

Ils ont garé les charrettes dans le petit bois, se sont introduits dans la Clôture. Corbeau a observé le stock de bois d'Asa. « Ramène ces fagots aux charrettes. Entrepose-les à côté pour l'instant.

— Vous pouvez pas prendre mon bois, a protesté Asa.

— La ferme. » Corbeau a poussé un fagot à travers le mur. « Tu commences, petit homme. Je saurai te rattraper si tu t'enfuis. »

Ils avaient transporté une douzaine de fagots quand Asa a murmuré : « Shed, un des gars de Krage nous surveille. » Il était près de céder à la panique.

Corbeau a plutôt bien accueilli la nouvelle. « Vous deux, allez couper du bois dans les pins. »

Asa a renaudé. Il a suffi d'un regard de Corbeau pour qu'il s'élance dans la pente. « Comment sait-il ? a-t-il glissé à Shed de son ton geignard. Il ne m'a jamais suivi. J'en suis sûr. »

Shed a haussé les épaules. « Il est peut-être sorcier. Il devine toujours ce que je suis en train de penser. »

À leur retour, plus de Corbeau. Shed a regardé alentour puis décidé nerveusement : « On fait un autre tour de chargement. »

Corbeau les attendait à l'arrivée. « Entassez ces fagots dans la charrette d'Asa. »

Une fois près des carrioles, Shed a désigné celle d'Asa et murmuré : « Belle démonstration. » Du sang coulait sous le tas de bois et s'épandait sur les planches du plateau. « Tu vois de quoi il est capable.

— On remonte la colline, a commandé Corbeau quand ils sont revenus. Asa, tu ouvres la marche. Trouve-nous tes outils et tes torches pour commencer. »

Une certaine suspicion a commencé à tarauder Shed quand il a vu Corbeau construire une civière. Mais non. Même Corbeau ne s'abaisserait pas à ce point, quand même ?

Ils ont contemplé la gueule sombre du monde souterrain. « Toi d'abord, Asa », a dit Corbeau. À contre-cœur, Asa est descendu. « Tu le suis, Shed.

— Aie un peu de cœur, Corbeau.

— Va ! »

Shed a obtempéré. Corbeau lui a emboîté le pas.

Une odeur de faisandé régnait dans les catacombes ; elle prenait toutefois moins à la gorge que Shed ne l'avait craint. Un courant d'air agitait le flambeau d'Asa.

« Stop ! » a dit Corbeau. Il a pris la torche, examiné l'ouverture par laquelle ils venaient d'entrer, opiné du chef et rendu le flambeau. « Continue. »

Le conduit s'est élargi et a débouché dans une caverne plus vaste. Asa a fait halte au milieu. Shed s'est arrêté aussi. Il était entouré d'ossements. Des os jonchaient le sol, remplissaient des alvéoles dans le mur ou, désunis, s'empilaient pêle-mêle. Des squelettes pendaient à des crochets, d'autres dormaient amoncelés. Des dépouilles encore drapées dans leur suaire. Des crânes fichés sur des pitons dans la paroi, à l'autre bout de la salle, les lorgnaient de leurs orbites caves et sinistres dans la clarté de la torche.

Il y avait aussi des corps momifiés, toutefois en nombre restreint. Seuls les riches demandaient la momification. Ici, être riche ne voulait plus rien dire. Tout le monde se retrouvait entassé ensemble.

Asa a pris la parole : « Cette chambre est très ancienne. Les Veilleurs n'y viennent plus, sauf peut-être pour y jeter des restes d'ossements. C'est de ça qu'elle est remplie, on dirait que c'est ici qu'ils mettent les cadavres au rancart.

— Allons voir », a dit Corbeau.

Asa avait raison. La caverne s'étranglait et son plafond s'abaissait. Les os encombraient le passage. Ni crânes ni urnes, a remarqué Shed.

Corbeau a gloussé un petit rire. « Tes Veilleurs n'ont pas l'air aussi dévoués envers les morts que tu avais l'air de le croire, Shed.

— Les chambres qu'on visite pendant les rites de printemps ou d'automne ont une autre allure, a admis Shed.

— Je suppose que tout le monde se contrefiche des vieux ossements, a dit Asa.

— On repart », a lancé Corbeau.

Comme ils se remettaient en marche, il a fait remarquer : « C'est là qu'on finira tous. Riches ou pauvres, puissants ou faibles. » Il a flanqué un coup de pied dans une momie. « Les riches restent plus présentables, c'est tout. Ça donne quoi plus loin, Asa ?

— Je ne m'y suis aventuré que sur une centaine de mètres. La même chose. » Il essayait de desceller une urne de passage.

Corbeau a grogné, pris une urne lui aussi, l'a ouverte et a déversé plusieurs pièces dans sa main. Il les a approchées de la torche. « Hum, qu'est-ce que tu as inventé pour expliquer leur âge, Asa ?

— L'argent n'a pas de provenance », a dit Shed.

Asa a opiné du chef. « J'ai dit que j'avais déterré un trésor enfoui.

— Je vois. Continue. »

Bientôt, Asa a annoncé : « Je ne suis jamais allé plus loin.

— Avance encore. »

Ils ont progressé jusqu'à ce que l'atmosphère oppressante du souterrain affecte même Corbeau. « Suffit. On remonte à la surface. » Une fois dehors, il a dit : « Va chercher tes outils. Merde. J'espérais mieux. »

Quelques instants plus tard, l'un empoignait une pelle, l'autre une corde. « Shed, tu creuses un trou ici. Asa, accroche-toi à cette extrémité de la corde. Quand je te le crierai, tu haleras. »

Asa est resté planté à son poste, conformément aux instructions. Shed s'est mis à creuser. Au bout d'un moment, Asa a demandé : « Shed, qu'est-ce qu'il fout ?

— Tu ne le sais pas ? Je croyais que t'étais au courant de tous ses faits et gestes.

— C'est ce que j'ai raconté à Krage. J'arrivais pas à le filer toute la nuit. »

Shed a grimacé, dégagé une nouvelle pelletée de terre. Il s'imaginait assez bien la tournure que devaient prendre ses filatures. Le bougre allait sûrement s'affaler dans un coin pour dormir, la plupart du temps. Piller les tombes et couper du bois ou espionner, il avait bien fallu choisir.

Shed était soulagé. Asa ne savait rien de ses équipées nocturnes avec Corbeau. Il serait au courant d'ici peu.

Shed s'est interrogé et il a éprouvé un peu de dégoût. Bon sang ! Il s'était déjà habitué à commettre ces horreurs. Corbeau le façonnait à sa propre image.

Corbeau a crié. Asa s'est mis à tirer la corde. « Shed, file-moi un coup de main ! Je n'y arrive pas tout seul. »

Résigné, Shed est venu l'aider. Ce qu'ils ont halé ne l'a pas surpris : une momie a surgi de l'obscurité tel un revenant émergeant d'un abîme du passé. Il a détourné le regard. « Prends-le par les pieds, Asa. »

Asa a eu un haut-le-cœur. « Mon Dieu, Shed. Mon Dieu. Qu'est-ce que tu fais ?

— Ferme-la et obéis. C'est encore le mieux. Prends-le par les pieds. »

Ils ont traîné la dépouille derrière un buisson près du trou de Shed. Une urne de passage s'est échappée d'un paquet ficelé à son torse. Le paquet en contenait d'autres, une douzaine. C'était donc ça. Le trou était destiné à enterrer les urnes vides. Pourquoi Corbeau ne se remplissait-il pas les poches directement là-dessous ?

« Filons d'ici, Shed, a gémi Asa.

— Retourne à ta corde. » Il fallait du temps pour vider les urnes. Et Corbeau les avait laissés tous les deux à la surface, assez désœuvrés pour qu'ils aient le temps de réfléchir. Donc... elles allaient les occuper. Et les motiver, bien sûr. Deux douzaines d'urnes avec chaque cadavre remonté, ça ferait un beau tas.

« Shed...

— Et où tu t'enfuirais, Asa ? » La journée était claire et pas trop froide, mais l'hiver n'était pas fini. Pas moyen de filer de Génépi. « Il te retrouverait. Retourne à ta corde. T'es mouillé jusqu'au trognon, maintenant, que ça te plaise ou non. » Shed s'est remis à creuser.

Corbeau a fait monter six momies. Chacune avec son paquet d'urnes. Et puis il a reparu. Il a observé le visage crayeux d'Asa, celui résigné de Shed. « À ton tour, Shed. »

Shed a dégluti, ouvert la bouche, ravalé ses protestations, et il s'est traîné vers l'ouverture. Il s'est immobilisé devant, à deux doigts de se rebiffer.

« Grouille, Shed. On n'a pas une éternité. »

Marron Shed est descendu parmi les morts.

Il lui a semblé qu'il se trouvait dans les catacombes depuis toujours, transi de peur, choisissant ses cadavres, entassant les urnes, traînant son butin macabre vers la corde. Son esprit s'évadait dans une autre dimension. C'était un rêve, ou plutôt un cauchemar. Il lui a fallu du temps avant de comprendre les cris de Corbeau, qui lui ordonnait de remonter.

Au-dehors, le crépuscule tombait. « Ça suffira ? On peut y aller maintenant ?

— Non, a répliqué Corbeau. On en a seize. J'imagine qu'on peut facilement en caser une trentaine dans les charrettes.

— Ah. Bon.

— Toi tu hisses, maintenant, a indiqué Corbeau. Asa et moi, on descend. »

Shed a pris la corde. Dans la lumière argentée d'une lune aux trois quarts pleine, les visages des cadavres lui paraissaient accusateurs. Jugulant sa répugnance, il a traîné les nouvelles dépouilles auprès des autres et a vidé leurs urnes.

Il crevait d'envie d'empocher l'argent et de fuir. La cupidité, plus que la peur de Corbeau, l'en a retenu. Il était associé, cette fois. Trente corps à trente levas totalisaient neuf cents levas à partager. Même s'il n'en recevait qu'une petite partie, il deviendrait plus riche qu'il ne l'avait rêvé.

Qu'est-ce que c'était ? Pas l'ordre de Corbeau de remonter. On aurait plutôt dit un hurlement... Il s'en est fallu de peu qu'il prenne ses jambes à son cou. Il allait perdre les pédales. Un aboiement poussé par Corbeau l'a aidé à se ressaisir. Sa voix avait perdu sa morgue froide et calme.

Shed s'est mis à haler la corde. Le paquet était lourd cette fois. Il forçait, ahanait... Corbeau est apparu, il grimpait en hâte. Ses vêtements étaient déchirés. Une estafilade sanglante lui barrait une joue. Son couteau était rouge. Il est monté à toute allure et a empoigné la corde. « Tire ! a-t-il crié. Tire, bordel ! »

Asa est apparu l'instant d'après, sanglé à la corde. « Qu'est-ce qui s'est passé ? Bon Dieu, qu'est-ce qui s'est passé ? » Asa respirait encore, mais tout juste.

« Quelque chose nous a bondi dessus et l'a déchiqueté avant que j'aie pu lui régler son compte.

— Un gardien. Je t'avais prévenu. Va chercher une autre torche. Qu'on voie son état. » Corbeau s'est assis, haletant, hébété. Shed a ramené un autre flambeau et l'a allumé.

Les blessures d'Asa étaient plus superficielles qu'il ne l'avait craint. Il avait perdu beaucoup de sang, il était commotionné mais pas moribond. « On devrait mettre les voiles, Corbeau. Avant que les Veilleurs ne s'amènent. »

Corbeau a recouvré son sang-froid. « Non. Il n'y en avait qu'un seul. Je l'ai tué. On a commencé ce boulot, on va le finir proprement.

— Et Asa ?

— Plus tard. On s'y remet.

— Corbeau, je suis épuisé.

— Tu le seras bien plus encore quand on aura fini. Allez. On va mettre un peu d'ordre dans ce fatras. »

Ils ont ramené les corps aux charrettes, puis les outils, puis acheminé Asa. Tout en aidant à faire passer le chargement par le trou du mur, Shed a demandé : « Qu'est-ce qu'on fait de lui ? »

Corbeau l'a dévisagé comme il aurait regardé un crétin. « T'hésites, Shed, ou quoi ?

— Ben...

— C'est pas maintenant que ça va faire une grande différence.

— Je suppose que t'as raison. » Pourtant, ça en faisait une. Shed ne tenait pas beaucoup à Asa, mais il le connaissait. Sans être vraiment amis, ils s'étaient aidés mutuellement... « Non. Je ne peux pas faire ça, Corbeau. Il va s'en tirer. Si j'étais sûr qu'il allait passer l'arme à gauche, ouais. J'dis pas... Pas de corps, pas de question. Mais le tuer, je ne peux pas.

— Bien, t'as une âme en fin de compte ? Comment est-ce que tu vas t'assurer sa discrétion ? Il est du genre à faire ouvrir les gorges par excès de parlote.

— Je m'en chargerai.

— Comme tu voudras, partenaire. C'est ta peau que tu joues. »

La nuit était tombée depuis longtemps quand ils ont atteint le château noir. Corbeau est entré le premier. Shed l'a suivi immédiatement derrière. Ils se sont engagés dans le même corridor que la fois précédente. Même procédure. Une fois qu'ils ont eu déchargé les carrioles, une créature grande et maigre est venue passer en revue les corps alignés. « Dix. Dix. Trente. Dix. Dix. » Et ainsi de suite.

Corbeau contestait vigoureusement les prix. Les seules offres supérieures à dix levas concernaient les hommes qui les avaient espionnés à leur arrivée dans la Clôture et Asa, toujours dans une charrette.

La haute créature s'est carrée devant Corbeau. « Ils sont tous morts depuis trop longtemps. Ils ont peu de valeur. Remporte-les si tu n'es pas content.

— C'est bon. C'est bon. Adjugé. »

L'être a compté les pièces. Corbeau en empochait les six dixièmes. Le reste, il le donnait à Shed. Ce faisant, il a déclaré à l'acheteur. « Cet homme est mon associé. Il se peut qu'il vienne seul. »

La haute silhouette a incliné la tête, sorti un objet des plis de son vêtement et l'a tendu à Shed. C'était un pendentif d'argent en forme de serpents entrelacés.

« Porte-le quand tu viendras seul, lui a dit Corbeau. Il te servira de sauf-conduit. » Sous son regard de glace, Shed a glissé le bijou dans sa poche déjà gonflée d'argent.

Il est parti à calculer. Sa part s'élevait à cent douze levas. Pas moins de cinq ans lui auraient été nécessaires pour accumuler une telle somme par des moyens honnêtes. Il était riche ! Punaise, il était riche ! Il pouvait faire ce qu'il voulait. Plus de dettes. Plus de Krage pour le tuer à petit feu. Fini le gruau à tous les repas. Il allait pouvoir retaper le Lis, en faire un établissement convenable. Peut-être trouver un endroit où l'on s'occuperait décemment de sa mère. Et des femmes. Des femmes à gogo.

Quand il est retourné à sa charrette, il a remarqué un haut pan de muraille qui ne s'y trouvait pas lors de leur précédente visite. Un visage le fixait. C'était le visage de l'homme que Corbeau et lui avaient ramené encore vivant. Ses yeux le regardaient.

14

Génépi : Duretile

Murmure nous a déposés dans un château délabré baptisé Duretile. Il surplombe Génépi d'une façon générale et la Clôture en particulier. Nous sommes restés une semaine totalement isolés de nos hôtes. Nous ne parlions pas les mêmes langues. Une brute portant le nom de Bœuf, qui baragouinait celle des Cités Précieuses, nous faisait savoir l'indispensable.

Bœuf était une sorte d'agent coercitif au service de la religion locale. Que je ne parvenais pas à me figurer clairement. De prime abord, elle apparaît comme un culte de la mort. À y regarder de plus près, on s'aperçoit que la mort ou les défunts sont l'objet d'une vénération plutôt que d'une adoration ; les corps sont conservés en attendant l'ère de félicité qui les verra renaître. Tout le caractère de Génépi en découle, hormis dans la Cothurne, où survivre est si difficile que le bien-être des morts passe au second plan.

D'emblée, j'ai pris Bœuf en grippe. Il m'a fait l'effet d'un sadique prédisposé à la violence, d'un argousin prêt à jouer de la matraque pour un oui ou pour un non. Il aurait du pain sur la planche quand la Dame aurait annexé Génépi. Ses gouverneurs militaires ont besoin de gaillards dans son genre.

Je m'attendais à voir cette annexion s'opérer dans les quelques jours suivant l'arrivée du capitaine. On lui aurait préparé le terrain. Je ne voyais pas comment la garnison du duc aurait pu s'y opposer.

Dès que Plume et Murmure ont eu acheminé tous nos hommes, interprètes compris, Bœuf, le duc en personne et un type nommé Hargadon, doyen des Veilleurs des Morts – en d'autres termes l'administrateur des catacombes où l'on entreposait les défunts –, nous ont emmenés par un froid de canard sur le chemin de ronde de la muraille nord de Duretile. Le duc a tendu le bras. « C'est à cause de cette forteresse que vous voyez là-bas que j'ai requis votre aide. »

J'ai jeté un coup d'œil et j'ai frissonné. L'édifice avait quelque chose de terrifiant.

« On l'appelle le château noir, a-t-il dit. Il se dresse là depuis des siècles. » Et puis il nous a balancé une révélation qu'on a eu du mal à avaler. « Au début, ce n'était qu'une petite roche noire posée près d'un cadavre. L'homme qui les a découverts a essayé de prendre la roche. Il est mort. Et le rocher s'est mis à grandir. Pour ne plus s'arrêter. Nos ancêtres ont tout essayé. Ils l'ont attaqué. Rien ne pouvait l'endommager. Tous ceux qui le touchaient le payaient de leur vie. Pour rester sains d'esprit, ils ont préféré l'ignorer. »

J'ai plissé les yeux et scruté le château. Rien de vraiment particulier, vu de Duretile, à part qu'il était noir et me donnait la chair de poule.

Le duc a poursuivi : « Pendant des siècles, il n'a guère grandi. Ce n'est que depuis quelques générations qu'il est devenu autre chose qu'un roc. » Soudain hagard, il a ajouté : « On prétend qu'il est habité. »

J'ai souri. À quoi s'attendait-il donc ? La raison d'être d'une forteresse, c'est de protéger quelque chose, qu'elle ait été construite ou bien qu'elle pousse.

Hargadon a pris le relais et poursuivi l'exposé. Il y avait trop longtemps qu'il était dans le métier. Il s'exprimait avec une faconde solennelle et pompeuse. « Depuis quelques années, elle grandit bigrement vite.

Le Comité des Veilleurs s'est penché sur la question quand des rumeurs – émanant de la Cothurne, autant dire pour le moins peu fiables – ont commencé à se répandre, selon lesquelles les êtres du château achèteraient des cadavres. Le bien-fondé de ces rumeurs fait l'objet de débats acharnés au sein du Comité. Toutefois, nul ne peut nier que l'on ne récupère plus assez de cadavres dans la Cothurne ces temps-ci. Nos patrouilles en ramassent beaucoup moins qu'il y a dix ans. Nous traversons une période de vaches maigres. Il y a de plus en plus de vagabonds dans les rues. Le nombre de ceux qui succombent à la rigueur du climat devrait augmenter en proportion. »

Une crème d'homme, ce Hargadon. On aurait dit un entrepreneur en train de se plaindre de la baisse de sa marge de profit.

Il a continué : « L'hypothèse que le château n'aurait bientôt plus besoin d'acheter de corps a été avancée – si tant est qu'il en achète, d'ailleurs. Je n'en suis pas convaincu. » Il en disait plus qu'on ne lui en demandait, histoire de faire l'important. C'était bien le genre du personnage. « Ses occupants pourraient être bientôt assez nombreux pour aller se servir eux-mêmes.

— Si vous pensez que des gens vendent les cadavres, pourquoi ne pas les capturer pour les faire parler ? » a demandé Elmo.

L'argousin avait son mot à dire sur ce chapitre. « Impossible de les coincer, a rétorqué Bœuf sur un ton qui induisait : Mais-si-seulement-on-me-laissait-le-champ-libre... Ça se passe dans la Cothurne, voyez-vous. C'est un autre monde, là-dedans. On ne peut rien savoir si on y est étranger. »

Murmure et Plume, un peu à l'écart, examinaient le château noir. Elles avaient une expression sévère.

Le duc voulait se dérober à toute contrepartie. En substance, il voulait cesser de se ronger les sangs à propos de ce château. Il consentait à nous laisser carte blanche pour le débarrasser de son souci. À condition toutefois que nous respections certaines de ses volontés. Par exemple, il voulait que nous restions dans l'enceinte de Duretile pendant que *ses* hommes et Hargadon espionneraient et agiraient pour notre compte. Il avait peur des répercussions que notre présence pourrait engendrer si jamais elle s'éventait.

Quelques fuyards rebelles avaient migré à Génépi après leur défaite à Charme. On connaissait la Dame ici, même si on se souciait peu d'elle. Le duc craignait que les réfugiés ne fomentent des troubles si on le suspectait de collaborer.

Par certains côtés, il faisait un suzerain idéal. Tout ce qu'il voulait de son peuple, c'était la paix. Et il était prêt à lui accorder la même faveur.

Ainsi, pendant un moment, nous avons été tenus à l'écart – jusqu'à ce que Murmure s'irrite de la qualité des informations qu'on nous transmettait.

On les filtrait. Édulcorées, elles ne servaient à rien. Murmure a coincé le duc dans un couloir et lui a annoncé que ses hommes accompagneraient maintenant les siens.

Il a essayé d'atermoyer pendant plusieurs minutes. La discussion s'est envenimée. Elle a menacé de tout plaquer et de le laisser se débrouiller tout seul. Du bluff, évidemment. Elle et Plume mouraient d'envie d'en savoir plus sur le château noir. Une armée n'aurait pu les bouter hors de Génépi.

Le duc soumis, elle s'en est prise aux Veilleurs. Bœuf s'accrochait comme une tique à ses prérogatives. J'ignore comment elle l'a circonvenu. Il ne s'en est pas vanté.

Je suis devenu son coéquipier lors des virées d'investigation, surtout parce que j'apprenais leur langue rapidement. Je n'attirais pas particulièrement l'attention quand nous menions l'enquête.

Lui, si. Ce type était une terreur ambulante. Les gens changeaient de trottoir pour l'éviter. J'imagine qu'il devait avoir une méchante réputation.

Et puis une nouvelle a miraculeusement balayé les obstacles que le duc et les Veilleurs nous dressaient.

« T'es au courant ? m'a demandé Elmo. Quelqu'un a pénétré dans leurs précieuses catacombes. Bœuf fulmine. Son chef en fait un caca nerveux. »

J'ai essayé de digérer l'information, en vain. « Des détails, s'il te plaît. » Elmo a tendance à donner dans le lapidaire.

« Pendant l'hiver, ils laissent les pauvres fureter dans la Clôture. Pour ramasser du bois mort. Certains ont décidé de s'octroyer davantage et ont déniché un accès aux catacombes. Un petit groupe de trois ou quatre.

— Je ne vois toujours pas le topo, Elmo. » Il adore se faire prier.

« D'accord, d'accord. Ils se sont introduits à l'intérieur et ont raflé toutes les urnes de passage qu'ils ont pu. Ils les ont remontées, vidées et enterrées dans un trou. Ils ont aussi embarqué un paquet de très vieilles momies. Tu verrais le tintouin que ça provoque ! Je crois que ce n'est pas la peine d'insister, pour ton idée d'aller visiter les catacombes. »

J'avais exprimé le désir de voir à quoi ça ressemblait, là-dessous. Ces rites me paraissaient tellement nébuleux que j'avais envie d'y aller voir de plus près. De préférence sans qu'on me chaperonne. « Ils sont à fleur de peau, c'est ça ?

— À fleur de peau, c'est peu de le dire. Bœuf est enragé. J'aimerais pas tomber entre ses pattes si j'étais l'un de ces gars.

— Ah ouais ? Faut que j'aille voir ça. »

Bœuf se trouvait à Duretile à ce moment-là ; il s'efforçait de coordonner son travail avec celui de l'incompétente police secrète du duc.

Ces types prêtaient à rire. Ils étaient pour ainsi dire des célébrités et pas un n'avait le cran de descendre dans la Cothurne, où pourtant se déroulaient les choses vraiment intéressantes.

Un quartier comme la Cothurne, chaque ville en a un, seul le nom varie.

Un bas-fond si dangereux que la police ne s'y aventure qu'en force. La loi y est au mieux laissée au hasard, la plupart du temps appliquée par des magistrats autoproclamés et épaulés par des séides qu'ils recrutent eux-mêmes. Ils rendent une justice très subjective, le plus souvent expéditive, brutale, sans merci et corrompue.

Je suis allé trouver Bœuf et je lui ai dit : « Tant que cette affaire ne sera pas élucidée, je ne te lâche pas d'une semelle. » Il s'est renfrogné. « Ordre d'en haut, ai-je menti en prenant un ton désolé.

— Ouais ? Bon. Suis-moi.

— Où vas-tu ?

— Dans la Cothurne. Un coup pareil ne peut venir que de la Cothurne. Je vais mener l'enquête. » Il en avait dans le bide, quoi qu'on puisse lui reprocher par ailleurs. Rien ne l'intimidait.

Je voulais voir la Cothurne. Or il était sans doute le meilleur guide à disposition. À ce qui se racontait, il y était descendu souvent, et on ne lui avait jamais tendu de chausse-trappe. Sa réputation était à ce point sinistre. C'était dans son ombre qu'il fallait que je me coule.

« Tout de suite ? ai-je demandé.

— Tout de suite. »

Je l'ai suivi dans le froid, et nous sommes partis à descendre la colline. Il n'a pas pris de monture. Une de ses manies. Quand il avait à se déplacer, il usait ses semelles. Il allait d'un pas rapide, en homme habitué à régler ses affaires à pied.

« Qu'est-ce qu'on va chercher ? ai-je demandé.

— Des pièces d'une antique monnaie. La chambre funéraire qu'ils ont profanée date de plusieurs siècles. Si quelqu'un a joué les grands seigneurs ces jours-ci, il se pourrait qu'on tienne nos lascars. »

J'ai froncé les sourcils. « J'ignore comment les gens dépensent leur argent ici. Mais j'ai connu des villes où certaines familles couvaient leur fortune pendant des lustres, jusqu'au jour où une seule brebis galeuse dilapidait tout l'héritage. Il ne faudra peut-être pas forcément se fier à quelques vieilles pièces.

— On en cherche une flopée, pas seulement quelques-unes. Et quelqu'un qui les dépenserait par poignées. Trois ou quatre types sont mouillés dans le coup. Probable qu'un du lot soit un imbécile. » Bœuf était réaliste quant aux penchants stupides de la nature humaine. Peut-être à cause d'une certaine propension personnelle à cet égard. Hé.

« Faudra se montrer corrects pendant l'enquête », m'a-t-il dit, comme s'il craignait que je ne me mette à tabasser tout le monde comme un sauvage. Décidément, il était incapable de voir autrement qu'en fonction de ses schémas. « Le type qu'on cherche prendra la tangente sitôt qu'il m'entendra poser des questions.

— On lui court après ?

— Juste assez pour qu'il continue de fuir. Des fois qu'il nous mènerait quelque part. Je connais plusieurs caïds capables d'avoir commandité le coup. Si l'un d'eux a trempé là-dedans, je veux ses couilles sur un plateau. »

Il parlait avec flamme, comme un croisé. Est-ce qu'il avait aussi des comptes à régler avec les barons de la pègre ? J'ai hasardé la question.

« Ouais. Je suis issu de la Cothurne. Un gosse endurci qu'a eu de la chance et s'est rangé avec les Veilleurs. Mon père en a eu moins. Il a cherché à se rebiffer contre un gang de racketteurs censés assurer sa protection. Il avait payé et ils ne l'ont pas protégé d'un autre gang. Il a fait savoir qu'il ne débourserait plus un liard dans ce marché de dupes. Ils lui ont ouvert la gorge. J'étais l'un des Veilleurs venus chercher son corps. Ils étaient autour à lancer des vannes. Ceux qui l'avaient tué.

— Tu leur as réglé leur compte par la suite ? ai-je demandé, certain de la réponse.

— Ouais. Je les ai même acheminés dans les catacombes. » Il a lancé un regard vers le château noir, en partie obscurci par des brumes qui dérivaient devant le lointain versant de la colline. « Si j'avais eu vent des rumeurs à propos de ce château, peut-être que j'aurais... Non, je crois que non. »

Je ne le croyais pas non plus. Bœuf était un fanatique à sa manière. Il ne transgresserait pas les règles de la profession qui l'avait sorti de la Cothurne, à moins que ça ne puisse servir sa cause personnelle.

« Bon, on va commencer directement par le quartier du port, m'a-t-il dit. Et puis on remontera la colline. De taverne en taverne, de bordel en bordel. Peut-être en laissant entendre qu'il y a de la prime dans l'air. » Il a cogné du poing contre sa paume ; visiblement, il retenait sa colère. Beaucoup de choses bouillaient à l'intérieur de ce type, un jour la soupape sauterait pour de bon.

Nous étions partis de bonne heure. J'ai vu plus d'estaminets, de maisons closes et de bouges infects que je n'en avais fréquenté pendant une douzaine d'années. À chaque fois, l'arrivée de Bœuf provoquait un silence craintif immédiat et la promesse d'une coopération docile.

Mais les promesses sont tout ce que nous avons obtenu. Nous n'avons trouvé nulle trace de monnaie ancienne, excepté quelques pièces qui circulaient depuis trop longtemps pour provenir du butin recherché.

Bœuf ne s'est pas découragé. « Ils finiront par se trahir, il a dit. Les temps sont durs. Il faut juste s'armer d'un peu de patience. » Il avait l'air songeur. « On pourrait peut-être disperser quelques-uns de vos hommes dans la Cothurne. Personne ne les connaît, et ils ont l'air assez coriaces pour s'en sortir.

— Ils le sont. »

J'ai souri et composé mentalement une clique réunissant Elmo, Gobelin, Prêteur, Pilier et quelques autres. Si seulement Corbeau avait encore fait partie de la Compagnie et pu se joindre à eux ! En moins de six mois, ils auraient gouverné la Cothurne. Ça m'a inspiré une idée à soumettre à Murmure.

Pour découvrir ce qui se passait, il fallait prendre la ville basse en main. On pouvait faire venir Qu'un-Œil. Le petit sorcier était un truand-né. Un peu trop repérable, toutefois. Je n'avais pas vu le visage d'un Noir depuis que nous avions traversé la mer des Tourments.

« T'as une idée ? m'a demandé Bœuf comme il s'apprêtait à pousser la porte d'une taverne à l'enseigne du Lis de fer. On dirait que t'as le cerveau en ébullition.

— Peut-être. Un recours, si ça s'avère plus dur que prévu. »

Le Lis de fer ressemblait à tous les bouges qu'on avait visités, en pire. Le type derrière le bar rampait. Il ne savait rien, n'avait rien entendu et promettait d'appeler Bœuf à grands cris si jamais quiconque dépensait un seul gersh frappé avant l'accession au pouvoir du duc actuel. Des calembredaines sur toute la ligne. Je suis sorti de la taverne soulagé, ayant eu peur qu'elle ne s'écroule avant que ce type n'ait fini de lécher les bottes de Bœuf.

« J'ai une idée, a dit Bœuf. Les prêteurs sur gages. »

En une seconde, j'ai compris, et j'ai saisi d'où lui venait son idée. Le bonhomme dans la taverne, qui n'arrêtait pas de geindre à propos de ses dettes. « Pas mal vu. » Un type acculé par un prêteur sur gages serait prêt à tout pour se tirer d'affaire.

« On est dans le territoire de Krage. C'est l'un des plus mauvais. Passons le voir. »

Pas un pet de trouille. Sa confiance dans le pouvoir de sa fonction était inébranlable au point qu'il fonçait dans un coupe-gorge sans sourciller. J'ai bien donné le change, mais je n'en menais pas large. La canaille employait des gorilles et ils étaient nerveux.

Nous n'allions pas tarder à découvrir pourquoi. Notre lascar était tombé sur un os quelques jours auparavant. Il était couché, enrubanné de pansements.

Bœuf a gloussé. « Les clients ont le sang chaud, Krage ? Ou est-ce qu'un de tes gars chercherait à monter en grade ? »

Krage nous a regardés, le visage de marbre. « Je peux t'aider à quelque chose, inquisiteur ?

— Sans doute pas. Tu mentirais pour sauver ta peau, espèce de sangsue.

— La flatterie ne te mènera nulle part. Qu'est-ce que tu veux, parasite ? »

Un dur, ce Krage. Issu du même moule que Bœuf, il avait simplement échoué dans une profession socialement moins prestigieuse. Peu de chose les séparait, me suis-je dit. Prêtre et prêteur. D'ailleurs c'était ce que Krage venait de dire.

« Gros malin. Je cherche un type.

— Sans rire.

— Il possède une fortune en vieilles pièces. Période Cajian.

— Je suis censé le connaître ? »

Bœuf a haussé les épaules. « Peut-être qu'il doit du pognon à quelqu'un ?

— L'argent n'a pas de provenance, par ici. »

— Adage de la Cothurne », m'a glissé Bœuf. Puis il s'est retourné vers Krage.

« Cet argent-là en a une. Et même une sacrée. Le type en question est une pointure, Krage. Pas du genre à donner dans l'esbroufe. Pas une petite frappe. Mais on va le pister. Tous ceux qui le couvriront connaîtront le même sort que lui. Parole de Bœuf. »

L'espace d'une seconde, Bœuf a fait impression. Le message est passé. Et puis Krage nous a regardés de nouveau, impénétrable.

« Tu renifles le mauvais terrier, inquisiteur.

— Ce que j'en dis, c'est pour te mettre au courant.

— Qu'est-ce qu'il a fait, ce type ?

— S'en est pris à qui il n'aurait pas dû. »

Krage a haussé les sourcils. Il avait l'air déconcerté. Il ne voyait personne correspondant à la description. « À qui ?

— Tû-tût. Veille à ce que tes gars n'acceptent pas de monnaie ancienne sans vérifier sa provenance et m'en référer. Pigé ?

— T'as fini ta tirade, inquisiteur ?

— Ouais.

— Alors t'as sûrement mieux à faire ailleurs, non ? »

Nous sommes repartis. Ignorant les règles du jeu, je ne savais pas trop qui donner vainqueur selon les critères locaux. Je les ai estimés à peu près ex aequo.

Une fois dehors, j'ai demandé : « Il nous l'aurait dit, s'il avait reçu des sommes en vieilles pièces ?

— Non. Pas avant d'avoir fourré son nez dans l'affaire, en tout cas. Mais il ne les a pas vues. »

Je me suis demandé ce qui le lui laissait croire, mais je n'ai pas posé de question. Il avait l'habitude de ce genre de types. « Il se pourrait qu'il sache quelque chose. J'ai cru déceler une lueur dans son regard, à deux reprises.

— Peut-être. Peut-être pas. Laissons-le mijoter.

— Peut-être que si tu lui avais dit pourquoi...

— Non ! Là-dessus, motus. Pas même une rumeur. Si les gens se mettent à croire que nous n'assurons pas la protection de leurs morts, par conséquent d'eux-mêmes quand ils le seront, tout s'effondre. » Il a baissé la main dans un geste significatif. « Génépi en entier, comme ça. Crac. » Nous avons continué à marcher. Il a encore murmuré : « Tout s'effondre. » Puis, un pâté de maisons plus loin : « Voilà pourquoi il faut coincer ces types. Pas tant pour les punir que pour s'assurer leur silence.

— Je vois. » Nous rebroussions chemin, décidés à reprendre notre tournée des tavernes et à passer voir un certain Gilbert, usurier, quand nous serions dans son secteur. « Hé ? »

Bœuf s'est arrêté. « Quoi ? »

J'ai secoué la tête. « Rien. J'ai cru voir un fantôme. Un type dans la rue... il avait la même démarche que quelqu'un que j'ai connu.

— C'était peut-être lui.

— Nan. Trop vieux, trop loin d'ici. Il doit être mort depuis belle lurette maintenant. Curieusement, je repensais à lui tout à l'heure.

— À mon avis, on a encore le temps de passer en revue une demi-douzaine d'estaminets. Et puis on remontera la colline. Inutile de traîner dans les parages après la tombée de la nuit. »

Je l'ai regardé, un sourcil haussé.

« Eh oui, mon pote, c'est que ça devient dangereux par ici, après le coucher du soleil. » Il a gloussé et m'a adressé un de ses rares sourires. Un échantillon sincère.

L'espace d'un instant, je l'ai trouvé sympathique.

15

Génépi : Mort d'un truand

Les disputes se succédaient entre Shed et sa mère, longues et violentes. Elle ne l'accablait pas ouvertement, mais ne cachait guère qu'elle le soupçonnait d'avoir commis des crimes affreux.

Corbeau et lui se relayaient au chevet d'Asa.

Et puis le moment était venu de retourner voir Krage. Il ne voulait pas y aller. Il craignait qu'il ne le range dans le même sac qu'Asa et Corbeau. Mais s'il se débinait, Krage viendrait à lui. Et Krage cherchait des victimes à martyriser... Tremblant, Shed est sorti d'un pas traînant dans la rue glacée. Il neigeait de gros flocons paresseux.

Un des hommes de Krage l'a conduit à son chef. Pas de trace de Comte, mais on rapportait que le colosse guérissait peu à peu. Trop crétin même pour mourir, s'est dit Shed.

« Tiens donc, Shed, a lancé Krage depuis les profondeurs d'un gros fauteuil. Comment vas-tu ?

— Froidement. Et vous, comment vous portez-vous ? » Krage lui donnait des sueurs froides quand il se montrait affable.

« Ma foi, pas trop mal. » Krage a rajusté ses bandages. « Je l'ai échappé belle, un coup de chance. Tu viens pour le paiement ?

114

« — Combien je vous dois, tout compris ? Depuis que vous avez racheté mes dettes, j'ai du mal à tenir mes comptes.

— Tu peux payer ? » Les yeux de Krage se sont étrécis.

« Je ne sais pas. J'ai dix levas. »

Krage a exhalé un soupir théâtral. « Ce sera suffisant. Je ne t'aurais pas cru capable de réunir cette somme, Shed. Bien. L'argent rentre et l'argent ressort. Tu m'en dois huit et des poussières. »

Shed a compté neuf pièces. Krage lui a rendu la monnaie.

« La chance te sourit cet hiver, Shed.

— Ma foi, faut reconnaître.

— Tu as vu Asa ? » La voix de Krage prenait une inflexion tendue.

« Pas depuis trois jours. Pourquoi ?

— Rien d'important. Nous voilà quittes, Shed. Mais le moment est venu pour moi de te demander ce service. Corbeau, je le veux.

— Krage, je ne voudrais pas m'immiscer dans vos affaires, mais ce type, vous feriez mieux de l'oublier. Il est dingue. Féroce et coriace. Du genre à vous tuer comme bonjour. Sauf respect, il semble vous considérer comme une bonne blague.

— Il ne rigolera pas longtemps, Shed. » Krage s'est extirpé de son fauteuil en serrant les dents. Il a porté la main à sa blessure. « Il ne rigolera pas longtemps.

— Peut-être que la prochaine fois, c'est *à vous* qu'il ne laissera aucune chance de s'en sortir, Krage. »

Une inquiétude a altéré fugitivement l'expression de Krage. « Shed, c'est lui ou moi. Si je ne l'élimine pas, toutes mes affaires périclitent.

— Et qu'en sera-t-il s'il vous tue ? »

Nouvelle palpitation de peur. « Je n'ai pas le choix. Tiens-toi prêt pour le moment où j'aurai besoin de toi, Shed. Il ne tardera pas désormais. »

Shed a baissé la tête et s'en est allé. Il avait intérêt à fuir la Cothurne, pensait-il. Financièrement, il pouvait se le permettre. Mais pour partir où ? Krage pouvait le retrouver n'importe où à Génépi. Et puis partir ne le tentait guère. Son chez-lui, c'était le Lis. Il fallait tenir le coup. L'un ou l'autre finirait par y passer, alors il serait tiré d'affaire.

Il était partagé. Il haïssait Krage, qui l'avait humilié pendant des années en l'accablant de dettes, en lui arrachant le pain de la bouche avec ses taux d'intérêts exorbitants. D'autre part Corbeau pouvait révéler le commerce avec le château noir et les forfaits dans la Clôture.

Les Veilleurs étaient à l'affût, recherchaient quelqu'un qui dilapidait une fortune en vieille monnaie. Peu de choses se disaient ouvertement, mais que Bœuf en personne prenne l'enquête en main laissait deviner combien l'affaire était jugée sérieuse en haut lieu. Il avait manqué défaillir quand Bœuf avait franchi la porte du Lis.

Où était l'argent des urnes ? Shed n'en avait pas vu la couleur. Il avait supposé que Corbeau le détenait toujours. Corbeau, son associé désormais...

« Alors, que t'a dit Krage ? lui a demandé Corbeau quand Shed est rentré au Lis.

— Il veut que je l'aide à te tuer.

— C'est bien ce que je pensais. Shed, la saison avance. Il est temps d'envoyer Krage au sommet de la colline. Pour qui penches-tu, partenaire, lui ou moi ?

— Je... Euh...

— À long terme, tu aurais intérêt à te débarrasser de Krage. Sans quoi il trouvera le moyen de t'exproprier tôt ou tard. »

Pas faux, a reconnu Shed. « Bien. Qu'est-ce qu'on fait ?

— Demain, tu iras lui dire que tu me soupçonnes d'avoir vendu des cadavres. Que tu penses qu'Asa est mon associé. Que tu crois que j'ai liquidé Asa. Asa était ton pote, t'en es tout remué. Il y aura là-dedans juste assez de vérité pour le perturber... Qu'est-ce qu'il y a ? »

Un piège, comme toujours. Corbeau avait raison. Krage mordrait à l'hameçon. Mais Shed avait espéré un rôle un peu moins compromettant. Si Corbeau ratait son coup, Marron Shed serait retrouvé dans un caniveau la gorge ouverte.

« Rien.

— Bon. Après-demain soir, je sortirai. Tu fonceras prévenir Krage. Je laisserai ses malfrats me filer le train. Krage voudra prendre part à la mise à mort. Je lui tendrai une embuscade.

— Tu as déjà fait le coup, non ?

— Il accourra quand même. Il n'a que du vent dans la caboche. »

Shed a dégluti. « Ton plan me noue le bide rien que d'y penser.

— Ton bide, c'est pas mon problème, Shed. C'est le tien. Si t'as jamais rien eu dedans, c'est à toi qu'il faut t'en prendre. »

Krage a mordu à l'histoire de Shed. Il jubilait de savoir Corbeau aussi monstrueux. « Si je ne tenais pas à le liquider moi-même, je me ferais une joie d'appeler les Veilleurs. Bien joué, Shed. J'aurais dû me méfier d'Asa. Il ne m'a pas ramené une seule information digne d'intérêt. »

Shed a gémi : « Qui peut vouloir acheter des cadavres, Krage ? »

L'autre a grimacé. « T'inquiète pas, face de rat. Fais-moi seulement prévenir dès qu'il repartira pour une de ses virées. On lui concoctera une petite surprise. »

La nuit suivante, Shed est venu donner l'alerte, comme prévu. Et a déchanté comme jamais dans sa vie : Krage a insisté pour qu'il prenne part à la traque.

« À quoi je servirais, Krage ? Je ne suis même pas armé. Et c'est un dur à cuire. Tu ne le lui feras pas la peau sans te battre.

— Je n'en demande pas tant. Tu nous accompagneras juste au cas où.

— Au cas où quoi ?

— Au cas où tout ça cacherait une embrouille et où je voudrais te mettre la main dessus sans délai. »

Shed s'est mis à trembler, à gémir. « Je t'ai jamais fait d'entourloupe. T'as jamais rien eu à me reprocher !

— Tu te comportes toujours en poltron. C'est pour ça que je n'ai pas confiance en toi. N'importe qui peut te fiche la frousse. Et puis tu as bien du pognon. Ça m'induit à penser que tu es peut-être mouillé dans le trafic de Corbeau. »

Shed s'est glacé. Krage a enfilé son manteau. « On y va, Shed. Tu ne me quittes pas d'une semelle. Si tu essaies de filer, je te descends. »

Shed s'est mis à trembler. Il était mort. Tout ce qu'il avait enduré pour essayer de se soustraire à la poigne de Krage... Ce n'était pas juste. Vraiment ce n'était pas juste. Tout se retournait toujours contre lui. Il trébuchait dans la rue, se demandant comment se tirer de ce mauvais pas tout en sachant qu'il n'y avait pas d'issue. Ses larmes gelaient sur ses joues.

Pas d'issue. S'il fuyait, Krage serait prévenu. S'il ne fuyait pas, Krage le tuerait quand Corbeau lui tendrait son traquenard. Que deviendrait sa mère ?

Il lui *fallait* tenter quelque chose. Trouver le cran, prendre une décision, *agir*. Il ne pouvait s'en remettre au destin et à un hypothétique coup de chance. Sans quoi c'était les catacombes ou le château noir avant l'aurore.

Il avait menti à Krage. Il avait un couteau de boucher dans la manche gauche. Il l'y avait glissé par pure bravade. Krage ne l'avait pas soumis à la fouille. Ce vieux Shed, armé ? Bah ! Aucune chance. Il risquerait de se blesser.

Parfois, pourtant, ce vieux Shed s'armait, mais il ne le criait pas sur les toits. Le couteau réalisait des merveilles en termes de confiance. Shed s'efforçait de se convaincre qu'il serait capable de s'en servir et se cramponnait à ce mensonge le plus longtemps possible, pour tenir, mais dès qu'il se retrouvait dans le pétrin, il laissait le sort décider.

Et son sort, il était tout vu... À moins qu'il ne parvienne à se donner un coup de fouet, à s'autoriser tous les coups tordus.

Comment ?

Les hommes de Krage s'amusaient de sa terreur. Il en avait dénombré six... Puis sept... et huit, quand ceux qui pistaient Corbeau étaient revenus au rapport. Que pouvait-il espérer à cette cote ? Corbeau lui-même n'avait pas une chance.

Tu es un homme mort, lui répétait une petite voix intérieure. *Un homme mort. Un homme mort.*

« Il descend vers la rue de l'Accastillage, a annoncé une ombre. Il arpente toutes les petites contre-allées.

— Qu'est-ce qu'il espère y trouver en cette fin d'hiver ? a demandé Krage à Shed. Les crevards sont tous morts. »

Shed a haussé les épaules. « Comment est-ce que je le saurais ? » Il s'est frotté le bras gauche contre le flanc. La présence du couteau l'aidait, mais guère.

Sa terreur, ayant atteint son paroxysme, commençait à décliner. Son esprit s'engourdissait dans une hébétude détachée. Sa peur en suspens, il essayait de concevoir le moyen de filer en douce.

À nouveau, quelqu'un a émergé des ténèbres pour annoncer qu'ils se trouvaient à une centaine de pas de la charrette de Corbeau. Lequel s'était engagé dans une impasse dix minutes plus tôt. Il n'en était pas encore ressorti.

« Il t'a repéré ? a grogné Krage.

— Je ne pense pas. Mais va savoir. »

Krage a jeté un coup d'œil à Shed. « Shed, il abandonnerait sa charrette et son attelage ?

— Comment veux-tu que je le sache ? a couiné Shed. Peut-être qu'il a trouvé quelque chose.

— Allons voir. » Ils se sont avancés dans la ruelle, une des innombrables impasses ouvertes au vent qui débouchaient sur la rue de l'Accastillage. Krage scrutait l'obscurité, tête rentrée dans les épaules. « Tout le monde se la boucle. Va voir, Luc.

— Chef ?

— Du calme, Luc. Le vieux Shed te suivra à deux pas. Pas vrai, Shed ?

— Krage...

— Allez ! »

Shed s'est avancé en traînant les pieds. Luc progressait avec prudence, sondant l'obscurité à la pointe de sa lame. Shed a essayé de le rattraper. « Silence ! a-t-il grondé. T'as pas d'arme ?

— Non », a menti Shed. Il a jeté un coup d'œil par-dessus son épaule. Ils n'étaient que tous les deux.

Ils sont arrivés au bout de l'impasse. Pas de Corbeau. « Nom de Dieu ! a chuchoté Luc. Comment est-il sorti ?

— J'en sais rien. Essayons de voir. » C'était peut-être l'occasion inespérée.

« Et voilà, a dit Luc. Il a filé par ce tuyau de gouttière. »

L'estomac de Shed s'est crispé. Sa gorge s'est nouée. « Essayons. Peut-être qu'on peut le poursuivre.

— Ouais. » Luc a commencé à chercher ses prises.

Shed n'a pas réfléchi. Le couteau de boucher s'est retrouvé dans sa main. Son poing a jailli. Luc s'est arqué en arrière et s'est effondré. Shed a bondi sur lui, lui a plaqué la paume de la main sur la bouche et l'y a maintenue la minute de son agonie. Puis il s'est reculé, éberlué de son acte.

« Qu'est-ce qui se passe là-bas ? a lancé Krage.

— On ne trouve rien ! » a braillé Shed. Il a traîné Luc contre un mur et l'a enseveli sous un tas de détritus et de neige, puis s'est mis à grimper le long de la canalisation de gouttière.

L'approche de Krage lui a donné des ailes. Gémissant, ahanant, un muscle tétanisé, il s'est hissé jusqu'au toit. Il se présentait sous forme d'un renfoncement en pente douce dans le mur, large de soixante centimètres, qui se brisait pour s'élever à quarante-cinq degrés sur trois mètres cinquante avant d'atteindre une terrasse. Shed s'est aplati contre la paroi d'ardoises, haletant, encore abasourdi d'avoir assassiné un homme. Il a entendu des voix en contrebas et s'est mis à se mouvoir en crabe.

Quelqu'un a grondé. « Ils ne sont plus là, Krage. Pas de Corbeau. Pas de Luc ni de Shed non plus.

— Le saligaud ! Je savais qu'il mijotait un coup tordu.

— Pourquoi Luc aurait disparu avec lui, alors ?

— J'en sais rien, vérole ! Restez pas plantés là ! Cherchez, ils sont forcément partis par quelque part.

— Hé ! Regardez ! Quelqu'un est grimpé par cette gouttière. Peut-être qu'ils poursuivent Corbeau ?

— Montez voir, bon Dieu ! Faut s'en assurer. Luc ! Shed !

— Par ici ! » a lancé une voix.

Shed s'est pétrifié. Hein ? Corbeau ? Ça ne pouvait être que lui.

Centimètre par centimètre, il a continué de se mouvoir, essayant de se persuader qu'il n'avait pas dix mètres de vide derrière les talons. Il a atteint un angle surmonté d'une corniche qu'il est parvenu à escalader jusqu'à la terrasse.

« Par ici. Je crois que je l'ai acculé.

— Grimpez là-haut, tas de crétins ! » Krage tempêtait.

Allongé sur le goudron gelé, immobile, Shed a vu deux silhouettes apparaître sur le rebord incliné du toit, qui ont commencé de se dépêcher à petits pas vers la voix. Un grincement métallique doublé d'un juron bien senti a annoncé la chute d'un troisième grimpeur. « Je me suis foulé la cheville, Krage ! a glapi une voix.

— Viens ! a rugi l'autre. On va trouver un autre chemin pour monter. »

File tant que tu le peux, pensait Shed. *Rentre chez toi et planque-toi jusqu'à ce que ce soit fini*. Mais il en était incapable. Il s'est laissé glisser sur le rebord et s'est mis à suivre de loin les sbires de Krage.

Un cri a retenti, suivi de raclements précipités – quelqu'un patinait pour s'agripper – puis un bruit de chute dans l'obscurité entre les bâtiments. Krage a appelé. Personne n'a répondu.

Shed a atteint le toit de la maison adjacente. Il était plat et encombré de cheminées. « Corbeau ? a-t-il soufflé à voix basse. C'est moi, Shed. » Il a palpé son couteau dans sa manche. Il n'arrivait toujours pas à croire ce qu'il venait de faire.

Une silhouette s'est matérialisée. Shed s'est recroquevillé, bras autour des genoux. « Et maintenant ? a-t-il demandé.

— Qu'est-ce que tu fous ici ?

— Krage m'a emmené de force. Je devais être le premier à y passer en cas de piège. » Puis il lui a relaté le reste.

« Mince ! Serais-tu moins trouillard que t'en as l'air ?

— J'avais le dos au mur. Et maintenant ?

— Le rapport de forces s'équilibre. Laisse-moi réfléchir. »

Krage beuglait dans la rue de l'Accastillage. Corbeau a crié en réponse : « Par ici ! On le tient presque ! » Il a dit à Shed : « Je ne sais pas combien de temps on va le mener par le bout du nez. Je comptais les affronter un par un. Je ne pensais pas qu'il rameuterait une armée.

— Je suis à bout de nerfs », a dit Shed. Il souffrait aussi du vertige, une autre des multiples angoisses qui lui faisaient perdre ses moyens.

« Accroche-toi. C'est pas fini, loin de là, lui a rétorqué Corbeau avant de brailler : Bloque-lui le passage, grouille ! » Et il est reparti. « Amène-toi, Shed. »

Shed peinait pour suivre. Il n'avait pas la souplesse de Corbeau.

Une silhouette s'est profilée dans l'obscurité. Il s'est mis à couiner. « C'est toi, Shed ? » Le nouveau venu était un sbire de Krage. Le cœur de Shed s'est emballé.

« Ouais. T'as vu Corbeau ?

— Non. Où est Luc ?

— Putain, mais il se rabattait droit sur toi ! Comment t'as fait pour le manquer ? Regarde, là. » Il a désigné des traces de pas dans la neige.

— Écoute, toto. Je ne l'ai pas vu, point. Alors tu changes de ton et tu ne te prends pas pour Krage, sinon je te botte le cul jusque derrière les oreilles, vu ?

— C'est bon, c'est bon. Du calme. Je panique et j'ai hâte que ça soit fini. Luc s'est ramassé. Par là. Il a glissé sur une plaque de glace ou quelque chose. Fais gaffe.

— J'ai entendu. Mais il m'a semblé que c'était la voix de Laite, ouais, j'aurais juré que c'était Laite. Situation à la noix. Il peut nous affronter l'un après l'autre, ici. On ferait mieux de se replier et de tenter autre chose.

— Nan-han. C'est tout de suite qu'il faut l'avoir. J'ai pas envie qu'il me tombe sur le râble demain. » Shed n'en revenait pas de la facilité avec laquelle il débitait ces mensonges. Il maudissait intérieurement son interlocuteur qui s'obstinait à ne pas lui tourner le dos. « T'aurais pas un couteau de rab' ou quelque chose ?

— Toi ? Manier un couteau ? Arrête ! Allez, ne me lâche pas d'un pouce, Shed, je vais veiller sur toi.

— D'accord. Regarde, les traces partent dans cette direction. Finissons-en. »

Le type s'est retourné pour examiner les traces de Corbeau. Shed a sorti son arme et lui en a donné un grand coup. Sa victime a pivoté en hurlant. La lame s'est cassée. Shed s'est raccroché au toit de justesse, l'autre a basculé. Des cris ont fusé, on voulait savoir. Krage et ses hommes avaient l'air d'avoir tous gagné les toits désormais.

Dès qu'il s'est arrêté de trembler, Shed a repris sa progression, en essayant de se remémorer la configuration des alentours. Il voulait descendre, maintenant, et rentrer chez lui. Corbeau pouvait achever cette entreprise démente.

Shed s'est retrouvé face à Krage sur le toit voisin. « Krage ! a-t-il sangloté. Mon Dieu, laissez-moi partir ! Il va tous nous tuer !

— C'est moi qui vais te tuer, Shed. C'était un piège, hein ?

— Krage, non ! »

Que faire ? Il n'avait plus son couteau de boucher, maintenant. Jouer la comédie. Pleurnicher et donner le change. « Krage, il faut filer vous aussi. Il a déjà eu Luc, Laite et un autre. Il s'apprêtait à me régler mon compte juste après Luc mais il a dérapé, et j'en ai profité pour me tailler – seulement il a reparu alors que je venais de rejoindre un de vos gars, par là, derrière. Ils se sont mis à se battre, y en a un qu'a fait la culbute. Je ne sais pas lequel des deux, mais je n'ai pas l'impression que c'était Corbeau. Descendons d'ici ; vu qu'on ne sait pas sur qui on tombe, faut se montrer prudent. J'aurais pu l'avoir, tout à l'heure, mais je n'avais pas d'arme et puis j'avais peur que ce soit un de vos gars qui s'amène. Corbeau, lui, l'a pas ce problème. Tous ceux qu'il aperçoit sont ennemis, il peut foncer dans le tas sans se poser de question...

— La ferme, Shed ! »

Krage gobait. Shed a continué de discourir en montant le ton, espérant que Corbeau l'entendrait et viendrait à la rescousse.

Un nouveau cri a retenti sur les toits. « C'est Teskus, a grondé Krage. Ça fait quatre, c'est ça ? »

Shed a opiné du chef. « Qu'on sache. Si ça se trouve, il ne reste plus que nous deux. Krage, descendons avant qu'il ne nous rattrape.

— T'as peut-être pas entièrement tort, Shed. Peut-être qu'on n'aurait pas dû monter. Allez, viens. »

Shed l'a suivi sans arrêter de jacasser. « C'était une idée de Luc. Il pensait s'attirer vos faveurs. Quand on l'a aperçu en haut de ce tuyau de gouttière, comme lui ne nous voyait pas, Luc a proposé qu'on lui file le train et qu'on le zigouille, comme ça ce vieux Krage...

— La paix, Shed ! Pour l'amour de Dieu, ferme-la. Ta voix me rend malade.

— Oui, pardon, m'sieur Krage. Mais j'y arrive pas. J'ai trop peur...

— Si tu ne la boucles pas, c'est moi qui te ferai taire, et définitivement. T'auras plus à t'inquiéter de Corbeau. »

Shed s'est tu. Il avait poussé le bouchon aussi loin qu'il avait osé.

Krage s'est arrêté peu de temps après. « On va lui tendre une embuscade près de sa charrette. Parce qu'il va y revenir non ?

— Je suppose, m'sieur Krage. Mais à quoi je vous servirai ? J'veux dire, sans arme ? D'ailleurs je ne saurais pas comment m'en servir si j'en avais une.

— Tais-toi. Tu as raison. T'es vraiment pas bon à grand-chose, Shed. Mais tu produiras une bonne diversion. Retiens son attention. Parle-lui. Je l'attaquerai par-derrière.

— Krage...

— Ferme-la. » Krage s'est laissé glisser le long du bâtiment et s'est accroché au parapet le temps de trouver une prise sous ses pieds. Shed s'est penché au-dessus du vide. Trois étages jusqu'au sol.

Il a décoché un coup de pied sur les doigts de Krage. Rugissant un juron, Krage a essayé convulsivement de se cramponner. En vain. Il a lâché, hurlé et percuté le sol dans un choc sourd. Shed a regardé sa forme indistincte se tordre quelques instants avant de s'immobiliser.

« J'ai recommencé. » Ses tremblements l'ont repris. « Faut que je me taille. Ses hommes vont me trouver. » Il s'est coulé par-dessus le parapet et il est descendu comme un singe le long de la façade, plus terrorisé par une éventuelle capture que par le vide.

Krage respirait encore. Il était conscient mais paralysé. « T'as vu juste, Krage. C'était un piège. Tu n'aurais pas dû me pousser à bout. Tu t'es acharné au point que ma haine envers toi l'a emporté sur la peur. » Il a jeté un coup d'œil alentour. Il n'était pas si tard qu'il l'aurait cru. La traque sur les toits n'avait pas duré longtemps. Où était Corbeau, d'ailleurs ?

Restait à nettoyer le terrain. Il a saisi Krage et l'a remorqué vers la carriole de Corbeau. Krage gémissait. L'espace d'un moment, Shed a craint qu'il n'attire du monde. Nul n'est venu. Typique de la Cothurne.

Sa victime a hurlé quand Shed l'a hissée dans la charrette. « Bien installé, Krage ? »

Ensuite il a ramené Luc, puis est allé chercher d'autres corps. Il en a trouvé trois de plus. Aucun n'était celui de Corbeau. Il a bougonné : « S'il ne se montre pas d'ici une demi-heure, je les acheminerai moi-même et il ira se faire voir. » Puis : « Qu'est-ce qui te prend, Marron Shed ? Tout ça te monte à la tête ? Bien, tu t'es rendu compte que tu pouvais avoir un peu de cran. La belle affaire, tu n'en es pas devenu un Corbeau pour autant. »

Quelqu'un s'est approché. Il s'est emparé de la dague d'un mort et s'est rencogné dans l'ombre.

Corbeau a renversé un corps dans la charrette. « Allons bon, qu'est-ce que... ? »

— Je les collectionne, a expliqué Shed.

— C'est qui ?

— Krage et ses hommes.

— Je pensais qu'il avait mis les bouts. Je me voyais bon pour tout recommencer. Qu'est-ce qui s'est passé ? »

Shed a raconté. Corbeau secouait la tête, incrédule.

« Toi, Shed ?

— M'est avis qu'ils étaient juste assez nombreux pour commencer à te faire peur.

— Exact. Mais je ne pensais pas que tu le comprendrais. Shed, tu m'épates. Tu me déçois, aussi. Je voulais m'occuper personnellement de Krage.

— C'est lui qui fait tout ce potin. Il a la colonne vertébrale pétée ou quelque chose de ce goût. Achève-le si ça te chante.

— Il a plus de valeur vivant. »

Shed a opiné. Pauvre Krage. « Où sont les autres ?

— Il y en a un sur le toit. Je suppose que l'autre a fichu le camp.

— La chiasse. Ça veut dire que ce n'est pas fini.

— On l'aura plus tard.

— Et en attendant, il ira en rameuter d'autres et on les aura tous sur le dos.

— Tu crois qu'ils risqueraient leur peau pour venger Krage ? Tu rigoles. Ils vont commencer à se battre entre eux. Pour sa succession. Attends-moi là. Je vais chercher celui qui reste.

— Dépêche-toi », a dit Shed. Le contrecoup commençait à se faire sentir. Il avait survécu. Le vieux

127

Shed menaçait de reprendre le dessus, il resurgissait en lui, au bord de la crise de nerfs.

En revenant du château, alors que l'aurore étirait dans le ciel des traînes roses et violettes entre les monts du Wolander, Shed a demandé : « Pourquoi est-ce qu'il hurle ? »

La créature élancée avait ri et payé cent vingt levas pour Krage. On pouvait encore l'entendre s'égosiller.

« Je ne sais pas. Ne regarde pas en arrière, Shed. Fais ce que tu dois et avance. » Il a ajouté un moment plus tard : « Je suis content d'en avoir fini.

— Fini ? Comment ça ?

— C'était mon dernier voyage. » Corbeau a tapoté sa poche. « J'ai assez.

— Moi pareil. Adieu les dettes. Je vais pouvoir réaménager le Lis, offrir à ma mère un vrai chez-elle et commencer l'hiver prochain sereinement, que les affaires marchent ou non. Je vais oublier jusqu'à l'existence de ce château.

— M'étonnerait, Shed. Si tu veux vraiment l'oublier, alors viens avec moi. Sans quoi tu ressentiras son appel sitôt que t'auras un besoin de pognon urgent.

— Comment voudrais-tu que je parte ? Qui veillerait sur ma mère ?

— Comme tu voudras. Mais je t'aurai prévenu. » Puis Corbeau a demandé : « Et Asa ? Il va poser problème. Les Veilleurs continueront de mener l'enquête jusqu'à ce qu'ils trouvent leurs pilleurs de catacombes. Il est le maillon faible.

— Je saurai me débrouiller de lui.

— Je l'espère, Shed. Je l'espère. »

La disparition de Krage est devenue *le* sujet de discussion dans la Cothurne. Shed s'est fait tout petit, a prétendu ne rien savoir en dépit de certaines rumeurs qui insinuaient le contraire. Sa version a tenu bon. Il était Shed le couard. Le seul témoin en mesure de le contredire s'en est abstenu.

Le plus dur, c'était d'affronter sa mère. La vieille June se taisait, mais son regard aveugle l'accusait. Devant elle il se sentait mauvais, mécréant, déchu des arcanes secrets de son estime. Rien ne pouvait plus combler le fossé qui les séparait.

16

Génépi : Sale surprise

Bœuf m'a lancé un regard : il projetait une nouvelle virée dans la ville basse. Ou peut-être recherchait-il simplement de la compagnie. Il n'avait aucun ami ici.

« Qu'est-ce qui se passe ? lui ai-je demandé quand il s'est engouffré dans le réduit qui me servait de bureau et de dispensaire.

— Enfile ton manteau. On retourne à la Cothurne. »

Aussitôt, son excitation m'a gagné, pour la simple et bonne raison que je m'ennuyais ferme à Duretile. Je plaignais sincèrement mes camarades. Eux n'avaient pas eu l'occasion de sortir une seule fois. Le cantonnement devenait pénible.

Donc nous avons descendu la colline. Comme nous longions la Clôture, j'ai demandé : « Pourquoi tant de fébrilité ?

— Ho, fébrilité, c'est beaucoup dire. Rien qui nous concerne, sans doute. Tu te rappelles ce charmant usurier ?

— Celui aux bandages ?

— Ouais. Krage. Il a disparu. Lui et la moitié de sa bande. Il semble qu'il ait tenté de régler son compte au type qui l'avait suriné. Nul ne l'a revu depuis. »

J'ai froncé les sourcils. Ça n'avait rien d'extraordinaire. Les malfrats disparaissent souvent de la circulation pour resurgir plus tard.

« Là. » Bœuf désignait des broussailles le long de l'enceinte de la Clôture. « C'est par là que nos types se sont introduits. » Il a indiqué une poignée d'arbres de l'autre côté du chemin. « Ils ont garé leurs charrettes ici. Un témoin les a vues. Ils ont chargé du bois, d'après lui. Viens. Je vais te montrer. » Il s'est insinué dans la végétation, s'est mis à quatre pattes. J'ai suivi en ronchonnant parce que je commençais à être mouillé. Le vent du nord n'arrangeait rien.

La Clôture était encore plus broussailleuse à l'intérieur qu'à l'extérieur. Bœuf m'a montré plusieurs douzaines de fagots entassés dans les buissons près de la brèche dans le mur.

« Ils en collectaient des quantités, à ce qu'on dirait.

— J'imagine qu'il en fallait pas mal pour camoufler les corps. Ils le coupaient là-haut. » Il tendait le doigt vers un bosquet sur les hauteurs, dans la direction de Duretile.

Le château se dressait, englué dans des lambeaux nuageux, comme une pile de moellons gris rescapée d'un tremblement de terre.

J'ai examiné les fagots. Les sous-fifres de Bœuf les avaient rassemblés en un gros tas – une bévue pour la poursuite de l'enquête, à mon humble avis. Après examen, il m'a semblé que ces fagots avaient été constitués sur une période de plusieurs semaines. Certaines sections de branche avaient plus que d'autres été altérées par les intempéries. J'ai fait part de ma remarque à Bœuf.

« J'avais vu. À mon avis, quelqu'un venait couper du bois régulièrement. Ils ont découvert par hasard un accès aux catacombes. Alors ils sont devenus gourmands.

— Hum. » Je considérais le tas de bois. « Tu crois qu'ils le vendaient ?

— Non. Pas qu'on sache. C'était sans doute les membres d'une famille ou une clique de copains, pour leur usage personnel.

— Tu as fait le tour des écuries qui louent des charrettes ?

— Tu les prends pour des demeurés ? Louer une charrette pour aller piller les catacombes ! »

J'ai haussé les épaules. « On misait bien sur un imbécile dans le lot, non ?

— T'as raison, a-t-il concédé. Faudrait vérifier. Mais ce n'est pas facile, vu que je suis le seul qui ait le cran de mener l'enquête de terrain dans la Cothurne. Je compte plutôt sur un coup de chance. Mais si nécessaire, je m'en chargerai. Quand les urgences seront réglées.

— Je peux voir par où ils sont descendus ? »

Il aurait voulu m'opposer un refus cinglant. Au lieu de cela, il a expliqué : « Ce n'est pas tout près. Ça nous demanderait une heure. J'aimerais autant qu'on aille prendre la température à propos de ce Krage, pendant que l'affaire est encore chaude. »

J'ai haussé les épaules. « Une autre fois, alors. »

Nous sommes descendus dans le quartier de Krage et avons commencé à fureter. Bœuf avait gardé quelques contacts depuis son enfance. La patte graissée de quelques gershs, ses connaissances ont consenti à parler. On m'a tenu l'écart de la discussion. J'ai patienté en sirotant une bière dans la taverne du coin, où l'on m'a successivement léché les bottes pour que je dénoue les cordons de ma bourse, puis traité en pestiféré. Lorsqu'on me demandait si j'étais un inquisiteur, je n'en disconvenais pas.

Bœuf est venu me rejoindre. « On tient peut-être quelque chose, en fin de compte. Les rumeurs vont bon train. Selon une, il s'est fait éliminer par un de ses hommes. Selon une autre, par des rivaux. Il était un peu trop rogue avec ses collègues. » Il a accepté un gobelet de vin offert par la maison, pour la première fois depuis que je l'accompagnais. Je l'ai ramené à notre principale préoccupation.

« Il y a un aspect de la question qui mérite d'être creusé. Krage était obsédé par un étranger qui le ridiculisait aux yeux de tout le monde, et il voulait sa peau. Certains voient en cet étranger son mystérieux agresseur. » Il a sorti une liste et s'est mis à la lire attentivement. « Pas grand-chose pour nous là-dedans, j'ai l'impression. La nuit où il a disparu, il y a eu un beau chambard. Mais pas le moindre témoin oculaire, évidemment. » Il a grimacé. « Ceux qui ont entendu le vacarme ont parlé de course-poursuite et de bagarre. Du coup je penche pour la querelle intestine.

— C'est quoi, ce papier ?

— Une liste de personnes soupçonnées de s'être approvisionnées en bois dans la Clôture. Certaines d'entre elles peuvent en avoir vu d'autres. Je pensais que ça pourrait valoir le coup de confronter leurs récits. » Il a levé le bras pour qu'on lui serve un second verre. Cette fois il a payé, assez grassement pour rembourser le premier aussi, quand bien même on ne lui aurait sans doute rien réclamé. J'avais l'impression que les habitants de Génépi avaient l'habitude de donner aux Veilleurs tout ce qu'ils voulaient. Bœuf s'imposait une certaine éthique, tout au moins vis-à-vis des gens de la Cothurne. Il refusait de leur rendre la vie plus dure qu'ils ne l'avaient déjà.

Je ne pouvais m'empêcher de l'apprécier par certains côtés.

« Tu laisses tomber l'histoire de Krage, si je comprends bien ?

— Oh non. Pas question. Des corps n'ont pas été retrouvés. En soi, rien d'exceptionnel. On va récupérer les types dans le fleuve d'ici deux jours s'ils sont bien morts. Ou assoiffés de vengeance s'ils sont encore vivants. » Il a posé le doigt sur un nom de la liste. « Ce type traîne toujours au même endroit. Peut-être que j'en profiterai pour causer avec ce Corbeau, tant que j'y serai. »

Je me suis senti devenir livide. « Qui ? »

Il m'a lancé un regard soupçonneux. Je me suis efforcé de me détendre, d'affecter un air détaché. Ses sourcils se sont décrispés. « Un type du nom de Corbeau. L'étranger, prétendument l'ennemi juré de Krage. Il loge dans la même taverne qu'un des ramasseurs de bois de ma liste. Je lui poserai peut-être quelques questions.

— Corbeau. Pas banal comme nom. Qu'est-ce que tu sais de lui ?

— Juste que c'est un étranger, du genre à causer des ennuis, à ce qu'il paraît. Ça fait deux ans qu'il traîne ses guêtres dans les parages. Un type à la dérive tout ce qu'il y a de classique. Il fraye avec la bande du Cratère. »

La bande du Cratère était composée de réfugiés rebelles établis à Génépi.

« Tu veux me rendre un service ? De l'eau a coulé sous les ponts, mais ce type pourrait être le fantôme dont je t'ai parlé l'autre jour. Trouve un moyen, prétends n'avoir jamais entendu son nom, mais ramène-moi une description physique du lascar. Et cherche à savoir s'il est accompagné. »

Bœuf s'est renfrogné. Ça ne lui plaisait pas. « C'est important ?

— Je ne sais pas. Peut-être bien.

— Bon, d'accord.

— Garde tout ça pour toi, si possible.

— Tu y tiens, à ce type, hein ?

— Si c'est le gars que je connaissais et que je croyais mort, alors ouais. Lui et moi, on était liés par une certaine affaire. »

Il a souri. « Personnelle ? »

J'ai opiné du chef. Louvoyer s'imposait. Je m'avançais sur une corde raide. S'il s'agissait effectivement de mon Corbeau, il faudrait jouer serré. Je préférais ne pas l'imaginer pris dans les filets de notre opération. Il en savait trop, bien trop. Il pouvait faire soumettre la moitié des officiers et des autres responsables de la Compagnie à la question. Et les faire liquider.

J'ai jugé que Bœuf me servirait d'autant mieux que je laisserais planer un mystère, une sombre histoire de vengeance contre Corbeau. J'ai insinué que j'étais prêt à payer cher pour m'occuper de son cas une nuit, mais que le personnage n'avait guère d'importance par ailleurs.

« Je comprends », a-t-il dit. Il me dévisageait autrement, maintenant, comme s'il se réjouissait de constater que je n'étais pas différent de lui dans le fond.

Ben non, je ne le suis pas. Mais j'aime à me convaincre du contraire, la plupart du temps. « Je retourne à Duretile, lui ai-je annoncé. J'aimerais causer avec quelques potes.

— Tu sauras retrouver le chemin ?

— Ça ira. »

Nous nous sommes séparés. J'ai remonté la colline avec toute la vélocité dont un quadragénaire peut faire preuve.

Sitôt arrivé, j'ai entraîné Elmo et Gobelin dans un recoin où nul ne pourrait surprendre notre conversation. « On va peut-être avoir un problème, les gars.

— Quel genre ? » a voulu savoir Gobelin. Il me tannait pour que je parle depuis l'instant où je l'avais entraîné à l'écart avec les autres. Je devais avoir l'air salement gêné aux entournures.

« Un certain Corbeau fait des siennes dans la Cothurne. Or il se trouve que l'autre jour, quand j'y étais avec Bœuf, j'ai aperçu un type qui ressemblait au nôtre, de loin, mais sur le coup, je n'y ai pas accordé d'importance. »

Ils sont vite devenus aussi nerveux que moi.

« T'es sûr que c'est lui ? a demandé Elmo.

— Non. Pas encore. J'ai fichu le camp à la minute où j'ai entendu le nom de Corbeau. Je laisse croire à Bœuf qu'il s'agit d'un vieil ennemi que j'aimerais étendre raide. Parallèlement à son enquête, il va se renseigner pour mon compte. Me ramener une description. Essayer de savoir si Chérie l'accompagne. Je suis sûrement en train de tirer des plans sur la comète, mais vous, les gars, je voulais quand même vous mettre au courant. Au cas où.

— Et si c'est lui ? a demandé Elmo. Qu'est-ce qu'on fait ?

— Je n'en sais rien. On serait dans la panade. Si jamais Murmure trouvait une raison de s'intéresser à lui, parce qu'il traîne avec les réfugiés rebelles, par exemple, alors... Bon, vous connaissez le topo. »

Gobelin s'est fait songeur. « D'après Silence, Corbeau voulait fuir quelque part où on ne le retrouverait jamais.

— Alors peut-être qu'il se croyait assez loin. Ce bled est quand même presque au bout du monde. »

Mon anxiété se nourrissait en partie de ce constat. Je m'étais bien figuré que Corbeau irait se terrer dans un endroit comme Génépi. Aussi loin de la Dame que possible sans avoir besoin d'apprendre à marcher sur l'eau.

« Moi, je pense qu'on devrait s'assurer que c'est lui avant de paniquer, a dit Elmo. Ensuite on décidera quoi faire. Le moment est peut-être venu d'envoyer nos gars dans la Cothurne.

— J'y pensais aussi. J'ai trouvé un plan à soumettre à Murmure, à propos d'autre chose. Ça nous servira de couverture et on demandera aux gars d'ouvrir l'œil pour Corbeau.

— Qui ? a demandé Elmo. Corbeau démasquera tous ceux qu'il connaît.

— Pas vrai. Choisis des gars qui se sont enrôlés à Charme. Envoie Prêteur, sûr qu'il reconnaîtra pas sa bobine. M'étonnerait qu'il se souvienne des nouvelles recrues. Il y en a eu trop. Si tu veux quelqu'un de fiable pour mener l'affaire et les épauler, alors Gobelin sera ton homme. Arrange-toi pour qu'il reste dans l'ombre, mais qu'il garde les rênes de l'opération.

— Qu'est-ce que t'en penses, Gobelin ? » a-t-il demandé.

Gobelin s'est fendu d'un sourire nerveux. « Donne-moi quelque chose à faire, en tout cas. Je deviens dingue, ici. Ces gens sont bizarres. »

Elmo s'est mis à glousser. « Qu'un-Œil te manque ?

— Presque.

— Bon, ai-je dit. Tu auras besoin d'un guide. Moi, puisque je ne vois personne d'autre. Je n'ai pas envie de mêler Bœuf à cette affaire. Mais on me prend pour l'un de ses suppôts dans la Cothurne. Évitez de m'approcher. Et n'affichez pas ce que vous êtes. Ne jouez pas les fiers-à-bras. »

Elmo s'est étiré. « Je vais aller chercher Pilier et Prêteur tout de suite. Emmène-les et case-les quelque part. L'un de vous reviendra chercher les autres. Allez-y en éclaireurs et préparez le terrain pour Gobelin. » Il est parti.

Et ainsi a été fait. Gobelin et six soldats ont trouvé à se loger non loin du quartier général de Krage, l'usurier. En haut de la colline, j'ai prétendu que c'était pour notre mission.

J'ai attendu.

17

Génépi : Projets de voyage

Shed a surpris Asa en train d'essayer de filer en douce.

« Putain, qu'est-ce que tu fous ?

— J'ai besoin de sortir, Shed. Je deviens maboul là-haut.

— Ah ouais ? Tu veux que je te dise un truc, Asa ? Les inquisiteurs te recherchent. Bœuf en personne est passé ici l'autre jour et m'a demandé où tu te trouvais ; il connaît ton nom. » Shed en rajoutait un peu. Bœuf n'avait pas fait montre d'une curiosité si insistante. Mais il fallait qu'il y ait un lien avec les catacombes. Bœuf et son sous-fifre rôdaient dans la Cothurne presque quotidiennement et se renseignaient, questionnaient, tiraient les vers des nez. Il valait mieux éviter toute confrontation directe entre Bœuf et Asa. Asa paniquerait ou s'effondrerait face aux questions. Dans un cas comme l'autre, Marron Shed se retrouverait vite dans le bain.

« Asa, s'ils te chopent, on est tous morts.

— Pourquoi ?

— T'as dépensé de ces vieilles pièces. Ils recherchent quelqu'un qui en posséderait un joli paquet.

— Fumier de Corbeau !

— Quoi ?

— Il m'a donné l'argent du passage. Comme ma part. Je suis riche. Et voilà que tu m'annonces que je ne peux rien dépenser sans me faire épingler.

— Il s'est sans doute dit que tu te tiendrais à carreau jusqu'à ce que la fièvre retombe. Et qu'alors il serait loin.

— Loin ?

— Il partira dès la réouverture du port.

— Où est-ce qu'il va ?

— Quelque part au sud. Pas moyen de le lui faire cracher.

— Alors qu'est-ce que je dois faire ? Continuer à vivoter ? Putain, Shed, c'est pas juste.

— Regarde le positif, Asa. Plus personne ne cherche à te trouer la peau.

— Et alors ? Maintenant, c'est Bœuf qui me tombe sur le râble. Peut-être que j'aurais pu finir par m'arranger avec Krage. Avec Bœuf, on ne discute pas. C'est pas juste ! Toute ma vie... »

Shed n'écoutait pas. Asa lui serinait cette rengaine un peu trop souvent.

« Qu'est-ce que je dois faire, Shed ?

— Je n'en sais rien. Rester caché, je dirais. » Puis il a entrevu une issue possible. « Et si tu prenais le large quelque temps hors de Génépi ?

— Ouais. Pas idiote, ton idée. Cet argent, je pourrais sans doute l'écouler sans problème ailleurs, non ?

— Je n'en sais rien. Je n'ai jamais voyagé.

— Envoie-moi Corbeau quand il se pointera.

— Asa...

— Allez, quoi, Shed. Ça ne coûte rien de demander. Au pire il refusera.

— Tout ce que tu voudras, Asa. J'aime pas te voir prendre la tangente.

— Ça ne m'étonne pas, Shed. Ça ne m'étonne pas. » Shed baissait la tête pour franchir le seuil quand Asa l'a retenu : « Une seconde !

— Ouais ?

— Heu... Comment dire... Voilà, je ne t'avais pas remercié.

— Remercié pour quoi ?

— Tu m'as sauvé la mise. Tu m'as ramené, pas vrai ? »

Shed a haussé les épaules et opiné du chef. « Pas de quoi en faire un plat.

— Oh que si, Shed. Et je saurai m'en souvenir. Je te dois le gros lot. »

Shed a descendu les escaliers avant que son embarras ne devienne visible. En bas, il a découvert que Corbeau était revenu. Il discutait ferme par signes avec Chérie. Ils se disputaient une fois de plus. Il fallait qu'ils soient amants. Bon sang. Il a attendu que Corbeau remarque qu'il les observait. « Asa veut te voir. Je pense qu'il aimerait t'accompagner quand tu partiras. »

Avec un petit rire, Corbeau a répondu : « Ça t'arrangerait plutôt, non ? »

Shed n'a pas nié qu'il se sentirait mieux sachant Asa loin de Génépi. « Qu'en dis-tu ?

— Ce n'est pas une mauvaise idée, après tout. Asa ne vaut pas tripette, mais j'ai besoin d'hommes. J'ai un moyen de pression sur lui. Et sa disparition contribuera à brouiller la piste de ma fuite.

— Emmène-le avec ma bénédiction. »

Corbeau s'est engagé dans l'escalier. « Attends ! » lui a dit Shed. Il ne savait pas trop comment aborder le sujet, ignorant s'il était important. Mais il valait mieux mettre Corbeau au parfum. « Bœuf traîne souvent dans la Cothurne, depuis quelque temps. Flanqué d'un sous-fifre.

— Et alors ?

— Alors peut-être qu'il en sait plus qu'on ne l'imagine. Il est venu ici, cherchant Asa pour une chose, se renseignant sur toi pour une autre. »

Corbeau a changé d'expression. « Sur moi ? Comment a-t-il pu entendre parler de moi ?

— Par la bande. Sally, la femme de mon cousin Wally, peut-être ? Son frère est marié à une cousine de Bœuf. Et puis, de toute façon, Bœuf est resté en contact avec ceux qu'il fréquentait avant de devenir Veilleur. Il les aide de temps à autre, alors certains lui racontent ce qu'il veut savoir...

— Je vois le tableau. Viens-en au fait.

— Bœuf s'informe sur toi. Il veut savoir qui tu es, d'où tu viens, qui sont tes amis, des trucs de ce genre.

— Pourquoi ? »

Shed n'a pu que hausser les épaules.

« Bien. Merci. Je vais voir ça. »

18

Génépi : Débuché

Gobelin, adossé à un bâtiment de l'autre côté de la rue, me regardait fixement. J'ai froncé les sourcils avec colère. Qu'est-ce qu'il fichait en pleine rue ? Bœuf pouvait le reconnaître et percer notre manège.

Manifestement, il avait quelque chose à me dire.

Bœuf s'apprêtait à entrer dans un de ces innombrables bouges. « Faut que j'aille voir un type dans la ruelle à propos d'un cheval, lui ai-je dit.

— D'accord. » Il est entré. Je me suis faufilé dans la ruelle pour pisser un coup. C'est là que Gobelin m'a rejoint. « Qu'est-ce qu'il y a ? lui ai-je demandé.

— Ce qu'il y a, Toubib, c'est que c'est lui. Corbeau. Notre Corbeau. Et non seulement lui, mais aussi Chérie. Elle est serveuse dans une taverne qui s'appelle le Lis de fer.

— Sainte merde ! ai-je balbutié.

— C'est là que vit Corbeau. Ils font mine de ne pas se connaître très bien. Mais il veille sur elle.

— Bordel ! Ça nous pendait au nez, pas vrai ? Qu'est-ce qu'on peut faire maintenant ?

— Serrer les mâchoires parce qu'on risque d'en prendre plein la gueule. Il se pourrait que ce salaud soit impliqué jusqu'au trognon dans ce trafic de cadavres. Tout ce qu'on a découvert semble aller dans ce sens.

142

— Comment t'as pu découvrir ça si Bœuf n'en a pas été capable ?

— J'ai des moyens que Bœuf n'a pas. »

J'ai opiné de la tête. Le renfort d'un sorcier peut s'avérer bien pratique dans certains cas. Et pas dans d'autres, s'il s'agit d'une de ces garces là-haut, à Duretile. « Grouille, ai-je dit. Il va se demander où je suis passé.

— Corbeau possède sa propre charrette et son attelage. Il la planque à l'autre bout de la ville. Il ne la sort en général que tard dans la nuit. » J'ai opiné. Nous étions déjà parvenus à la conclusion que nos ramasseurs de cadavres opéraient en nocturne. Puis il a ajouté : « Mais... j'ai une nouvelle qui ne va pas être à ton goût, Toubib. Il s'en est servi une fois de jour, il y a quelque temps. Coïncidence, c'était le jour où quelqu'un est allé fouiner dans les catacombes.

— Chiasserie.

— J'ai examiné la charrette à la loupe, Toubib. Il y a des traces de sang dessus. Relativement frais. À mon avis, datant du jour où l'usurier et ses coupe-jarrets ont disparu.

— Chiasserie de merde. On va écoper. Faut que j'y aille. Reste à réfléchir au boniment qu'on va servir à Bœuf, maintenant.

— Plus tard.

— Ouais. »

À cet instant, j'aurais voulu tout laisser tomber. Abattu de découragement. Foutu cinglé de Corbeau – je savais précisément à quoi il s'employait. Il se constituait un joli magot en pillant des sépultures et en vendant des cadavres. Il ne s'embarrassait pas de problèmes de conscience. Dans le coin du monde d'où il était originaire, ce genre d'attitude tirait moins à conséquence. Et il agissait pour une cause : Chérie.

Je ne pouvais pas laisser Bœuf en plan. Je mourais d'envie de filer voir Elmo, mais il a fallu que je continue à me traîner de droite et de gauche pour poser des questions.

J'ai levé les yeux vers le versant nord, vers le château noir, et je me suis pris à le considérer comme la forteresse édifiée par Corbeau.

Je commençais à perdre les pédales. Je me suis ressaisi. Tout cela ne constituait pas une charge accablante... mais ça l'était... suffisamment. Mes employeurs n'allaient pas donner dans la finasserie juridique ni attendre de preuves sans appel.

La nouvelle a troublé Elmo aussi. « On pourrait le liquider. Plus de risque qu'il nous trahisse, alors.

— M'enfin, Elmo !

— Je ne parlais pas sérieusement. Mais tu sais que je m'y résoudrai si notre marge de manœuvre se restreint.

— Ouais. » Aucun de nous n'hésiterait. Du moins à tenter le coup. Corbeau ne se laisserait peut-être pas faire. C'était le fils de pute le plus coriace que j'avais jamais vu.

« Si tu veux mon avis, on devrait le trouver et lui demander de ficher le camp d'urgence de Génépi. »

Elmo m'a lancé un regard contrit. « Tu planes ou quoi ? En ce moment, le seul moyen d'entrer ou sortir de la ville, c'est celui qui nous y a conduits. Le port est bloqué par les glaces. Les cols sont enneigés. Tu crois qu'on pourrait convaincre Murmure de transporter un civil pour nous ?

— *Des* civils. D'après Gobelin, Chérie est toujours avec lui. »

Elmo a paru songeur. J'ai repris la parole. Il m'a interrompu d'un geste. J'ai attendu. Il a fini par demander : « Qu'est-ce qu'il ferait s'il vous voyait ? S'il traîne avec la bande du Cratère ? »

J'ai claqué de la langue. « Pas con. Je n'y avais pas pensé. Laissez-moi vérifier quelque chose. »

144

Je suis parti trouver Bœuf. « Est-ce que le duc ou toi avez chargé des gars d'infiltrer la bande du Cratère ? »

Il a paru perplexe. « Peut-être. Pourquoi ?

— Allons discuter le coup avec eux. Une idée. Il se pourrait que ça débloque notre affaire. »

Il m'a observé longuement. Il était peut-être plus finaud qu'il ne voulait bien le laisser croire. « D'accord. Mais nos espions n'ont pas appris grand-chose. Si ceux du Cratère n'ont pas viré nos gars, c'est pour la seule raison qu'ils ne les emmerdent pas. Ils se contentent de se réunir pour causer du bon vieux temps. Ils n'ont plus de goût à se battre.

— Essayons quand même. Ils sont peut-être moins inoffensifs qu'à première vue.

— Donne-moi une demi-heure. »

J'ai patienté. Au terme de la demi-heure, lui et moi nous sommes assis face à deux types de la police secrète. Tour à tour, nous les avons bombardés de questions, chacun de nous sous l'angle de ses raisons personnelles.

Aucun des deux ne connaissait Corbeau, tout du moins de nom. Ouf ! soulagement. Mais il y avait là-dedans des choses à creuser, et Bœuf l'a flairé aussitôt. Il s'est acharné sur le morceau jusqu'à en arracher un bout à mâchonner.

« Je vais voir ma chef, lui ai-je annoncé. Elle entend être tenue au courant. » Je faisais diversion. Je pensais que ça arrangerait Bœuf.

« Et moi en référer de mon côté à Hardagon, m'a-t-il répondu. Je n'avais pas pensé que le coup pouvait avoir été fomenté par des étrangers. Politique. Ça expliquerait pourquoi l'argent ne circule pas. Peut-être qu'ils vendent des corps aussi.

— Les rébellions, ça coûte cher », ai-je fait observer.

C'est le lendemain soir que nous sommes passés à l'action, sur les instances de Murmure, malgré les objections du duc, mais soutenus par le chef des Veilleurs. Le duc aurait préféré qu'on ne nous voie pas. Les Veilleurs s'en fichaient pas mal. Tout ce qu'ils voulaient, c'était sauver leur réputation.

Elmo s'est amené furtivement dans les ombres du soir. « Prêts, ici ? » a-t-il murmuré.

J'ai dévisagé les quatre hommes avec moi. « Prêts. » Tous ceux de la Compagnie étaient là, en plus de la police secrète du duc et de Bœuf lui-même, flanqué d'une douzaine de ses gars. J'avais beau trouver son boulot absurde, j'avais quand même été surpris d'apprendre combien l'équipe à ses ordres était réduite. Ils étaient tous là au complet, sauf l'un d'eux, porté pâle.

Elmo a poussé une espèce de beuglement, qu'il a répété trois fois.

Les anciens rebelles étaient réunis pour leur causette habituelle. Je rigolais doucement en songeant à la surprise que nous allions provoquer. Ils se croyaient à l'abri de la Dame, protégés par plus de deux mille kilomètres et sept ans écoulés.

Le tout s'est réglé en moins d'une minute. Personne n'a été blessé. Ils se sont contentés de nous reluquer, sidérés, les bras ballants. L'un d'eux nous a même reconnus et a bredouillé : « La Compagnie noire. À Génépi ! »

Un autre a ajouté : « C'est terminé. Rideau. Elle a vraiment gagné. »

Ils n'avaient pas l'air anéantis. Pour tout dire, certains paraissaient même soulagés.

Nous avons évacué tout le monde en douceur, au point que le voisinage ne s'est quasiment rendu compte de rien. Le raid le plus rondement mené dont j'ai souvenance. Nous avons escorté les prisonniers jusqu'à Duretile, et Murmure et Plume se sont mises au travail.

Je priais pour qu'aucun d'eux n'en sache trop.

J'avais fait le pari risqué que Corbeau avait gardé secrète l'identité de Chérie. Si tel n'était pas le cas, je venais de ruiner la baraque au lieu de détourner l'attention.

Je n'ai pas entendu parler de Murmure, j'ai donc supposé mon pari gagné.

19

Génépi : Peur

Corbeau s'est engouffré dans le Lis et a claqué la porte. Shed a levé les yeux, saisi. Corbeau s'est appuyé au chambranle, haletant. On l'aurait cru tout juste sorti d'un tête-à-tête avec la mort. Shed a posé son torchon et s'est approché en hâte, une bouteille de grès encore à la main.

« Qu'est-ce qui s'est passé ? »

Corbeau a jeté un coup d'œil par-dessus son épaule, vers Chérie, qui servait l'unique client solvable de la taverne. Il a secoué la tête, inspiré plusieurs fois profondément, tremblant.

Il tremblait de peur ! Par tous les saints, ce type était terrorisé ! Shed n'en revenait pas. Qu'est-ce qui l'avait mis dans cet état ? Lui à qui même le château noir n'inspirait pas un frisson.

« Viens par ici et assieds-toi. » Il a pris Corbeau par le bras. Lequel l'a suivi docilement. Shed a interpellé Chérie du regard et lui a fait signe de sortir deux gobelets et une bouteille de grès supplémentaire.

Dès que Chérie a eu aperçu Corbeau, elle a laissé son client en plan. Une poignée de secondes plus tard, ayant apporté gobelets et bouteille, elle se lançait dans une tirade de signes à l'attention de Corbeau.

Il ne voyait même pas.

« Corbeau ! a sifflé Shed aigrement. Secoue-toi, mon gars ! Qu'est-ce qui s'est passé, nom d'un chien ? »

Les yeux de Corbeau sont sortis du vague. Il a regardé Shed, Chérie, le vin. Il a lampé son gobelet d'un trait et l'a rabattu sur la table. Chérie l'a resservi.

Le client s'est mis à râler parce qu'on ne s'occupait plus de lui.

« Sers-toi tout seul ! » lui a grogné Shed.

L'autre a rétorqué par des injures.

« Eh, va donc te faire foutre ! a répondu Shed. Corbeau, parle. On est dans la mouise ?

— Hein... Non. Pas "on", Shed. Moi. » Il a frissonné comme un chien trempé et s'est tourné face à Chérie. Ses doigts se sont mis à parler.

Shed a compris l'essentiel.

Corbeau lui intimait de faire son balluchon. Ils allaient devoir fuir à nouveau.

Chérie a voulu savoir pourquoi.

Parce qu'ils nous ont retrouvés, a expliqué Corbeau.

Qui ? a demandé Chérie.

La Compagnie. Ils sont ici. À Génépi.

Chérie n'a pas cédé à la panique. Elle refusait d'y croire.

La Compagnie ? a pensé Shed. Mais de quoi parlait-il, bordel ?

Ils sont là, insistait Corbeau. Je suis parti pour la réunion. En retard. Par chance. Je suis arrivé après le début. Les hommes du duc. Les Veilleurs. Et la Compagnie. J'ai vu Toubib, et Elmo, et Gobelin. Je les ai entendus s'interpeller par leurs noms. Ils ont évoqué Murmure et Plume. La Compagnie est à Génépi, les Asservies avec eux. Il faut partir.

Shed n'y comprenait goutte. Qui étaient ces gens ? Pourquoi Corbeau était-il aux abois ? « Comment est-ce que t'imagines te sauver ? Tu ne peux pas sortir de la ville. Le port est encore bloqué par les glaces. »

Corbeau l'a dévisagé comme s'il était un hérétique.

« Du calme, Corbeau. Réfléchis. Je ne sais pas de quoi il retourne, mais ça, je peux te le conseiller. Pour l'instant, tu te comportes plus comme un Marron Shed que comme un Corbeau. C'est le vieux Shed, le roi de la panique. Tu te souviens ? »

Corbeau a réussi à grimacer un maigre sourire. « Tu as raison. Ouais. Corbeau se sert de ses méninges. » Puis, avec un petit rire amer : « Merci, Shed.

— Qu'est-ce qui s'est passé ?

— Disons pour aller à l'essentiel que le passé a resurgi. Un passé auquel j'espérais ne plus être confronté. Parle-moi donc du gaillard qui traînait avec Bœuf ces derniers temps. D'après ce que j'ai entendu dire, Bœuf a plutôt l'habitude d'agir seul. »

Shed a décrit l'homme en question, qu'il se rappelait d'ailleurs assez mal. Son attention s'était focalisée sur Bœuf. Chérie s'est décalée pour lire sur ses lèvres. Elle a formé un mot sur les siennes.

Corbeau a opiné. « Toubib. »

Shed a frissonné. Corbeau avait traduit le nom sur un ton sinistre. « Une espèce de tueur à gages ? »

Corbeau a gloussé doucement. « Non. En fait, il est bel et bien médecin. Qu'à moitié compétent, d'ailleurs. Mais il a d'autres qualités. L'intelligence de se glisser dans le sillage de Bœuf pour venir me chercher dans le coin, par exemple. Qui s'est soucié de lui ? Tout le monde était bien trop intimidé par ce satané inquisiteur. »

Chérie a discouru avec ses mains, très vite. Trop pour Shed, qui a quand même compris qu'elle morigénait Corbeau, arguant que Toubib était son ami et qu'il ne se trouvait pas là pour les traquer. C'était pur hasard si leurs chemins s'étaient croisés.

« Aucun hasard là-dedans, a rétorqué Corbeau, à la fois par signes et à voix haute. S'ils ne sont pas à mes trousses, pourquoi sont-ils à Génépi ? Et pourquoi accompagnés par deux Asservies ? »

De nouveau, la réponse de Chérie a fusé trop rapidement pour que Shed la comprenne entièrement. Elle semblait prétendre que si une certaine Dame avait su certaines choses concernant Toubib et un autre nommé Silence, Toubib ne serait pas là.

Corbeau l'a fixé une bonne quinzaine de secondes, muet comme une tombe. Il a lampé un autre gobelet de vin. Puis il a repris la parole :

« Tu as raison. Tout à fait raison. Si c'était moi qu'ils recherchaient, ils m'auraient déjà capturé. Et toi aussi. Les Asservies en personne nous seraient tombées dessus. Alors... un hasard tout de même, en fin de compte ? Mais, coïncidence ou pas, la Dame a envoyé l'élite de sa racaille à Génépi. Ils cherchent quelque chose. Quoi ? Pourquoi ? »

De nouveau le Corbeau habituel. Calme, dur et réfléchi.

Le château noir, a fait signe Chérie.

Shed s'est glacé. Corbeau a observé la fille un instant, puis a braqué son regard dans la direction générale du château noir et l'a posé sur Chérie de nouveau. « Pourquoi ? »

Elle a haussé les épaules. Ses mains se sont agitées : Il n'y avait rien d'autre susceptible d'attirer la Dame à Génépi.

Corbeau a réfléchi quelques instants. Puis il s'est retourné vers Shed. « Shed, est-ce que je n'ai pas fait de toi un homme riche ? Est-ce que je ne t'ai pas tiré du pétrin ?

— C'est sûr, Corbeau.

— À ton tour de me venir en aide, alors. Des ennemis à moi, très puissants, sont à Génépi. Ils travaillent conjointement avec les Veilleurs et le duc ; c'est sans doute le château noir qui les a attirés ici. S'ils me repèrent, je suis dans de sales draps. »

Marron Shed avait le ventre plein. Un coin au chaud pour dormir. Sa mère ne lui causerait plus de soucis.

Il n'avait plus ni dette ni menace à redouter. Tout cela grâce à l'homme assis devant lui. Auquel il devait aussi sa morosité et l'agonie de sa conscience, mais cela, il pouvait le pardonner.

« Dis-moi. Je ferai mon possible.

— Tu t'aideras aussi par la même occasion, s'ils se mettent à fouiner à propos du château noir. Asa, toi et moi, on a commis une bévue en allant piller les catacombes. Tant pis. Je veux que tu me rapportes toutes les informations possibles sur ce qui se passe à Duretile. Si tu as besoin de graisser des pattes, fais-le-moi savoir. Je prendrai les dépenses à ma charge.

— D'accord, a dit Shed, perplexe. Tu ne peux pas m'en dire un peu plus ?

— Pas avant que je n'en sache davantage moi-même. Chérie, prépare tes affaires. Il faut qu'on décanille. »

Pour la première fois, Shed a protesté. « Hé, c'est quoi cette histoire ? Comment veux-tu que je fasse tourner la baraque sans elle ?

— Embauche l'autre donzelle, Lisa. Embauche ton cousin. Je m'en balance. Nous, on doit disparaître. »

Shed s'est rembruni.

« Ils la veulent, elle, plus que moi encore.

— Ce n'est qu'une gamine.

— Shed.

— Oui, m'sieur. Pour vous contacter je fais comment ?

— Toi, tu ne fais rien. C'est moi qui te contacterai. Chérie, va. Ce sont des Asservies qu'il y a là-haut.

— C'est quoi, des Asservies ? a demandé Shed.

— Si tu as des dieux, prie-les pour ne jamais le savoir, Shed. Prie fort. »

Quand Chérie est redescendue avec ses quelques affaires, Corbeau a ajouté :

« Je crois que tu devrais reconsidérer l'idée de quitter Génépi avec moi. Il se trame des événements que tu risques de sentir passer.

— Je dois veiller sur ma mère.

— Réfléchis quand même, Shed. Je sais de quoi je parle. J'ai travaillé pour ces types, dans le temps. »

20

Génépi : On parle de l'ombre

Corbeau nous a glissé entre les doigts. Même Gobelin n'a pu retrouver trace de lui. Plume et Murmure
ont pressé nos prisonniers comme des citrons, sans
en tirer un mot sur notre ami. J'en ai conclu que Corbeau usait d'un nom d'emprunt dans ses relations
avec eux.

Pourquoi n'avait-il pas pris la même précaution
dans la Cothurne ? Bravade ? Orgueil ? Autant que je
me souvienne, Corbeau n'était du genre à donner ni
dans l'une ni dans l'autre.

Corbeau, ce n'était pas son vrai nom, pas plus que
Toubib n'est le mien. Mais c'était celui qu'on lui
connaissait pendant l'année où il a servi dans nos
rangs. Aucun des nôtres, le capitaine excepté, peut-
être, ne connaissait son nom véritable. Autrefois, à
Opale, c'était un homme riche. Ça, je le savais. Le
Boiteux et lui étaient devenus ennemis jurés quand
l'Asservi avait intrigué auprès de sa femme et de ses
amants pour le spolier de ses titres et de ses droits.
Ça, je le savais aussi. Mais j'ignorais qui était cet
homme avant qu'il ne s'engage comme soldat de la
Compagnie noire.

Je craignais de mettre le capitaine au courant de
notre découverte. Il adorait Corbeau. Une vraie paire
de frangins, ces deux-là. Le capitaine, je pense, avait

été blessé par sa désertion. Il allait l'être encore plus cruellement quand il apprendrait les agissements de son ami à Génépi.

Murmure nous a convoqués pour nous communiquer les résultats des interrogatoires.

« Notre opération n'a été qu'un coup d'épée dans l'eau, messieurs, a-t-elle déclaré abruptement. Seuls deux ou trois de ces gaillards étaient des conspirateurs. Nous leur avons passé l'envie de se battre à Charme. En revanche, nous avons confirmation qu'effectivement le château noir se procure des corps. Ses hôtes les achètent même encore vivants. Deux de nos captifs se sont livrés à ce commerce. Afin de rassembler des fonds pour les rebelles. »

L'idée de vendre des cadavres, pour répugnante qu'elle soit, n'était pas foncièrement ignoble. Je me suis demandé ce que les habitants du château pouvaient en faire.

« Ils ne sont pas impliqués dans le pillage des catacombes, a poursuivi Murmure. Pour tout dire, ils présentent peu d'intérêt pour nous. Nous allons les livrer aux Veilleurs qui en disposeront à leur guise. Messieurs, vous allez maintenant redescendre en ville et vous remettre à chercher.

— Pardon, m'dame ? est intervenu Elmo.

— Quelqu'un, quelque part dans Génépi, approvisionne le château noir. Trouvez-le. La Dame le veut. »

Corbeau, ai-je pensé.

À tous les coups c'était Corbeau. Ce ne pouvait être que lui. Il nous fallait trouver ce fils de pute, oui. Et l'éjecter de cette ville, ou le supprimer.

Il vous faut comprendre ce que représente la Compagnie noire. Pour nous, elle est synonyme de père, mère, famille. Nous n'avons rien d'autre. La capture de Corbeau signerait l'arrêt de mort de cette famille, au figuré comme au propre. La Dame démembrerait le restant de l'équipe une fois qu'elle nous aurait éreintés pour ne pas lui avoir livré Corbeau, à l'époque.

« Ça nous aiderait de savoir à quoi on nous emploie. Difficile de prendre les choses à cœur quand personne ne vous dit rien. C'est quoi le but de la manœuvre ? Ce château est franchement inquiétant, soit. Mais en quoi ça nous concerne ? »

Murmure a paru songeuse. Pendant un instant, son regard est resté dénué d'expression. Elle était en train d'en référer à une plus haute autorité. Elle était en communication quasi permanente avec la Dame.

Quand elle est revenue à elle, elle a déclaré : « Le château noir plonge ses racines dans les Tumulus. »

Ça nous a tous interloqués. « Quoi ? ai-je croassé.

— Le château noir, c'est la porte par laquelle le Dominateur compte s'évader. Quand il aura atteint une certaine taille et quand certaines conditions seront réunies, les créatures qui y vivent et lui sont dévouées corps et âme le feront sortir du Grand Tumulus par la magie. Ici même. »

Plusieurs hommes ont ronchonné, incrédules. Ça paraissait abracadabrant, en dépit de toutes les étrangetés et sorcelleries que nous avions vues jusqu'ici.

« Il avait anticipé sa défaite contre la Rose Blanche, sinon la traîtrise de la Dame, a poursuivi Murmure. Même avant la chute de la Domination, il avait commencé à préparer son retour. Il avait envoyé un de ses partisans dévoués avec le germe du château noir. Quelque chose est allé de travers. Il n'avait pas prévu d'attendre aussi longtemps. Peut-être ignorait-il cette manie de conserver les morts à Génépi. Dans l'attente de quoi ? L'arrivée d'une nef pour les emmener au paradis ?

— En gros, ai-je convenu. J'ai eu beau étudier la question, je n'y vois qu'un tissu d'inepties. Continuez. Le Dominateur va nous débouler sur le coin de la figure ?

— À moins qu'on ne puisse l'en empêcher. Mais nous sommes peut-être arrivés trop tard. La porte est presque prête à s'ouvrir. »

J'ai jeté un coup d'œil à Elmo. Il a paru d'accord. Désormais, nous allions nous battre pour la survie de l'équipe. Or, d'une façon ou d'une autre, Corbeau avait dû flairer le danger. Gobelin avait regardé sous tous les cailloux de la Cothurne, passé au peigne fin ses moindres ruelles, campé au Lis de fer, tout cela pour des clopinettes. Le temps s'écoulait. Le redoux menaçait. Et notre angoisse virait à la panique.

21

Génépi

Corbeau est parti sitôt le chenal du port rouvert. Shed est descendu lui dire au revoir – alors seulement il a compris dans quel genre d'affaire maritime investissait Corbeau. Il s'était fait construire et armer un navire. Un navire flambant neuf, le vaisseau le plus imposant que Shed avait jamais eu l'occasion de voir. Pas étonnant qu'il ait eu besoin d'une fortune, a-t-il songé. Combien de cadavres pour payer cela ?

Shed s'est acheté une chaumière près de la Clôture. Il y a installé sa mère avec trois domestiques. Ne plus avoir à endurer son regard aveugle et désapprobateur l'a soulagé.

Les artisans se sont succédé au Lis. Ils ont un peu entravé les affaires, qui sont toutefois restées bonnes. L'activité reprenait dans le port. Qui voulait du travail en trouvait.

Shed gérait mal sa nouvelle opulence. Il s'empressait d'assouvir toutes les frustrations accumulées durant sa misère. Il s'offrait de beaux habits qu'il n'osait pas porter. Il s'aventurait dans des lieux fréquentés par les nantis. Et il achetait les faveurs de belles femmes.

Les femmes coûtaient cher quand on prétendait habiter sur les hauteurs.

Un jour, ouvrant le coffret où il entreposait ses économies, Shed l'a trouvé vide. Avait-il donc tout dépensé ? À quoi ? La réfection du Lis n'était pas terminée. Il avait des dettes envers les ouvriers. D'autres envers les gardes-malades de sa mère. Vérole ! Était-il de retour à la case départ ?

Presque. Lui restaient ses recettes.

Il a dévalé l'escalier, vers la caisse de sa taverne, l'a ouverte et a poussé un soupir de soulagement. Il s'était contenté de piocher dans le coffre à l'étage pour ses dépenses.

N'empêche, quelque chose clochait. Les comptes ne tombaient pas ronds dans la caisse... « Hep, Wally ! »

Son cousin l'a dévisagé, a dégluti et filé vers la porte. Pris de court, Shed n'a eu que le temps de se précipiter dehors pour le voir disparaître dans une ruelle. Alors la vérité l'a aveuglé. « Fumier ! a-t-il braillé. Crève, sale voleur ! » Il est rentré en essayant de retrouver son sang-froid.

Une heure plus tard, il décommandait les artisans. Laissant la taverne à sa nouvelle serveuse, Lisa, il est parti voir un à un tous ses fournisseurs.

Wally l'avait roulé en beauté. Il avait acheté à crédit et empoché le liquide destiné au paiement. Shed a remboursé ses dettes aux uns et aux autres, de plus en plus alarmé au fur et à mesure que son pécule diminuait. Une fois revenu, la bourse quasiment vide, il a commencé à dresser un inventaire.

Au moins Wally n'avait pas vendu ce qu'il avait acheté à crédit. Le Lis regorgeait de stocks.

Qu'allait-il faire de sa mère désormais ?

La maison était remboursée. C'était toujours ça. Mais la vieille femme avait besoin de soins pour survivre. Il n'était plus en mesure de payer quiconque. Pourtant, il se refusait d'envisager son retour au Lis. Il pouvait vendre ses beaux habits. Il avait dépensé une fortune pour ces vêtements qu'il ne portait même pas.

Il a essayé d'évaluer leur prix de vente. Oui, en se séparant des vêtements, il récupérerait de quoi entretenir sa mère jusqu'à l'été suivant.

Adieu les somptueux atours. Adieu les femmes. Adieu l'aménagement du Lis... À moins que Wally n'ait pas encore tout dépensé.

Lui mettre le grappin dessus ne serait pas bien difficile. Il reviendrait à sa famille après s'être terré deux jours. Il s'imaginerait certainement que Shed n'oserait pas broncher. Il ignorait qu'il avait affaire à un homme nouveau.

Shed s'est rué chez son cousin, a enfoncé la porte à coups de pied et s'est engouffré dans la petite pièce qui constituait son logement. « Wally ! »

Wally s'est mis à couiner. Ses enfants, sa femme et sa mère ont poussé une cacophonie de questions stridentes. Shed les a ignorées. « Wally, tu vas tout me rendre ! Jusqu'au dernier liard ! »

La femme de Wally s'est interposée. « Du calme, Marron. Qu'est-ce qui se passe ?

— Wally ! » Wally se ratatinait dans un coin. « Dégage, Sally. Le salopard m'a fauché près de cent levas ! » Shed a empoigné son cousin et l'a bouté sur le palier. « Je veux tout récupérer.

— Shed... »

Shed lui a envoyé une bourrade. Il a trébuché à reculons, perdu l'équilibre, dégringolé une volée de marches. Shed s'est précipité à sa suite, l'a poussé à nouveau dans l'escalier.

« Shed, s'il te plaît...

— Où est ce fric, Wally ? Je veux ce fric !

— J'l'ai plus, Shed. J'ai tout dépensé. Je te jure. Les gosses avaient besoin de frusques. Fallait qu'on mange. J'ai pas pu faire autrement, Shed. T'en avais tant... T'es de la famille, Shed. T'es censé nous aider. »

Shed l'a propulsé dehors, lui a décoché un coup de pied dans l'aine, l'a redressé, s'est mis à le gifler. « Où il est, Wally ? T'as pas pu dépenser autant. Bordel, tes enfants sont en guenilles ! Je te payais assez pour subvenir à ça. Parce que t'es de la famille. Rends-moi l'argent que tu m'as piqué. »

Écumant de colère, Shed a traîné son cousin vers le Lis.

Wally gémissait, implorait, refusait d'avouer la vérité. Shed estimait le montant du vol à environ cinquante levas, assez pour finir la réfection de sa taverne. Il ne s'agissait plus de menu chapardage. Il faisait pleuvoir les coups en averse rageuse.

Il a traîné Wally à l'arrière du Lis, à l'abri des regards indiscrets. « Maintenant je ne rigole plus, Wally.

— Shed, s'il te plaît...

— Tu m'as volé et tu me mens. J'aurais pu pardonner ton geste si tu l'avais fait pour ta famille. Mais ce n'est pas le cas. Alors parle. Ou rends-moi le pognon. » Il lui a décoché un sévère coup de poing.

La douleur dans ses phalanges a un peu émoussé sa colère. Mais c'est alors que Wally a flanché. « Je l'ai perdu au jeu. Je sais que j'ai agi comme un imbécile. Mais j'étais si sûr de gagner ! Ils m'ont embobiné. Ils m'ont laissé croire que j'allais gagner gros, et puis ils m'ont piégé, et pour m'en sortir, je n'avais plus qu'une issue : voler. Ils m'auraient tué. J'ai pu emprunter à Gilbert après lui avoir dit que tes affaires tournaient bien...

— Perdu ? Au jeu ? Un emprunt à Gilbert ? » a balbutié Shed. Gilbert avait pris le contrôle du territoire de Krage. Il s'avérait aussi mauvais que son prédécesseur. « Comment as-tu pu être aussi con ? » La colère l'a submergé de plus belle. Il a empoigné une planchette au sommet d'un tas de déchets qui lui servait de bois d'allumage. Il a cogné, à toute volée, et cogné encore. Son cousin s'est affaissé, a cessé d'essayer de se protéger.

Shed s'est immobilisé ; la raison reprenait le dessus, froidement. Wally ne bougeait pas. « Wally, Wally ? Hé, Wally ? Dis quelque chose. »

Wally n'a pas répondu.

Shed a senti ses tripes se nouer. Il a rejeté la planchette sur le tas. « Vaudrait mieux que je le rentre avant que l'incident ne s'ébruite. »

Il a soulevé son cousin par les épaules. « Allez, quoi, Wally. Je ne te frapperai plus. »

Wally n'a pas bougé.

« Oh merde, a balbutié Shed. Je l'ai tué. » C'était le bouquet. Que faire maintenant ? Il n'y avait guère de justice dans la Cothurne, mais celle qui régnait était dure et expéditive. Il finirait pendu, pas de doute.

Il s'est retourné, dans la hantise de découvrir un témoin. Il n'en a pas vu. Ses pensées galopaient dans cent directions. Il existait une échappatoire. Sans corps, pas de preuve du meurtre. Mais il ne se voyait pas remonter cette colline seul.

En hâte, il a traîné le cadavre vers le tas de bois et l'a enseveli. Il aurait besoin de l'amulette pour pénétrer dans le château noir. Où était-elle ? Il s'est engouffré dans le Lis, a avalé les escaliers quatre à quatre, déniché le bijou et l'a examiné. Des serpents entrelacés, c'était bien ça. D'une facture incroyablement détaillée. De petites pierres figuraient les yeux des reptiles. Ils luisaient comme une menace dans la lumière de l'après-midi.

Il a empoché son amulette. « Shed mon vieux, du sang-froid ! Panique et c'est la mort. »

Quand Sally alerterait-elle les autorités ? Pas avant quelques jours, certainement. Il avait le temps, amplement.

Corbeau lui avait laissé son chariot et son attelage. Il avait oublié de payer le gérant de l'écurie. Le type avait-il vendu le tout ? Si oui, il était dans la mouise.

Il a vidé la caisse du Lis et laissé la taverne aux soins de Lisa.

Le gérant de l'écurie n'avait rien vendu, mais les mules étaient faméliques. Shed l'a admonesté.

« Il faudrait que je nourrisse vos bêtes à mes frais, monsieur ? »

Shed l'a invectivé de plus belle et lui a réglé ce qu'il lui devait. Puis il a ajouté : « Nourrissez-les. Et veillez à ce qu'elles soient attelées et prêtes pour dix heures. »

L'angoisse a taraudé Shed tout l'après-midi. Quelqu'un pouvait trouver Wally. Mais aucun édile n'est venu traîner dans les parages. Entre chien et loup, il s'est mis en route pour l'écurie.

Sa journée s'était déroulée en alternance de bouffées de panique et de supputations sur ce qu'allait lui rapporter le corps. Ainsi que la vente du chariot et des mules. Il ne les avait pas inclus dans ses calculs précédents.

Il aurait dû aider la famille de Wally. Il le fallait. C'était la seule chose décente... Mais ça commençait à faire beaucoup de monde à sa charge.

Ainsi, il s'est retrouvé face au sombre portail. Le château, paré de toutes ses monstrueuses décorations, restait terrifiant, mais il ne semblait pas avoir grandi depuis la dernière fois qu'il y était venu. Il est allé frapper contre le battant, comme Corbeau naguère, le cœur battant la chamade, l'amulette serrée dans le poing gauche.

Pourquoi mettaient-ils tant de temps ? Il a tambouriné de nouveau. Le portail s'est ouvert d'un coup, le faisant sursauter. Sans perdre un instant, il est retourné se jucher sur son chariot et a aiguillonné ses mules.

Il est entré exactement comme Corbeau l'avait fait, concentré seulement sur sa manœuvre. Il s'est arrêté au même endroit, est descendu, a tiré Wally hors du plateau.

Nul n'est apparu pendant de longues minutes. De plus en plus nerveux, il se morigénait de n'avoir pas eu le bon sens de venir armé. Qu'est-ce qui lui garantissait qu'on n'allait pas s'en prendre à lui ? Cette amulette ridicule ?

Il a décelé un mouvement. Il en suffoquait presque.

L'être qui est sorti de l'ombre était petit de taille, large de stature, et irradiait le mépris. Il ne l'a pas regardé une seule fois mais s'est livré à un examen méticuleux du cadavre. Il se montrait difficile, comme un fonctionnaire mesquin face à un citoyen désemparé momentanément en son pouvoir. Shed savait quelle attitude adopter dans ce genre de situation. Patience à tous crins et gros dos. Il s'est tenu immobile dans l'expectative.

Enfin la créature a déposé vingt-cinq pièces d'argent à côté des pieds de Wally.

Shed a grimacé, mais il est allé les ramasser. Puis s'en est retourné à son siège, a fait reculer le chariot et manœuvré l'attelage face au portail. C'est à ce moment-là seulement qu'il a crié son indignation. « C'était un corps de premier choix. Si vous ne payez pas mieux la prochaine fois, je ne reviendrai plus. Hue dia ! » Il a franchi le portail, éberlué de sa propre témérité.

Il s'est mis à chantonner en descendant la colline. Il se sentait exceptionnel. Hormis le relent de mauvaise conscience à propos de Wally, qui s'estompait – après tout, ce salaud l'avait bien mérité – il se sentait serein. Libre et en sécurité, dégagé de ses dettes et les poches bien pleines. Il a ramené son chariot à l'écurie, réveillé le gérant et payé d'avance pour plusieurs mois. « Prends bien soin de mes bêtes », lui a-t-il enjoint.

Un suppôt du juge du quartier a fait irruption le lendemain. Il enquêtait sur la disparition de Wally. Sally avait rapporté leur empoignade.

Shed l'a admise. « Je lui ai flanqué une belle dérouillée. Mais je ne sais pas ce qu'il est devenu ensuite. Il s'est contenté de fiche le camp. À sa place aussi, j'aurais pris la poudre d'escampette si un maboul m'était tombé sur le paletot avec tant de hargne.

— Pourquoi cette querelle ? »

Shed a atermoyé, comme s'il rechignait à dénoncer qui que ce soit. Il a fini par avouer : « Il travaillait pour moi. Il m'a volé pour rembourser les emprunts qu'il avait contractés pour des dettes de jeu. Vérifiez auprès de mes fournisseurs. Ils vous confirmeront qu'il achetait à crédit. À moi, il prétendait payer comptant.

— Combien a-t-il empoché ?

— Je ne peux pas dire exactement, a répondu Shed. Plus de cinquante levas. Toutes mes recettes de l'été, et j'en passe. »

Le suppôt a poussé un sifflement. « De quoi fulminer !

— Ouais. Je lui aurais volontiers cédé quelques ronds pour aider sa famille. C'est qu'il a une vraie tribu à nourrir. Mais les perdre au jeu... Mince, ça m'a fichu en pétard. J'ai emprunté pour restaurer la baraque, et les reversements sont raides. Du coup, j'ai peur de ne pas m'en sortir cet hiver. Tout ça parce que ce saligaud n'a pas pu se retenir de jouer. Encore maintenant, ce n'est pas l'envie de lui tordre le cou qui me manque. »

La tirade était crédible. Shed marquait des points.

« Voulez-vous porter plainte officiellement ? »

Shed a joué le scrupuleux. « C'est-à-dire qu'il est de ma famille. C'est mon cousin.

— Moi je casserais les reins de mon propre père s'il me jouait un tour pareil.

— Ouais. Bon, d'accord. Je porte plainte. Mais n'allez pas me le pendre tout de suite. Peut-être qu'il pourrait me rembourser en travaillant sans gages, ou autrement. Si ça se trouve, il mentait en prétendant avoir tout perdu. Il ment comme il respire. » Shed a secoué la tête. « Il travaillait ici de temps à autre depuis que mon père tenait la taverne. Je ne l'aurais jamais cru capable de ça.

— Vous savez ce que c'est. On s'endette jusqu'au cou et les vautours se mettent à vous harceler, alors on tente n'importe quoi pour sauver sa peau. On ne se soucie plus du lendemain. Des cas comme celui-là, on en voit tous les jours. »

Shed a opiné du chef. Il connaissait la situation.

« Je sors », a-t-il dit à Lisa sitôt le suppôt parti. Il voulait se payer une dernière tranche de bon temps avant de s'encroûter de nouveau dans la routine du Lis.

Il s'est offert la femme la plus belle et la plus experte qu'il a pu trouver. Elle lui a coûté les yeux de la tête, mais elle valait son pesant d'or. Il est retourné au Lis en rêvant d'une vie où ces plaisirs seraient quotidiens. Cette femme a illuminé son sommeil toute la nuit.

Lisa l'a réveillé de bonne heure. « Il y a un type qui veut vous voir.

— Qui est-ce ?

— Il ne s'est pas présenté. »

Pestant, Shed est sorti du lit. Il ne s'est pas donné la peine de cacher sa nudité. Plus d'une fois, il avait sous-entendu à Lisa que le statut d'employée impliquait un peu plus que les seules servitudes de la taverne. Elle ne se montrait guère coopérative. Il lui fallait trouver un moyen de pression sur elle... et redoubler de prudence. Le sexe commençait à l'obséder. Quelqu'un pouvait utiliser cette faiblesse à ses dépens.

Il est descendu dans la salle commune. Lisa avait annoncé un homme. Shed ne le connaissait pas. « Vous vouliez me voir ?

— T'aurais un coin plus privé ? »

Un dur à cuire. Bon, et alors ? Il ne devait rien à personne. Il n'avait pas d'ennemi. « C'est à quel sujet ?

— Au sujet de ton cousin. Celui qui n'a pas disparu comme les gens ont l'air de le croire. »

L'estomac de Shed s'est vrillé. Il a masqué son désarroi. « Je ne saisis pas.

— Supposons que quelqu'un ait assisté à ce qui s'est passé ?

— Suivez-moi dans la cuisine. »

Le visiteur a jeté un coup d'œil furtif par l'embrasure de cette porte. « Je n'ai pas envie que la gamine écoute notre conversation. » Puis il a raconté en détail la mort de Wally.

« D'où sortez-vous cette fable ?

— C'est ce que j'ai vu.

— En rêverie, peut-être.

— Tu as plus de culot que ce qu'on m'avait laissé entendre. Je vais te mettre les points sur les *i*, mon pote. J'ai une mémoire capricieuse. Ça m'arrive d'oublier. Tout dépend de la façon dont on me traite.

— Ah, je commence à y voir clair. Le silence aurait un prix ?

— Tu vois ? Quand tu veux... »

Les pensées de Shed cavalaient comme des souris traquées. Il n'avait pas les moyens de payer de pot-de-vin. Il lui fallait trouver une autre solution. Mais pour l'heure, il se sentait pris à la gorge. Trop chamboulé. Il avait besoin d'un peu de temps pour se reprendre. « Combien ?

— Un leva par semaine me plongerait dans une amnésie de première classe. »

Shed a roulé des yeux ronds, bredouillé. Puis ravalé ses protestations.

Le maître chanteur a esquissé un geste d'impuissance. « Moi aussi j'ai mes problèmes. Mes dépenses. Un leva par semaine. Sans quoi tu prends des risques. »

Le château noir est venu titiller Shed. Sa lente matoiserie a fini par s'emparer de l'idée, l'a retournée dans tous les sens, évaluant des possibilités. Assassiner ne le dérangeait plus.

Mais pas maintenant. Pas ici. « Comment je te paie ? »

Le type s'est fendu d'un sourire. « Donne-moi simplement un leva. »

Shed est allé chercher sa caisse et l'a rapportée dans la cuisine. « Faudra accepter de la petite monnaie. Je n'ai plus de pièce d'argent. »

Le sourire de son interlocuteur s'est élargi. Il était content. Pourquoi ?

Puis il est parti. Shed a appelé Lisa. « J'ai un boulot pour toi. Avec une récompense à la clé. Suis ce type. Je veux savoir où il va. » Il lui a donné cinq gershs. « Tu en recevras autant à ton retour si tu peux me renseigner. »

Lisa a filé dehors dans un tourbillon de jupe.

« Il a traînaillé de-ci de-là, a-t-elle déclaré. Comme pour tuer le temps. Puis il s'est rendu du côté de la manufacture de voiles. Voir ce prêteur sur gages, celui qui est borgne.

— Gilbert ?

— Ouais. Gilbert.

— Merci, a fait Shed, songeur. Merci vraiment. Voilà qui apporte un nouvel éclairage.

— Ça mériterait cinq gershs ?

— Certainement. T'es une brave fille. » Tout en comptant les pièces, il lui a réitéré une proposition d'une autre nature.

« Je n'en suis pas réduite à cette extrémité, m'sieur Shed. »

Il est retourné à la cuisine et s'est mis à préparer le dîner. Ainsi Gilbert se cachait derrière le maître chanteur. Gilbert voulait-il l'acculer financièrement ? Pourquoi ?

Le Lis. Pour quelle autre raison ? Rénovée, la taverne devenait une bonne affaire.

Bon. Mettons que Gilbert déclenchait une manœuvre pour s'emparer du Lis. Il fallait se défendre. Mais cette fois personne ne l'épaulerait. Il était seul.

Trois jours plus tard, Shed est allé voir une de ses connaissances qui habitait à l'autre bout de la Cothurne. Moyennant finance, on lui a fourni un nom. Il s'est rendu chez la personne en question et lui a laissé deux pièces d'argent.

De retour au Lis, il a demandé à Lisa de faire savoir à ses meilleurs clients que Gilbert tentait de le spolier à grand renfort de calomnies et de menaces. Il voulait que plus tard, le juge le pense victime d'une cabale.

Le matin du paiement suivant, Shed a dit à Lisa : « Je serai sorti toute la journée. Si quelqu'un veut me voir, dis que je serai de retour après le dîner.

— L'homme que j'ai suivi ?

— Lui tout particulièrement. »

Pour commencer, Shed a baguenaudé un moment, pour passer le temps. Ses nerfs se sont tendus peu à peu. Son plan allait capoter. Gilbert reviendrait à la charge de plus belle... Non, il n'oserait pas, quand même ? Il risquerait trop de ternir sa réputation. Les rumeurs de Shed allaient le contraindre à la défensive, désormais. Les gens iraient emprunter ailleurs que chez lui s'il insistait.

Shed s'est trouvé une femme. Elle coûtait bien trop cher, mais elle l'a aidé à oublier. L'espace d'un moment.

Il est revenu au Lis à la tombée de la nuit. « Il est passé ? a-t-il demandé à Lisa.

— Et il repassera. Il avait l'air furieux. Je pense que ça risque de chauffer, m'sieur Shed.

— Ma foi, on verra. Je sors travailler à la réserve de bois. » Shed a lancé un regard vers un client qu'il n'avait jamais vu. L'homme a opiné du chef et est sorti par la porte principale.

Shed s'est mis à couper du bois à la lumière de sa lanterne. De temps à autre, il s'interrompait pour scruter les ténèbres, sans toutefois rien remarquer de particulier. Il priait pour que tout se déroule bien.

Le maître chanteur a jailli par la porte de la cuisine. « T'essaies de te défiler, Shed ? Tu sais ce qui te pend au nez si tu cherches à m'embrouiller ?

— Me défiler ? Qu'est-ce que tu veux dire ? Je suis là, non ?

— Tu ne l'étais pas cet après-midi. Et ton espèce de serveuse m'a donné du fil à retordre, à essayer de m'envoyer au diable. Il a fallu que j'en vienne aux mains pour qu'elle me dise où tu étais. »

Très imaginatif. Shed s'est demandé jusqu'à quel point Lisa soupçonnait quelque chose.

« Arrête ton char. Tu veux ton fric. Et moi, ce que je veux, c'est ne plus voir ta sale bobine dans ma taverne. Alors finissons-en. »

Le maître chanteur a eu l'air déconcerté. « Tu joues les fiers-à-bras ? On m'avait dit que tu étais le pire trouillard de la Cothurne.

— Qui t'a dit ça ? T'es à la solde de quelqu'un ? Tu ne travailles donc pas pour ton compte ? »

Les yeux de son interlocuteur se sont rétrécis comme il prenait conscience de son erreur.

Shed a sorti de sa poche une poignée de petites pièces. Il s'est mis à les compter, à les recompter. « Tends les mains. »

Le maître chanteur a tendu ses deux mains jointes en coupe.

Shed ne s'était pas attendu à tant de facilité. Il a lâché sa monnaie et agrippé l'homme aux poignets.

« Hé ! À quoi tu joues ? »

Une main s'est plaquée sur ses lèvres. Un visage est apparu au-dessus de son épaule, la bouche crispée par l'effort. Le maître chanteur s'est haussé sur la pointe des pieds, s'est arqué en arrière. Ses yeux se sont écarquillés de douleur et de peur, puis se sont révulsés. Il s'est affaissé en avant.

« Très bien. Parfait. File ! » a dit Shed.

Le bruit d'un pas rapide s'est éloigné.

Shed a traîné le corps dans l'ombre, l'a recouvert en hâte de morceaux de bois, puis s'est laissé tomber à quatre pattes et a entrepris de ramasser ses pièces. Il les a toutes retrouvées sauf deux.

« Qu'est-ce que vous faites, m'sieur Shed ? »

Il a sursauté. « Et toi, qu'est-ce que tu fais ici ?

— Je venais juste m'assurer que tout allait bien.

— Ça va, ça va. On s'est un peu pris le bec. Il a envoyé valser mes pièces. Je n'arrive pas à les retrouver toutes.

— Vous voulez de l'aide ?

— Occupe-toi plutôt du comptoir, ma fille. Sans quoi un client finira par aller s'y servir.

— Euh... bien. » Elle s'est éclipsée à l'intérieur.

Shed a renoncé à poursuivre ses recherches quelques minutes plus tard, et les a repoussées au lendemain. Il a attendu nerveusement l'heure de fermeture. Lisa devenait trop curieuse. Il craignait qu'elle ne découvre le cadavre en allant fouiner pour récupérer les pièces perdues. Il ne voulait pas avoir sa disparition sur la conscience.

Deux minutes après avoir fermé, il sortait par la porte de derrière et se dirigeait vers le chariot et l'attelage.

Le grand escogriffe était de service, cette fois. Il a payé trente pièces d'argent. Comme Shed manœuvrait pour repartir, pourtant, la créature lui a demandé : « Pourquoi viens-tu si rarement ?

— Je ne suis pas aussi expert que mon associé.

— Qu'est-ce qu'il devient ? Il nous a manqué.

— Il a quitté la ville. »

Shed aurait juré avoir entendu l'être rire doucement tandis qu'il franchissait le portail.

22

Génépi : Sauve-qui-peut

Un certain temps s'est passé sans événement notable. Les Asservies n'étaient pas contentes. Elmo non plus. Il m'a traîné dans son bureau. « Où se niche Corbeau, Toubib ?

— Je n'en sais rien », ai-je répondu. Comme s'il était le seul que cela tracassait ! J'avais la trouille, et un jour comme celui-là ne risquait pas de me la calmer.

« Je veux le savoir. Au plus vite.

— Écoute, vieux, Gobelin a tout essayé, à part torturer les gens, pour tenter de retrouver sa trace. Il s'est volatilisé. Il a sans doute eu vent de notre présence.

— Comment ? Tu veux me dire comment ? On est restés cloîtrés ici la moitié de notre vie, on dirait. Et puis personne n'a rien remarqué dans la ville basse. Pourquoi Corbeau aurait-il su, lui ?

— Parce qu'on le recherche. Il a dû repérer l'un de nous.

— Si c'est le cas, j'en veux confirmation. File à la Cothurne, trouve Gobelin et botte-lui le train pour qu'il se remue. Pigé ?

— Bien. Comme tu voudras, chef. » Soit, il dirigeait le détachement, même si, hiérarchiquement parlant, j'étais son supérieur. Mais je n'avais pas envie de me prévaloir de ce genre de prérogative pour l'instant. Il y avait trop de tension dans l'air.

D'ailleurs une atmosphère électrique régnait à Duretile, et je ne comprenais pas la moitié des tenants et aboutissants. Je ne suivais que de loin les études des Asserves sur le château noir. En somme, je n'étais que le garçon de courses, le clampin chargé d'aller chercher les nouvelles en ville. Je n'avais pas la moindre idée de ce qu'elles avaient découvert par leurs expertises. Si tant est d'ailleurs qu'elles avaient expertisé le phénomène de près. Peut-être qu'elles gardaient leurs distances, de peur de dévoiler leur présence au Dominateur.

Un des hommes est venu me chercher dans le bureau d'Elmo. « Murmure veut te voir, Toubib. »

Je me suis redressé, taraudé de mauvaise conscience. « À quel sujet ? » Je ne l'avais pas vue depuis des semaines.

« Tu le découvriras tout seul. Elle n'a rien dit. » Il ricanait sous cape, espérant bien voir un officier en prendre pour son grade. Des ennuis en perspective.

C'était ce qu'il s'imaginait ? Moi aussi. J'ai lambiné autant que j'ai osé, mais j'ai bien dû me résoudre à me présenter devant elle. Murmure m'a lancé un regard pénétrant quand je suis entré. « Dites donc, vous n'avez rien mis à jour de bien consistant, dans les bas quartiers. Qu'est-ce que vous fichez ? Vous vous la coulez douce ? Vous prenez des vacances ? Allons, parlez !

— Je...

— Vous êtes au courant que le château a cessé de croître après notre descente dans la bande du Cratère ? Non ? Comment ça, non ? Vous êtes censé apprendre ce genre de nouvelles.

— Aucun des prisonniers n'a pu nous dire...

— Je sais. Je sais qu'aucun des prisonniers ne connaissait l'identité du principal fournisseur de cada-

174

vres. Ce fournisseur, en revanche, devait les connaître. Il a plié bagage. Deux cadavres seulement ont été livrés depuis. Le dernier date d'hier soir. Comment se fait-il que vous ne l'ayez pas su ? À quoi servent les gars que vous avez postés dans la Cothurne ? On les dirait incapables de découvrir quoi que ce soit. »

Hou, elle piquait sa colère.

« Le grand jour approche, quelque chose dans ce goût-là ? ai-je hasardé. D'après ce que j'avais compris, quelques cadavres de plus ou de moins ne changent pas grand-chose.

— Exact. Jusqu'à un certain point. Mais nous en sommes au stade où une poignée pourraient faire toute la différence. »

Je me suis mordu la lèvre en affichant une mine contrite, et j'ai attendu.

Elle a ajouté : « La Dame nous presse. Elle est *très* nerveuse. Elle veut des résultats ici. »

Bon. Comme toujours, la merde dévale la hiérarchie. En toute logique, j'aurais dû aller larguer ma crotte sur un de mes subordonnés.

« Le problème vient pour moitié de ce qu'on ignore ce qui se passe exactement. Si vous prétendez savoir ce qu'est ce château, comment il grandit et tout le reste, pourquoi ne décidez-vous pas d'en finir et d'aller le raser ? Ou de planter des arbres fruitiers dessus, que sais-je ?

— Ce n'est pas aussi simple. »

Ça ne l'est jamais. J'ai toujours tendance à mésestimer les implications politiques. Je ne suis pas tellement porté sur cet aspect des choses.

« Quand le reste de votre Compagnie sera à pied d'œuvre ici, on verra. Il faudra contrôler la ville. Le duc et ses minables en seraient incapables. »

J'ai pris un air d'expectative. Ça pousse parfois les gens à se livrer davantage que prévu.

« À défaut d'un verrouillage très serré, la ville s'embrasera quand la vérité éclatera. Pourquoi croyez-vous que les Veilleurs s'acharnent à entretenir le sceau du secret sur les catacombes ? Plusieurs milliers de citoyens ont des proches qui croupissent dans cette monstruosité. Ça fait un paquet de gens qui vont devenir furieux en découvrant les âmes des leurs perdues à jamais.

— Je vois. » Je voyais en réalité assez vaguement. Il fallait accepter de se départir de toute raison.

« Nous allons aborder l'affaire sous un autre angle, a-t-elle dit. Je vais prendre en main vos investigations. Vous viendrez au rapport tous les jours. Je déciderai ce que vous ferez et comment. C'est clair ?

— Oui m'dame. » Clair, ça ne l'était que trop. Maintenir l'étanchéité entre elle et Corbeau allait devenir coton.

« En premier lieu, vous allez organiser la surveillance du château. Si ça ne donne aucun résultat, j'enverrai Plume dans la Cothurne. C'est toujours clair ?

— Oui, m'dame. » Que trop, derechef.

Je me demandais si Murmure se doutait que nos objectifs divergeaient.

« Disposez. Je vous attends au rapport demain. Avec du consistant.

— Oui m'dame. »

Je suis retourné voir Elmo aussitôt, furieux. C'est lui qu'elle aurait dû convoquer, pas moi. Tout cela parce qu'en quelque sorte, je m'étais dévoué...

J'ai à peine eu le temps de raconter l'entrevue à Elmo qu'un messager de Bœuf a fait irruption. Il voulait me voir sur-le-champ.

Bœuf me posait lui aussi problème. J'étais maintenant convaincu qu'il était plus futé qu'il ne voulait bien le laisser croire, et pratiquement certain également qu'il nous soupçonnait de manigancer plus que nous ne voulions bien l'avouer.

176

Je me suis faufilé jusqu'à son réduit, au quartier général de la police secrète.

« Qu'est-ce qu'il y a ?

— J'ai progressé un peu dans l'affaire du raid aux catacombes. À force de m'entêter sur l'enquête de terrain.

— Alors ? » Ma question a dû sonner assez cassante car il a haussé un sourcil. « Je sors d'un tête-à-tête avec mon chef, ai-je ajouté, seule manière d'excuse que je me sentais capable de lui avancer. Qu'est-ce que tu as trouvé ?

— Un nom. »

J'ai attendu. Comme Elmo, Bœuf aimait se faire prier. Je n'étais pas d'humeur à me plier à ce petit jeu.

« J'ai creusé ton idée, à propos des locations de chariots. Un nom ressort : Asa. Tout porte à croire que le ramasseur de bois qui s'infiltrait par la brèche que je t'ai montrée portait le nom d'Asa. Un dénommé Asa a écoulé de la monnaie antique, quoique antérieurement au raid dans les catacombes. Un dénommé Asa travaillait pour Krage avant qu'il ne disparaisse avec ses sbires. Partout c'est le même son de cloche : Asa ceci, Asa cela.

— Quelque chose qui le lie au château noir ?

— Non. Je ne crois pas qu'il soit le suspect numéro un. Mais il doit savoir quelque chose. »

J'ai fouillé mes souvenirs. Bœuf avait déjà mentionné ce nom à propos d'un type qui traînait dans la même taverne que Corbeau. Peut-être qu'un lien existait. Peut-être que j'avais intérêt à mettre la main sur ledit Asa avant tout le monde.

« Je vais faire un tour dans la Cothurne, ai-je annoncé. Ordre pressant de Sa Sainteté. Je vais mettre Gobelin sur le coup. »

Bœuf s'est renfrogné. Il avait tiré une sale tête en apprenant que nous avions posté des hommes à nous dans la Cothurne sans le consulter. « Bien. Mais n'essayez plus de me doubler, hein ? Vos gars et les miens n'ont pas les mêmes objectifs, mais ce n'est pas une raison pour se tirer dans les pattes, non ?

— Tu as raison. Je crois que nos façons de procéder diffèrent, simplement. Je passerai te voir à mon retour.

— J'apprécierais. » Dans le regard qu'il m'a lancé, j'ai lu qu'il ne m'accordait plus sa confiance. À supposer qu'il me l'ait jamais accordée. Je suis parti en me disant que la Compagnie et moi étions mal engagés. Dans la mélasse jusqu'au cou. C'était comme jongler avec trop de balles à la fois. Avec des couteaux à lame empoisonnée plutôt que des balles, d'ailleurs.

J'ai descendu la colline en hâte, trouvé Gobelin et l'ai informé de cette fâcheuse escalade d'ennuis. Ça l'a miné autant qu'Elmo et moi.

23

Génépi : Interrogatoire

Shed n'a plus entendu parler de maître chanteur. Quelqu'un a raconté au juge qu'il avait tué Wally. Le juge n'y a pas cru ou s'en est désintéressé.

Et puis le sous-fifre de Bœuf a reparu. Shed a failli laisser tomber la belle cruche qu'il avait entre les mains. Il s'était senti à l'abri de ce côté-là. La seule personne susceptible de le trahir était loin. Jugulant ses remords et sa nervosité, il est allé voir le nouveau venu à sa table. « Qu'est-ce que je peux pour vous, mon révérend ?

— Me servir un repas et votre meilleur vin, patron. » Shed a haussé un sourcil. « Le meilleur ?

— Je paierai. Personne ne peut se permettre d'offrir de repas, dans la Cothurne.

— Hélas, monsieur, hélas... »

Quand Shed a ramené le vin, l'inquisiteur a fait observer : « On dirait que les affaires marchent, patron.

— On est toujours sur la corde raide, mon révérend. Au bord du gouffre. Une mauvaise semaine me laisserait sur la paille. J'ai passé tout l'hiver à emprunter à un prêteur sur gages pour rembourser le précédent. L'été a été bon, en revanche. J'ai trouvé un associé. Ça m'a permis de concrétiser quelques projets. De requinquer la taverne. Sans doute ma dernière entreprise avant de mourir. » Il a conclu en prenant son expression la plus piteuse.

L'inquisiteur a opiné du chef. « Laissez la bouteille. Que la Confrérie contribue à votre prospérité.

— Je ne prendrai pas de marge dessus, mon révérend.

— Ne soyez pas stupide ! Faites-moi payer au même tarif que tout le monde. »

Shed a aussitôt décidé de lui appliquer une majoration de vingt pour cent. Il était content de se débarrasser de la bouteille. Corbeau lui en avait laissé une petite réserve sur les bras.

Il a servi le repas. « Prenez donc un gobelet et venez vous asseoir », l'a alors invité l'inquisiteur.

Les nerfs de Shed se sont tendus comme des cordes d'arc. Quelque chose clochait. Ils étaient sur une piste. « À votre guise, mon révérend. » Il s'est traîné jusqu'au comptoir et a saisi son gobelet, poudré de poussière. Il s'était abstenu de boire ces derniers temps, de peur que sa langue ne lui joue des tours.

« Asseyez-vous. Et ne tirez pas cette tête. Vous n'avez rien à vous reprocher. Si ? Je ne connais même pas votre nom.

— Shed, mon révérend. Marron Shed. Notre famille tient le Lis de fer depuis trois générations.

— Admirable. Un établissement de tradition. Les traditions se perdent tant, de nos jours.

— Comme vous dites, mon révérend.

— Je gage que notre réputation m'a précédé. Calmez-vous donc, mon brave.

— Comment puis-je vous aider, mon révérend ?

— Je cherche un dénommé Asa. J'ai entendu dire qu'il était un habitué de votre taverne.

— C'était vrai, monsieur, a reconnu Shed. Je le connaissais bien. Un feignant bon à rien. Détestant travailler honnêtement. Sans le sou. Pourtant, c'était un ami en quelque sorte, généreux à sa manière. Je le laissais dormir dans la salle commune pendant l'hiver, parce qu'il ne manquait jamais de m'apporter du bois de chauffe quand j'étais dans la mouise. »

L'inquisiteur a hoché la tête. Shed s'est résolu à lui dire en gros la vérité. Il ne pouvait plus nuire à Asa. Asa était maintenant hors d'atteinte des Veilleurs.

« Savez-vous où il se procurait ce bois ? »

Shed a fait mine d'être fort embarrassé. « Il allait le couper dans la Clôture, mon révérend. J'ai longuement hésité à le brûler. Non que c'était contraire à la loi, mais ça me semblait répréhensible malgré tout. »

L'inquisiteur a souri et approuvé d'un léger coup de tête. « Pas de quoi s'en vouloir, Marron Shed. La Confrérie n'interdit pas le glanage. Ça débroussaille un peu la Clôture.

— Alors pourquoi recherchez-vous Asa ?

— J'ai cru comprendre qu'il travaillait pour le compte d'un certain Krage.

— En quelque sorte. Pendant quelque temps. Il s'est pris pour le roi de la Cothurne quand Krage l'a enrôlé à son service. Et que je me pavane, et que je te joue l'important. Mais ça n'a pas duré.

— C'est ce qu'on m'a dit. Ce que j'aimerais savoir plus précisément, c'est à quel moment ils se sont brouillés.

— Comment cela ?

— Krage et certains de ses amis ont disparu. Asa aussi, plus ou moins aux mêmes dates. Tout ce joli monde s'est volatilisé peu après que quelqu'un a pénétré dans les catacombes et pillé le contenu de plusieurs milliers d'urnes de passage. »

Shed s'est efforcé de simuler un air horrifié. « Krage et Asa auraient commis ce crime ?

— Ça se pourrait. Cet Asa s'est mis à débourser des pièces de monnaie anciennes peu après avoir commencé à ramasser son bois dans la Clôture. D'après ce qui ressort de notre enquête, il restait mesquin même quand il se piquait de jouer les grands seigneurs. Nous pensons qu'il devait vider au plus quelques urnes à chaque fois qu'il venait engranger du bois. Krage a peut-être eu vent de ses chapardages et décidé d'opérer à plus grande échelle. Peut-être est-ce la raison de leur brouille. En supposant qu'Asa ait un peu de conscience.

— C'est possible, monsieur. À ce que j'avais compris, il s'agissait plutôt d'une querelle à propos d'un de mes clients. Un homme du nom de Corbeau. Krage voulait sa peau. Il a embauché Asa pour l'espionner. C'est Asa lui-même qui me l'a avoué. Krage a estimé qu'il ne s'acquittait pas correctement de son boulot. Qu'il ne fichait pas grand-chose. D'ailleurs, il est incapable de s'acquitter correctement de quoi que ce soit. Mais ça ne contredit pas votre théorie. Asa pouvait mentir. C'était sûrement le cas, d'ailleurs. Il mentait à tout va.

— Quelle relation entretenaient Asa et Corbeau ?

— Aucune.

— Où se trouve Corbeau à l'heure actuelle ?

— Il a quitté Génépi dès que la glace a fondu dans le port. »

L'inquisiteur a paru à la fois perplexe et satisfait. « Qu'est devenu Krage ?

— Personne ne le sait, mon révérend. C'est un des grands mystères de la Cothurne. Il a disparu du jour au lendemain. Les rumeurs vont bon train.

— Aurait-il quitté Génépi lui aussi ?

— Peut-être. Certains le pensent. Quoi qu'il en soit, il n'en a rien dit à personne. Mêmes ceux qui travaillaient pour lui ne savent rien.

— Ou le prétendent. Pourrait-il s'être suffisamment rempli les poches pour quitter définitivement Génépi ? »

La question embarrassait Shed. Elle puait le piège à plein nez. « Je ne... je ne comprends pas ce que vous me demandez, monsieur.

— Hum. Shed, des milliers de dépouilles ont été délestées de leur argent. La plupart datent d'une époque où les riches se montraient très généreux. Nous pensons même que de l'or a pu faire partie du butin. »

Shed a écarquillé des yeux ronds. Il n'avait pas vu d'or. Le type mentait. Pourquoi ? Lui tendait-il une chausse-trappe ?

« Il s'agissait d'un pillage organisé d'envergure. Nous aimerions beaucoup poser certaines questions au sieur Asa.

— Je veux bien le croire. » Shed s'est mordu la lèvre. Il réfléchissait à toute allure. « Monsieur, je ne peux pas vous dire ce que Krage est devenu. Mais je crois qu'Asa a pris un bateau pour le sud. »

Puis il s'est lancé à raconter en détail comment Asa était venu le voir après s'être pris le bec avec Krage, pour le supplier de le cacher. Un jour il était sorti et rentré salement blessé, il s'était terré quelque temps dans une des chambres, puis avait disparu. Shed a prétendu l'avoir aperçu de loin, sur les docks, le jour où le premier navire avait appareillé pour le sud. « Je n'ai pas pu le rejoindre pour lui parler, mais il avait l'air sur le départ. Il trimballait quelques bagages.

— Vous vous souvenez du bateau ?

— Pardon ?

— Quel navire a-t-il pris ?

— Je ne l'ai pas vu embarquer, monsieur. J'ai juste supposé qu'il l'avait fait. Il traîne peut-être encore dans les parages. Mais j'imagine qu'alors il m'aurait contacté. Il rappliquait toujours quand il avait des ennuis. Et j'ai l'impression que c'est le cas, non ?

— Peut-être. Il n'y a pas de preuve à charge. Mais j'ai l'intime conviction qu'il a pris part au pillage. Vous n'avez pas vu Krage sur les quais, par hasard ?

— Non, monsieur. Il y avait trop de monde. Les premiers départs de navires drainent les foules. Une véritable attraction. » Est-ce que l'inquisiteur gobait ?

Bordel. Il valait mieux. Un inquisiteur n'était pas le genre de client dont on se débarrasse en le fourguant au château noir.

L'inquisiteur a secoué la tête avec lassitude. « Je craignais que vous ne me racontiez une histoire de ce genre. Bon sang. Vous ne me laissez pas le choix. »

Shed a senti son cœur lui remonter dans la gorge. Des idées folles lui traversaient l'esprit. Frapper l'inquisiteur, s'emparer de sa caisse et prendre ses jambes à son cou.

« Je déteste voyager, Shed. Mais j'ai l'impression qu'il va falloir que Bœuf se lance à la poursuite de ces lascars, à moins que ce ne soit moi. Et, à votre avis, qui va s'y coller ? »

Shed s'est liquéfié de soulagement. « À leur poursuite, monsieur ? Mais on ne reconnaît pas l'autorité de la Confrérie dans le Sud...

— Ce ne sera pas du gâteau, hein ? Ces barbares ne nous comprennent pas. » Il s'est resservi du vin et l'a dévisagé un long moment. Finalement, il a dit : « Merci, Marron Shed. Vous m'avez fourni une aide très utile. »

Shed a voulu y voir une façon de le congédier. Il s'est levé. « Y a-t-il autre chose pour vous servir, mon révérend ?

— Me souhaiter bonne chance.

— Bien sûr, monsieur. Je prierai pour la réussite de votre mission dès ce soir. »

L'inquisiteur a opiné du chef. « Merci. » Il s'est remis à contempler le fond de son gobelet.

Il a laissé un gros pourboire. Mais Shed l'a empoché non sans un certain malaise. Les inquisiteurs avaient une réputation de fins limiers. Et s'ils rattrapaient Asa ?

24

Génépi : Ballet de l'ombre

« Je crois que je l'ai jouée assez finaude, ai-je dit à Gobelin.

— T'aurais vu la tronche du Shed, a gloussé Prêteur. Poule mouillée, suant comme un porc et mentant comme une brebis galeuse. Une vraie cour de ferme à lui tout seul.

— Est-ce qu'il mentait vraiment ? ai-je fait, songeur. Il n'a rien avancé de contradictoire avec ce qu'on sait.

— Qu'est-ce que tu as appris de neuf ? a demandé Gobelin.

— Je crois qu'il mentait, a insisté Prêteur. Par omission peut-être, mais il mentait. Il était dans le coup, d'une façon ou d'une autre.

— Continuez à traîner aux alentours du Lis. Gardez-le à l'œil.

— Quoi de neuf ? » a redemandé Gobelin.

Elmo a fait irruption. « Comment ça s'est passé ?

— Impec', ai-je dit. J'ai découvert ce qu'il en est de Corbeau.

— Quoi ? s'est-il écrié de concert avec Gobelin.

— Il a fui la ville. Par bateau. Le jour où le port a rouvert.

— Chérie aussi ? s'est enquis Gobelin.

— Tu l'as vue dans les parages ? Alors, à ton avis ? »

Prêteur a ajouté pensivement : « Je parie qu'Asa est parti avec lui. Ce vieux Shed prétend qu'ils sont partis le même jour.

— Possible. Je suis assez fier de lui avoir fait cracher ça. À mon avis, désormais, Shed est notre unique point faible. Il est le seul à savoir précisément ce qui leur est arrivé. Shed éliminé, personne n'ira rien raconter à Bœuf ni aux Asservies. »

Elmo a froncé les sourcils. La suggestion collait plus à sa façon de voir les choses qu'à la mienne. Il a cru que je l'avançais sérieusement. « Je ne sais pas. Ça me paraît trop simple. En plus, on commence à être repérés dans la Cothurne, non ? »

Gobelin a confirmé d'un hochement de tête. « On a beau se faire passer pour des matelots en rade, les gens se mettent à confronter nos histoires, ils cherchent à comprendre. Si Shed se faisait tuer, ça provoquerait peut-être assez de chambard pour remonter aux oreilles de Bœuf. Et si Bœuf flaire quelque chose, tôt ou tard les Asservies en auront vent. M'est avis qu'on devrait réserver les grands remèdes aux grands maux. »

Prêteur était d'accord. « Ce Shed a quelque chose à cacher. Je le sens. Toubib lui a parlé du raid dans les catacombes. C'est à peine s'il a bronché. N'importe qui d'autre aurait sauté au plafond et répandu la nouvelle comme la peste.

— Pilier le surveille toujours ? ai-je demandé.

— Lui, Requin et Chatouille, à tour de rôle. Il ne peut pas larguer un pet sans qu'on soit au courant.

— Bien. Ne changez rien. Mais ne le malmenez pas. Arrangez-vous simplement pour le tenir à l'écart de Bœuf et des Asservies. » Je me suis absorbé dans mes pensées.

« Qu'est-ce qu'il y a ? a fini par demander Elmo.

— Une idée m'est venue pendant ma conversation avec Shed. C'est Bœuf le risque majeur, pas vrai ? Et on sait qu'il s'accrochera comme une tique s'il flaire une piste. Or il est justement sur la piste de l'Asa en question. Alors pourquoi on ne l'enverrait pas cavaler à ses trousses dans le sud ?

— Je ne sais pas, a grommelé Elmo. Il pourrait bien le trouver.

— Pourquoi veut-il lui mettre le grappin dessus ? Pour l'interroger à propos du pillage des catacombes. Quel soutien peut-il espérer ailleurs qu'ici ? Aucun, quasiment. À ce que j'ai entendu dire, les autres villes côtières au sud méprisent Génépi. Tout ce qu'il nous faut, c'est gagner un peu de temps. Et puis, s'il rattrape Asa, j'imagine qu'il rattrapera Corbeau par la même occasion. Rien ni personne ne ramènera Corbeau ici. Pas s'il s'est convaincu que les Asservies en veulent à Chérie. Si lutte il doit y avoir, je mise sur Corbeau. Et on se débarrasse de l'unique fouineur. Temporairement ou définitivement. Voyez ce que je veux dire ? Et si c'est Corbeau qui y passe, eh ben, il ne sera plus là pour parler.

— Comment comptes-tu convaincre Bœuf ? a demandé Elmo. Ça ne tient pas la route, Toubib. Il ne va pas se précipiter aux trousses d'un suspect de second ordre.

— Oh que si. Tu te souviens, après notre arrivée, que c'est lui qui servait d'interprète ? Comment crois-tu qu'il a appris la langue des Cités Précieuses ? Je lui ai posé la question. Il a passé trois ans là-bas, à la recherche d'un type du même acabit qu'Asa.

— Ce merdier devient de plus en plus dingue chaque jour, a soupiré Gobelin. Avec toutes ces ruses et ces intox, je n'arrive plus à démêler le faux du vrai. Le mieux, à mon avis, c'est de s'arranger pour ne pas en prendre trop dans la gueule d'ici l'arrivée du capitaine. »

J'avais souvent eu l'impression qu'on ne contribuait qu'à empirer la situation. Mais je ne voyais pas d'alternative ; il fallait s'en accommoder et espérer.

« La meilleure solution, a proposé Elmo laconiquement, ce serait de liquider tous ceux qui savent quelque chose et puis de trébucher tous malencontreusement sur la pointe de notre épée.

— Un peu radical peut-être, a commenté Gobelin. Mais si tu veux commencer, je te suis.

— Il va falloir que j'aille rendre mon rapport à Murmure, ai-je annoncé. Quelqu'un aurait-il une fable géniale que je puisse lui servir ? »

Personne n'en avait. Alors je m'y suis rendu, la trouille au ventre. J'étais sûr que mes affres se lisaient dans mon regard chaque fois que je me trouvais en face d'elle. J'en voulais à Elmo d'échapper à ces avoinées quotidiennes.

Pour berner Bœuf, ç'a été comme sur des roulettes. C'est tout juste s'il n'a pas commencé à préparer son paquetage avant que j'aie terminé mon baratin. Il voulait Asa coûte que coûte.

Je me suis demandé s'il savait des choses que nous aurions ignorées. Ou si le mystère du pillage des catacombes virait chez lui à l'obsession.

Pour Murmure, ç'a été plus coton.

« Je veux que vous le fassiez filer », m'a-t-elle annoncé. Il avait bien fallu que je lui raconte quelque chose, alors je lui avais avoué le plus gros de ce que nous savions. J'estimais quasi nulles les chances de rattraper Asa et Corbeau. Mais... Elle avait paru un peu trop intéressée, aussi. Peut-être qu'elle en savait plus qu'elle ne le prétendait. Après tout, elle n'était pas l'une des Asservis pour rien.

Elmo a désigné trois hommes, nommé Pilier chef du groupe et lui a donné consigne de suriner Bœuf au besoin.

Aux dernières nouvelles, le capitaine et la Compagnie se trouvaient dans les monts Wolander, à cent cinquante kilomètres environ de Génépi. Leur progression était freinée par une succession de cols escarpés, mais je commençais à compter les jours avant leur arrivée. Dès que le vieux serait là, Elmo et moi serions soulagés d'un sacré fardeau. Vite, priais-je intérieurement de temps à autre, et puis je m'enferrais de nouveau dans notre écheveau de mensonges.

25

Génépi : Les amants

Marron Shed est tombé amoureux. Amoureux de ce qui pouvait se présenter de pire : une femme bien plus jeune que lui, aux appétences bien au-delà de ses moyens. Il s'est investi dans cette liaison avec autant de réserve qu'un taureau en rut, méprisant les conséquences, puisant dans sa caisse d'argent liquide comme dans une corne d'abondance. Mais la caisse s'est vidée. Quinze jours après avoir rencontré Suzon, il est allé emprunter de l'argent à Gilbert, l'usurier. Un autre emprunt a succédé au premier, puis un autre encore. En l'espace d'un mois, il s'est retrouvé plus endetté qu'il ne l'avait été durant l'hiver.

Or il s'en moquait. Cette femme le rendait heureux, au diable le reste. Entre autres défauts, Shed savait souvent s'aveugler avec obstination et se bercer de l'illusion irraisonnée que l'argent ne serait plus jamais un problème pour lui.

Un beau matin, Sal, la veuve de Wally, est venue lui rendre visite au Lis, l'air sombre et vaguement honteux. « Marron, a-t-elle dit, on peut causer ?

— Qu'est-ce qui se passe ?

— Tu étais bien d'accord pour nous aider à payer le loyer et le reste ?

— Certainement. Quel est le problème ?

190

— Ben, je ne voudrais pas paraître ingrate ni avoir l'air d'exiger ton aide ou tes sous, mais le proprio menace de nous jeter à la rue sous prétexte que le loyer n'a pas été payé depuis deux semaines. On n'a pas de boulot, rapport que personne ne nous amène de couture à faire en ce moment.

— Le loyer n'est pas payé ? Mais je l'ai réglé pas plus tard que l'autre jour... » L'autre jour remontait à belle lurette. Il avait oublié. Idem pour sa mère. D'ici quelques jours, il allait aussi devoir verser le salaire de ses gardes-malades. Sans parler de celui de Lisa. « Merde ! a-t-il laissé échapper. Désolé. Ça m'est sorti de l'esprit. Je vais m'en occuper.

— Shed, t'as été bon envers nous. T'étais pas obligé. Ça me désole de te voir t'enliser dans ce pétrin.

— Quel pétrin ?

— Avec cette femme. Elle cherche à te rouler. »

Il était trop abasourdi pour prendre la mouche. « Suzon ? Pourquoi ? Comment ?

— Plaque-la. Il y aura moins de dégâts si tu romps. Tout le monde voit clair dans son manège.

— Quel manège ? » La voix de Shed devenait geignarde.

« Non, rien. J'en ai déjà dit plus que je n'aurais dû. Si on peut faire quelque chose pour toi, demande-le-nous.

— D'accord, d'accord », a-t-il promis. Il est monté à l'étage, a sorti sa cassette secrète de sa cache et l'a découverte vide.

Il n'y avait plus un gersh au Lis, ni en haut ni en bas. Qu'est-ce qui se passait au juste ?

« Lisa ! Où est passé l'argent ?

— Je l'ai caché.

— Quoi ?

— Je l'ai caché. À ce train, vous allez couler la baraque. Si vous avez besoin d'une somme pour un motif valable, dites-le-moi. Je vous la donnerai. »

Shed a roulé des yeux ronds. Puis a bafouillé :
« Mais bordel, tu te prends pour qui ?

— Pour celle qui va sauver votre gagne-pain malgré vous. Celle qui vous empêchera de tout saborder comme un imbécile pour une catin de Gilbert.

— De Gilbert ?

— Oui. Qu'est-ce que vous vous imaginez ?

— Fous le camp ! a aboyé Shed. Tu ne travailles plus ici ! »

Lisa a haussé les épaules. « Si c'est ce que vous voulez.

— Où est l'argent ?

— Désolée. Revenez me voir quand vous aurez de nouveau la tête sur les épaules. »

Shed a tempêté dans la salle commune. Les clients l'ont applaudi, encouragé. Il a menacé. Il a supplié. En vain. Lisa est restée inflexible. « C'est pour ma famille ! a-t-il protesté.

— Prouvez-moi que cette femme n'est pas une traînée de Gilbert. Alors je vous rendrai l'argent et je prendrai mes cliques et mes claques.

— Je ne vais pas me gêner !

— Et si c'est moi qui ai raison ?

— Tu te trompes. Je la connais.

— Vous ne connaissez que dalle. Elle vous a tourné la tête. Alors, qu'est-ce qu'on fait si j'ai raison ? »

Shed ne pouvait concevoir cette éventualité.

« Je m'en fous !

— Très bien. Si j'ai raison, je prends le Lis en main. Vous me laisserez carte blanche pour qu'on rembourse les dettes. »

Shed a opiné du chef, une unique fois, puis est sorti en coup de vent. De toute façon, il ne courait pas grand risque : elle avait tort.

À quoi jouait-elle ? Elle se prenait pour une associée ou quoi ? Elle se comportait comme sa mère jadis, avant sa cécité, juste après la mort de son père. Elle le traitait comme s'il n'avait pas la moitié de son expérience des affaires et du monde.

Il a traîné dans les rues une demi-heure. Quand il a émergé de ses ruminations, il s'est rendu compte qu'il se trouvait à deux pas de la voilerie. Eh bien voilà, il n'avait qu'à rendre une petite visite à Gilbert. Et lui emprunter un peu d'argent pour aller voir Suzon ce soir. Cette peste de Lisa planquait son capital peut-être, mais elle ne l'empêcherait pas de se rendre chez l'usurier.

Un demi-pâté de maisons plus loin, sa conscience s'est mise à le travailler. Trop de monde dépendait de lui. Ce n'était pas le moment d'aggraver sa déroute financière.

« Saleté de gamine, a-t-il grogné. Pourquoi a-t-il fallu qu'elle me déballe tout ça ? Voilà qu'elle me fait douter de tout le monde. » Il s'est adossé à un mur, paralysé par un conflit intérieur. Tantôt ses appétits charnels prenaient le dessus, tantôt ils cédaient devant la nécessité d'une conduite responsable. Suzon lui manquait cruellement... Mais l'aimait-elle vraiment ? Dans ce cas, pourquoi ce perpétuel besoin d'argent ?

« Quoi ? » s'est-il exclamé à voix haute. Il a regardé à nouveau. Ses yeux ne l'avaient pas trahi. C'était bel et bien Suzon qui franchissait le seuil de chez Gilbert.

Son estomac a dégringolé en chute libre. « Non. Ce n'est pas possible... Il doit y avoir une explication. »

Alors, à son cœur défendant, les petites bizarreries de leur relation se sont mises à défiler dans son esprit, surtout celles qui dévoilaient le penchant dépensier de la jeune femme. Une colère sourde a estompé sa douleur. Il a traversé la rue discrètement et s'est faufilé dans la ruelle qui passait derrière chez Gilbert. Une fenêtre du bureau de l'usurier donnait sur cette ruelle.

Shed espérait ne pas la trouver ouverte. Il aurait préféré ne pas pouvoir épier.

La fenêtre était fermée mais laissait passer les bruits. Et il aurait tout supporté d'entendre, sauf les échos d'une partie de jambes en l'air.

Il a pensé à se suicider sur place. À se suicider sur le pas de la porte de Suzon. Il a passé en revue une douzaine d'autres démonstrations de désespoir grandiloquentes. En sachant qu'aucune n'émouvrait aucun de ces scélérats.

Puis ils ont commencé à discuter. Leur conversation a bien vite balayé ses dernières vagues illusions. Le nom de Marron Shed a été prononcé.

« Il est mûr, disait la femme. Je lui ai soutiré autant que c'était possible. Il fera peut-être encore un dernier emprunt avant de se souvenir de sa famille.

— Arrange-toi pour qu'il le fasse, alors. Je le veux mouillé jusqu'au cou. Incline la rampe et savonne-la. Il s'en est tiré avec Krage. »

Shed frissonnait de colère.

« Tu l'as endetté de combien ?

— Dix-huit levas et presque dix de plus en intérêts.

— Je peux le pousser à emprunter encore cinq levas.

— Vas-y. J'ai un bon acheteur sous le coude. »

Shed est reparti. Il a erré plusieurs heures dans la Cothurne. Devant sa mine épouvantable, les passants changeaient de trottoir. Les vengeances les plus terribles sont celles que les couards manigancent au plus profond d'eux-mêmes.

En fin d'après-midi, Shed est entré nonchalamment dans le bureau de Gilbert, ayant banni ses émotions dans les tréfonds qu'il avait découverts en lui pendant la nuit de traque avec les sbires de Krage.

« J'ai besoin de quinze levas, Gilbert. D'urgence. »

L'usurier a eu l'air surpris. Son œil unique s'est écarquillé.

« Quinze ? Mais pour quoi faire, bon sang ?

— J'ai un joli coup à jouer, mais je dois conclure l'affaire ce soir. Je rembourserai à un taux un peu plus fort, si vous voulez.

— Shed, tu me dois une somme rondelette, maintenant. Je commence à m'inquiéter : seras-tu en mesure de me rembourser ?

— Si cette affaire marche, je rembourse tout. »

Gilbert l'a toisé fixement. « Qu'est-ce que tu mijotes, Shed ?

— Comment ça ?

— Tu m'as l'air terriblement sûr de toi. »

Shed a répondu par un douloureux mensonge. « Je vais me marier, Gilbert. Et je vais demander la main de la demoiselle ce soir. Je veux d'abord conclure mon affaire pour faire du Lis une demeure décente pour elle.

— Bien. » Gilbert respirait de soulagement. « Bien, bien, bien. Marron Shed se marie. Cocasse. C'est bon, Shed. Je prends des risques, mais je te laisse ta chance. Quinze, tu disais ?

— Merci, m'sieur Gilbert. Je vous en suis reconnaissant.

— Tu es sûr de pouvoir rembourser ?

— Je vous rapporte dix levas avant la fin de la semaine. Garanti. Et avec Suzon pour aider au Lis, je n'aurai pas de problème pour encaisser de quoi effacer le reste de la dette. »

Gilbert a réprimé un mince sourire. « Dans ce cas, tu n'objecteras pas à me nantir d'un peu plus que ta parole ?

— Pardon ?

— Je veux un droit de gage sur le Lis. »

Shed a fait mine de réfléchir dur. Enfin, il a répondu : « D'accord. Elle en vaut la peine. »

Sans se départir de son air ennuyé, Gilbert s'est fendu malgré lui d'un sourire d'hermine affamée. « Attends ici, je vais préparer le papier et chercher l'argent. »

Dans son dos, Shed a souri plus férocement encore.

26

Génépi : Rupture

Shed a garé son chariot dans la ruelle derrière l'établissement où logeait Suzon, puis l'a contourné en hâte, a frappé à la porte. C'était une maison chic pour la Cothurne. Un cerbère en gardait l'entrée à l'intérieur. Huit femmes résidaient là, chacune dans son propre appartement. Toutes exerçaient le même métier que Suzon. Chacune exigeait une gratification substantielle en échange de son temps.

« Bonsoir, monsieur Shed, l'a salué le portier. Montez, elle vous attend. »

Shed lui a laissé un pourboire pour la première fois. Le type est devenu obséquieux. Indifférent, Shed a gravi les escaliers.

Maintenant, il fallait jouer serré. Se donner l'air de l'amoureux au regard bovin alors qu'il n'était plus aveugle. Mais il la bernerait, tout comme elle l'avait berné.

Elle est apparue dans l'encadrement de la porte, radieuse de beauté. Shed a senti sa gorge se serrer. Il lui a glissé un objet dans la main. « Pour toi.

— Oh, Marron, tu n'aurais pas dû. » Ben voyons, sans cadeau on n'entrait pas. « Quel drôle de collier. Ce sont des serpents ?

— En argent véritable, a-t-il répondu. Et rubis de même. J'ai eu le coup de cœur. Pas gai, mais d'une facture superbe.

— Je le trouve magnifique, Marron. Combien t'a-t-il coûté ?

— Beaucoup trop, a reparti Shed avec un sourire sardonique. Je ne pourrais pas te dire précisément. Plus que je n'aurais dû payer pour quoi que ce soit. »

Suzon a préféré s'en tenir à cette réponse. « Viens, Marron. Approche. » Elle avait dû recevoir la consigne de le manier dans un gant de velours. D'habitude, c'était toute une comédie avant qu'elle ne s'abandonne. Elle a commencé à se dévêtir.

Shed s'est approché d'elle. Il l'a prise avec violence, chose qu'il n'avait jamais faite. Puis l'a prise à nouveau. Quand ç'a été fini, elle lui a demandé :

« Tu as mangé du lion ?

— J'ai une grosse surprise pour toi. Une grosse surprise. Je sais que tu vas adorer. Est-ce que tu pourras me rejoindre dehors discrètement, à l'insu de tout le monde ?

— Bien sûr. Mais pourquoi ?

— Surprise. Tu le feras ? Tu ne seras pas déçue, je te promets.

— Je ne comprends pas.

— Rien à comprendre. Rejoins-moi seulement en douce quelques minutes après mon départ. Je veux t'emmener quelque part et te montrer quelque chose. N'oublie surtout pas le collier.

— Qu'est-ce que tu me prépares ? » Elle paraissait amusée, pas inquiète pour deux sous.

Parfait, pensait Shed. Il a fini de se rhabiller. « Motus pour l'instant, chérie. Ce sera la plus grosse surprise de ta vie. Je n'ai pas l'intention de l'éventer. » Il s'est dirigé vers la porte.

« Tu me laisses cinq minutes ? a-t-elle demandé.

— Ne me fais pas poireauter. Ça me rend bougon. Et n'oublie pas le collier.

— Je ne l'oublierai pas, mon cher. »

Shed a attendu presque un quart d'heure. Son impatience grandissait, mais il était sûr que la cupidité pousserait Suzon à sortir. Elle mordrait à l'hameçon. Elle jouait avec lui.

« Marron ? » La voix était douce et flûtée. Son estomac s'est noué. Comment pourrait-il commettre une abomination pareille ?

« Ici, ma beauté. » Elle l'a rejoint. Il l'a serrée dans ses bras.

« Allons, allons. Assez de cela. Je veux ma surprise. Je meurs d'impatience. »

Shed a inspiré profondément. Vas-y ! s'est-il hurlé intérieurement. « Je vais t'aider à monter. » Elle s'est tournée. *Maintenant !* Mais il avait du plomb dans les bras.

« Viens, Marron. »

Il a décoché son coup. Suzon s'est plaquée contre le chariot en poussant un petit gémissement aigu. Il a frappé encore comme elle ployait en avant. Elle s'est affaissée. Il a saisi un bâillon dans le chariot et le lui a fourré de force dans la bouche avant qu'elle n'ait pu crier, puis lui a ligoté les poignets en un tournemain. Elle a commencé à se débattre quand il s'est occupé de ses chevilles. Il a répondu par un coup de pied et a failli céder à une vague de colère.

Elle a cessé de lutter. Il a fini de la ligoter puis l'a hissée sur le banc du chariot. Dans l'obscurité, on aurait pu les prendre pour un couple marié en goguette.

Il est resté coi jusqu'à ce qu'ils aient passé le port. « Tu dois te demander ce qui se passe, chérie. »

Suzon a émis un grognement. Elle était livide, épouvantée. Il lui a enlevé son amulette. Et l'a aussi délestée de ses bijoux et objets de valeur dans la foulée.

« Suzon, je t'aimais. D'un amour sincère. J'aurais fait n'importe quoi pour toi. Quand on assassine un amour comme celui-là, il se transforme en une haine terrible. »

Il y avait pour vingt-cinq levas de bijoux, à vue de nez. Combien d'hommes avait-elle brisés ? « Mais travailler pour Gilbert comme tu le fais... Essayer de me voler le Lis... N'importe quoi d'autre, j'aurais pu te le pardonner. N'importe quoi. »

Il a parlé ainsi pendant toute leur ascension de la colline. Ça l'a distraite le temps que le château noir se profile, puis gagne en ampleur jusqu'à devenir une évidence. Ses yeux se sont agrandis, exorbités. Elle s'est mise à trembler, à puer comme elle perdait tout contrôle d'elle-même.

« Eh oui, ma chérie, a dit Shed sur un ton dégagé, presque badin. Oui, le château noir. Tu voulais me livrer aux bons soins de *tes* amis. Tu as joué et perdu. Maintenant c'est moi qui vais te livrer aux *miens*. » Il a arrêté le chariot, est descendu, s'est approché du portail. Les battants se sont ouverts aussitôt.

La grande créature efflanquée l'a accueilli en malaxant ses mains arachnéennes. « Bien, a-t-elle dit. Très bien. Ton associé n'amenait jamais de marchandise en bonne santé. »

Shed a senti ses tripes se vriller. Il aurait voulu changer d'avis. Tout ce qu'il avait souhaité, c'était humilier Suzon, lui faire mal... Mais il était trop tard. Impossible de revenir en arrière. « Je suis désolé, Suzon. Tu n'aurais pas dû me faire ça. Toi et Gilbert. Car son tour viendra. Marron Shed n'est pas celui que l'on croit. »

Un gémissement suraigu a percé le bâillon de Suzon. Shed s'est détourné. Il fallait qu'il sorte. Il s'est planté face à la créature. L'escogriffe a déposé les pièces directement dans sa paume en les comptant.

Comme d'habitude, Shed n'a pas cherché à négocier. Pour tout dire, il ne prêtait aucune attention à l'argent qu'il se contentait d'empocher. Il n'avait d'yeux que pour les ténèbres en arrière-plan.

Elles recelaient d'autres êtres comme celui qu'il avait en face de lui, qui poussaient des sifflements en se donnant des coups de coude.

L'escogriffe a cessé de compter. Machinalement, Shed a enfourné les dernières pièces dans sa poche avant de retourner à son chariot.

Les créatures dans l'ombre se sont avancées silencieusement, ont empoigné Suzon et ont entrepris de lui arracher ses vêtements. L'une d'elles lui a retiré le bâillon. Shed mettait son attelage en branle.

« Pour l'amour de Dieu, Marron ! Ne m'abandonne pas !

— Les dés sont jetés, femme. Les dés sont jetés. » Il a fait claquer les rênes. « En arrière, les mules ! »

Elle s'est mise à hurler tandis qu'il s'approchait du portail. Il n'a pas regardé. Il ne voulait pas savoir. « Allez, hue !

— Reviens au plus vite, Marron Shed ! » a lancé l'escogriffe dans son dos.

27

Génépi : À l'écart

La convocation de Murmure m'a pris au dépourvu. Il était bien trop tôt pour mon rapport quotidien. J'avais tout juste terminé mon petit-déjeuner. J'ai senti venir les pépins.

Je n'ai pas été déçu.

L'Asservie tournait en rond comme un fauve en cage, irradiant la nervosité et la colère. Je suis entré mécaniquement, me suis figé au garde-à-vous, histoire qu'elle ne vienne pas me chercher de poux dans la tête – quel que soit le problème, je n'en étais pas responsable.

Elle m'a ignoré quelques minutes, le temps de dépenser son trop-plein d'énergie. Puis elle s'est reprise en main et s'est absorbée dans une contemplation songeuse de ses mains.

Son regard s'est relevé. Et elle avait recouvré un contrôle d'elle-même absolu. Elle souriait, même. Si elle avait été aussi belle que la Dame, ce sourire aurait fait fondre le granit. Mais elle était ce qu'elle était, une vieille baroudeuse esquintée à qui le sourire ne donnait qu'un air un peu moins sinistre.

« Comment étaient disposés les hommes cette nuit ? » a-t-elle demandé.

Interloqué, j'ai répondu : « Pardon ? Vous voulez parler de leur humeur ?

— Où étaient-ils postés ?

— Ah. » C'était le rayon d'Elmo, mais je savais qu'il valait mieux m'abstenir d'en faire la remarque. Les Asservis ne toléraient aucune excuse, ni rien qui puisse y ressembler. « Trois gars embarqués pour le sud avec Bœuf, aux trousses du dénommé Asa. » Son intérêt pour cette mission-là m'inquiétait. Quand les motivations des Asservis m'échappent, je deviens paranoïaque. « Cinq dans la Cothurne qui se font passer pour des matelots étrangers. Trois autres dans le même quartier, en surveillance d'individus particulièrement suspects. Il faudrait que je revérifie auprès d'Elmo pour être sûr, mais on peut compter au moins quatre autres soldats dispersés en ville pour glaner des informations. Le reste de la troupe, on était ici, au château, au repos. Attendez. Il est possible qu'un gars soit allé dans les locaux de la police secrète du duc et que deux autres soient descendus traîner aux alentours de la Clôture avec des Veilleurs. J'ai passé le gros de la nuit en compagnie des inquisiteurs, à essayer de faire appel à leurs lumières. On est un peu trop dispersés, ces temps-ci. Il me tarde que le capitaine arrive. Vu notre nombre et ce qu'il faut mener de front, on est franchement débordés. On accuse un certain retard par rapport aux plans d'action. »

Elle a soupiré, s'est levée et a recommencé à faire les cent pas. « J'ai ma part de responsabilité là-dedans, je suppose. » Elle a regardé par la fenêtre un long moment. Puis elle m'a fait signe. Je suis allé la rejoindre.

Elle m'a désigné le château noir. « Il ne s'en faut plus que d'un cheveu. Ils essaient déjà d'ouvrir la voie au Dominateur. Il n'est pas encore temps, mais on les sent pressés. Peut-être qu'ils se sont rendu compte de notre intérêt. »

Cette affaire de Génépi commençait à ressembler à un de ces monstres tentaculaires géants issus d'une fable de marin. Sous quelque angle qu'on l'aborde et quoi que nous fassions, notre situation se corsait. En travaillant contre les intérêts des Asservies, en essayant de camoufler une piste de plus en plus évidente, nous entravions leur lutte contre le péril du château noir. Si nous masquions efficacement la piste, nous risquions fort de faciliter l'émergence impromptue du Dominateur dans notre monde.

Je ne voulais pas avoir une telle horreur sur la conscience.

Bien que je n'aie guère tendance à présenter les événements sous ce jour, je le crains, force était de constater que nous étions impliqués dans un sérieux dilemme moral. Nous ne sommes pas habitués à nous poser ce genre de problème. Le lot du mercenaire ne comporte ni déontologie ni choix moral. Fondamentalement, le mercenaire s'abstient de tout questionnement éthique, ou, au mieux, redéfinit les critères traditionnels pour les accorder aux exigences de son mode de vie. Ses grands problèmes deviennent la manière dont il s'acquitte de son travail, son efficacité en mission, son degré d'adhésion à l'inébranlable fiabilité requise par ses camarades. Il déshumanise le monde extérieur à son équipe. Alors tout ce qu'il accomplit, ou ce à quoi il assiste, devient plus ou moins insignifiant tant que la Compagnie n'en fait pas les frais.

Nous nous étions laissé entraîner dans un piège qui allait peut-être nous contraindre à prendre la plus lourde décision de notre histoire. Nous allions peut-être devoir trahir une règle de la Compagnie, une tradition vieille de quatre siècles, au profit du grand tout.

Je savais que je ne saurais me résoudre à permettre la restauration du Dominateur, à supposer que ce soit le seul moyen d'empêcher la Dame de découvrir le pot aux roses concernant Corbeau et Chérie.

Pourtant... la Dame ne valait guère mieux que lui. Nous la servions, et, jusque récemment, bien et loyalement, laminant les rebelles où que nous les trouvions, mais je crois qu'aucun de nous ne se berçait d'illusions sur son compte. Elle était moins mauvaise que le Dominateur pour l'unique raison qu'elle montrait moins de détermination, plus de patience dans sa façon de manœuvrer pour s'emparer d'un pouvoir total et absolu.

Ça me posait un nouveau dilemme. Étais-je capable de sacrifier Chérie pour empêcher le retour du Dominateur ? Si tel devait en être le prix ?

« Vous m'avez l'air bien songeur, a déclaré Murmure.

— Hum. Il y a trop de points de vue sur cette affaire. Celui des Veilleurs. Du duc. Le nôtre. Celui de Bœuf, qui a ses propres motivations pour agir. » Je lui avais confié qu'il était originaire de la Cothurne, car je l'abreuvais volontiers d'informations hors de propos pour l'embrouiller et tenter de la détourner de l'essentiel.

Elle a désigné le château de nouveau. « Vous n'aviez pas décidé de le placer sous stricte surveillance ?

— Si, m'dame. Et c'est ce qu'on a fait pendant un moment. Mais il ne s'y passait rien, et puis on nous a assigné d'autres tâches... » Je me suis interrompu ; un doute sinistre et brutal m'a fait frémir.

Elle l'a lu sur mon visage. « Eh oui. Hier soir. Et la personne qu'on y a livrée vivait encore, cette fois.

— Oh, putain ! ai-je murmuré. Qui a fait le coup ? Vous le savez ?

— Tout ce qu'on a remarqué, ce sont les changements qui ont résulté de la transaction. Ils ont essayé d'ouvrir la voie. Ils manquaient de puissance, mais n'ont échoué que de peu. »

Elle s'est remise à déambuler. Mentalement, j'ai passé en revue le tableau de service pour me rappeler qui était affecté à la Cothurne hier soir. J'allais avoir des questions précises à poser.

« J'ai consulté la Dame directement. Elle est très inquiète. Ses ordres sont de suspendre toute occupation superflue. Il nous faut empêcher tout nouveau corps de parvenir au château. Oui, le reste de votre Compagnie sera bientôt là. D'ici six à dix jours. Et il y a beaucoup à faire pour préparer son arrivée. Mais comme vous l'avez fait remarquer, vous êtes trop peu nombreux pour suffire à la tâche. Ce sera à votre capitaine de se débrouiller sur le tas. Le château noir doit être encerclé.

— Pourquoi ne pas amener des troupes en tapis volant ?

— Veto de la Dame. »

J'ai essayé de paraître perplexe. « Mais pourquoi ? » Sueur froide : je soupçonnais de connaître la réponse.

Murmure a haussé les épaules. « Parce qu'elle ne veut pas vous voir gaspiller votre temps en retrouvailles et en instructions aux arrivants. Allez voir ce que vous pouvez faire pour cerner le château.

— Bien, m'dame. »

Je suis reparti, estimant que l'entrevue s'était déroulée à la fois mieux et plus mal que je ne l'avais escompté. Mieux parce qu'elle m'avait épargné une de ses colères tonitruantes. Plus mal parce qu'elle venait de m'annoncer que nous – à savoir ceux qui étions sur place – étions d'ores et déjà suspects, comme contaminés par une infection morale dont elle voulait protéger nos frères d'armes.

De quoi frémir.

« Ouais », a confirmé Elmo quand je lui en ai eu touché deux mots. Il n'avait pas besoin d'un dessin. « Ça veut dire qu'il faut entrer en contact avec le vieux.

— Par messager ?

— Tu vois une autre solution ? Qui de nous peut-on envoyer sans que ça se remarque ?

— Un des gars de la Cothurne. »

Elmo a opiné. « Je m'en charge. Toi, tu t'occuperas de voir comment cerner le château avec l'équipe dont on dispose.

— Pourquoi tu ne tentes pas une reconnaissance autour de ce château ? J'aimerais savoir ce qu'il s'y est trafiqué la nuit dernière.

— Ça ne changera plus rien à l'affaire maintenant, Toubib. Je reprends les choses en main. Non que t'aies salopé le boulot, tu ne l'as tout bonnement pas fait. Mais c'est de ma faute, en définitive. C'est moi le soldat.

— Soldat ou pas, peu importe, Elmo. Ce n'est pas du boulot de soldat. C'est de l'espionnage. Or les espions, il leur faut du temps pour s'immiscer dans les rouages d'une société. On n'en a pas eu assez.

— Et il ne nous en reste plus du tout. Ce n'est pas ce que tu annonçais ?

— J'en ai bien l'impression, ai-je admis. D'accord. Je vais aller inspecter le château. Mais toi, essaie de découvrir ce qui s'est passé dans la Cothurne la nuit dernière. Notamment dans les parages de cette taverne, le Lis de fer. Ce nom n'arrête pas de resurgir, tout comme celui d'Asa. »

Au fil de la discussion, Elmo s'était métamorphosé. Maintenant, il avait l'air d'un marin en débine, trop vieux pour naviguer mais encore assez coriace pour de sales besognes. Il serait comme un poisson dans l'eau, dans la Cothurne. C'est ce que je lui ai dit.

« Ouais. Allez, c'est parti. Et n'espère pas dormir beaucoup d'ici l'arrivée du capitaine. »

Nous nous sommes dévisagés, chacun gardant pour soi le fond de sa pensée. Si vraiment les Asservies voulaient nous empêcher d'entrer en contact avec nos frères d'armes, qu'allaient-elles faire quand la Compagnie déboulerait des monts Wolander et arriverait en vue de Génépi ?

De plus près, le château noir m'intriguait et m'inquiétait tout à la fois. J'en ai fait plusieurs fois le tour à cheval, allant jusqu'à me fendre d'un salut enjoué en réponse à un mouvement que j'ai détecté au sommet de ses remparts vitreux.

Derrière la forteresse, la pente était accidentée, abrupte, rocailleuse, recouverte de broussailles épaisses et épineuses qui dégageaient une odeur de sauge. Monter par là paraissait exclu, surtout en trimballant des corps. Le terrain était plus praticable sur la crête ouest ou est, mais même par là, le château demeurait difficile d'accès. Quand on avait un tempérament à vendre des cadavres, on devait aller au plus facile. Ce qui impliquait d'emprunter la route qui, partant du quartier portuaire, sinuait entre les maisons cossues de négociants éparpillées jusqu'à mi-flanc de coteau, et continuait à grimper jusqu'aux abords du château. Quelqu'un était passé par là souvent, car des ornières creusaient des sillons entre le bout de la piste et le portail de la forteresse.

La question était de trouver où poster une escouade sans qu'elle soit repérable depuis le chemin de ronde du château. Il m'a fallu jusqu'au crépuscule pour résoudre le problème.

J'ai déniché une bâtisse abandonnée à quelque distance dans la pente, un peu au-dessus du fleuve. J'y logerais le gros de l'équipe et j'égrènerais des sentinelles le long de la route, dans la zone habitée. Elles nous préviendraient si elles remarquaient quoi que ce soit de suspect. Nous pourrions alors nous déployer en hâte dans la pente pour intercepter les éventuels marchands de cadavres. La relative lenteur d'un chariot nous permettrait de le prendre de vitesse.

Toubib est un fin stratège. CQFD. Vers minuit, tout était réglé et chaque homme en place. Nous avons eu deux fausses alertes avant le petit-déjeuner. J'ai appris d'embarrassante façon qu'il existait aussi un trafic nocturne légitime devant mon poste de garde.

Nous nous sommes calfeutrés dans la vieille bicoque avec l'équipe, à jouer au tonk en nous faisant du mouron, à nous accorder de temps en temps de brèves siestes. Et à nous demander ce qui pouvait bien se passer dans la Cothurne et à Duretile, de l'autre côté de la vallée.

Je priais pour qu'Elmo garde un doigt sur chaque corde.

28

Génépi : Lisa

Shed a passé toute sa journée étendu sur son lit, le regard rivé au plafond. Il avait sombré dans l'abîme le plus profond qu'un homme puisse atteindre. Aucun forfait n'était plus trop sale pour lui, aucun crime ne pouvait plus noircir encore son âme. Même un tribut d'un million de levas ne suffirait pas à payer son transport vers l'au-delà, le jour du passage. Son nom méritait d'être inscrit dans le Registre noir, avec ceux des plus grands scélérats.

« M'sieur Shed ? lui a lancé Lisa par l'entrebâillement de la porte, le lendemain matin, alors qu'il repartait pour une journée à contempler le plafond et à s'apitoyer sur lui-même. M'sieur Shed ?

— Ouais ?

— Bo et Lana sont ici. »

Bo et Lana, ainsi que leur fille, veillaient sur sa mère.

« Qu'est-ce qu'ils veulent ?

— Leur paye du mois, je suppose.

— Ah. » Il s'est levé.

Lisa l'a retenu en haut de l'escalier. « J'avais raison pour Suzon, pas vrai ?

— Oui.

— Je suis désolée. Je n'aurais jamais rien dit si on avait pu se le permettre, financièrement.

« — On ? Comment ça, "onî ? Et baste. Qu'importe. Oublie tout ça. Je ne veux plus en entendre parler.

— Comme vous voudrez. Mais je vous ferai respecter votre promesse.

— Quelle promesse ?

— De me laisser gérer le Lis.

— Ah. D'accord. » En cet instant, il s'en fichait. Il s'est contenté de prendre connaissance des comptes que ses employés lui produisaient une fois par mois. Il les avait triés sur le volet. Ils ne le grugeaient pas. Shed leur a laissé entendre que ça méritait une petite prime.

Il est remonté à l'étage chercher de l'argent. Lisa l'a regardé s'éloigner, perplexe. Il s'est rendu compte de son erreur trop tard. Maintenant, elle ne manquerait pas de se demander comment il pouvait posséder de l'argent aujourd'hui quand il était sans le sou la veille. Il est allé à ses vêtements sales, a vidé ses poches sur son lit. La surprise lui a coupé le souffle.

« Oh merde, merde, a-t-il bafouillé. Qu'est-ce que je vais foutre de ces trois pièces d'or ? »

Il y en avait d'autres en argent aussi, et même une poignée de bigaille en cuivre, mais... c'était de l'escroquerie ! Une fortune qu'il ne pouvait pas dépenser. La législation de Génépi interdisait aux roturiers toute détention de pièces d'or. Même les étrangers arrivant dans la ville devaient changer les leurs contre l'équivalent en argent. Les pièces d'argent, en revanche, même frappées hors de la région, étaient acceptées comme les locales. Heureusement, d'ailleurs, car celles émanant du château noir étaient curieusement estampées, bien que conformes au poids standard.

Comment se débarrasser de cet or ? En le vendant à un capitaine en partance pour le sud ? C'était ainsi qu'on procédait habituellement. Il a glissé le trésor dans sa cachette la plus secrète, à côté de l'amulette du château noir. Une fortune inutile. Il a évalué le reste de la somme. Vingt-huit pièces d'argent et plusieurs levas supplémentaires en petite monnaie. C'était assez pour couvrir les frais engendrés par sa mère et Sal. Mais non suffisant, loin s'en fallait, pour contraindre Gilbert à cesser de fourrer son nez dans ses affaires. « Je suis encore dans l'impasse financière », a-t-il gémi.

Les bijoux de Suzon lui sont revenus en mémoire. Il a grimacé un sourire mauvais et murmuré : « Tiens, je vais me gêner. » Il a empoché le tout, est redescendu au rez-de-chaussée, a payé les gardes-malades de sa mère et annoncé à Lisa : « Je sors un moment. »

D'abord, il est allé s'assurer que la famille de Wally ne manquait de rien, puis il s'est dirigé au trot vers chez Gilbert. Apparemment, la maison était déserte. Gilbert, à la différence de Krage, n'éprouvait pas le besoin de s'entourer en permanence d'une escorte, même s'il employait lui aussi des hommes de main. Pour l'heure, ils étaient tous sortis. Mais le bureau de Gilbert n'était pas vide : une lumière filtrait entre les rideaux. Il a esquissé un sourire songeur et rebroussé chemin jusqu'au Lis.

Il s'est faufilé jusqu'à une table rencognée dans l'ombre, près de celle où Corbeau avait l'habitude de prendre place. Deux marins étrangers y étaient assis. De rudes gaillards, autant qu'il pouvait en juger. Il y avait un moment qu'ils traînaient dans les parages. Ils prétendaient qu'eux et leurs amis, qui allaient et venaient, avaient raté leur bateau. Ils en attendaient un autre. Shed ne se souvenait pas les avoir entendus mentionner leur port d'origine.

« Hé, les gars, vous auriez envie de vous remplir les poches facilement ? a-t-il demandé.

— Comme tout le monde », a répondu l'un d'eux.

L'autre a ajouté : « Qu'est-ce que tu as derrière la tête ?

— J'ai un petit problème. Une affaire à traiter avec un type. Il y a des chances qu'il fasse des histoires.

— Tu voudrais un coup d'main, pas vrai ? »

Shed a opiné du chef.

L'autre marin lui a lancé un regard perçant. « C'est qui ?

— Il s'appelle Gilbert. Un usurier. Vous avez entendu parler de lui ?

— Ouais.

— Je viens de passer devant chez lui. J'ai bien l'impression qu'il s'y trouve seul. »

Les deux hommes ont échangé un regard. « Écoute, laisse-moi aller chercher un de nos amis, a dit le plus grand des deux.

— J'ai pas les moyens d'embaucher toute une armée.

— Hé, pas de problème. Mon pote et toi n'aurez qu'à convenir du prix que tu veux mettre pour nous deux. L'autre nous accompagnera gratis. Disons que je me sentirai mieux avec lui à mes côtés.

— Un coriace ? »

Les deux hommes se sont fendus d'un rictus. L'un des deux a cligné de l'œil à l'autre. « Ouais. Comme tu ne le croirais pas.

— Alors va le chercher. »

L'un des deux marins est sorti. Shed a marchandé avec le second. Lisa observait la scène depuis l'autre extrémité de la salle, le regard dur, les yeux plissés. Shed s'est dit qu'elle s'intéressait d'un peu trop près à ses affaires, et trop vite.

Le troisième type avait une face de grenouille et il mesurait à peine un mètre cinquante. Shed l'a examiné en fronçant les sourcils. Le marin qui était allé le chercher lui a glissé : « Un coriace, n'oublie pas.

— Ah ouais ? Bon. Allons-y, alors. » Il se sentait cent pour cent mieux accompagné de ces trois gaillards, en dépit de ses doutes quant à leur aide effective si Gilbert se rebiffait.

Deux gorilles gardaient l'entrée de chez l'usurier quand ils y sont arrivés. « Je veux voir Gilbert, leur a annoncé Shed.

— Et suppose que lui ne veuille pas te voir ? » La réplique classique du fier-à-bras. Shed n'a pas trouvé quoi répondre.

Un de ses compagnons l'a tiré d'embarras. « Disons qu'on ne lui laisse pas vraiment le choix. À moins que ce gros lard cache un tas de muscles sous sa graisse. » Un couteau est apparu dans son poing, il s'est mis à se curer les ongles avec. La façon de faire rappelait tellement celle de Corbeau que Shed en est resté abasourdi.

« Il est derrière, dans son bureau. » Le gorille bedonnant a échangé un regard avec son comparse. Shed a supposé que l'un des deux allait se précipiter pour chercher du renfort.

Il s'est avancé. « Moi je reste là », a annoncé le marin à la face de grenouille.

Shed est entré en force dans le bureau de Gilbert. L'usurier, une bourse de levas posée sur son bureau, s'affairait à peser les pièces une à une sur une balance de précision pour détecter celles qui avaient été rognées.

Il a levé un regard hargneux. « Qu'est-ce que c'est que ce bordel ?

— Deux de mes amis, qui avaient envie de venir voir avec moi comment vous gérez vos affaires.

— Je n'aime pas ce que cela sous-entend sur notre relation, Shed. Ça veut dire que tu ne me fais pas confiance. »

Shed a haussé les épaules. « Les rumeurs vont bon train. Des rumeurs qui voudraient que Suzon et vous soyez de mèche. Que vous complotiez pour m'expulser du Lis.

— Suzon, hein ? Et où est-elle, Suzon ?

— Donc vous la connaissez, pas vrai ? » Shed changeait de contenance. « Saloperie. Voilà pourquoi elle m'a plaqué. Espèce de crapule. Maintenant elle refuse même de me voir. Le gorille à l'entrée me répète chaque fois qu'elle n'est pas là. C'est vous qui tirez les ficelles, monsieur Gilbert ? Vous savez, je ne vous aime pas beaucoup. »

Gilbert a jeté de son œil unique un regard circulaire. L'espace d'un instant, on aurait dit qu'il soupesait ses chances. Puis le petit homme est entré au trot, sa large bouche fendue d'un sourire mauvais.

« Tu es venu pour me tenir des discours ou pour affaires ? a demandé Gilbert. S'il s'agit d'affaires, viens-en au fait. Et que ces gugus me débarrassent le plancher. Ils vont donner mauvaise réputation au quartier. »

Shed a sorti un petit sac de cuir. « La mauvaise réputation, c'est vous qui l'avez, Gilbert. J'entends dire ici et là qu'on ne veut plus traiter avec vous. On pense que vous ne devriez pas escroquer les gens pour les exproprier.

— Tais-toi et donne-moi l'argent, Shed. Si t'es juste venu pour te plaindre, va-t'en.

— Il a la langue bien pendue pour un gars seul contre quatre », a fait remarquer l'un des marins. Un de ses compagnons l'a rabroué dans une autre langue. Gilbert les observait à la façon de qui s'efforce de mémoriser les visages. Le plus petit des trois lui a adressé une sommation du doigt en esquissant un rictus narquois. Gilbert s'est dit que, finalement, ça pouvait attendre.

Shed comptait ses pièces. Gilbert écarquillait les yeux comme la pile s'élevait. « Je vous avais dit que j'étais sur un coup », a déclaré l'aubergiste. Il a ajouté les bijoux de Suzon sur la table.

Un de ses compagnons a saisi un bracelet et l'a examiné. « Combien tu donnerais pour cette bricole ? »

Gilbert a lancé un chiffre aussitôt, que Shed a estimé surévalué.

Le marin a fait remarquer : « Tu te saignes aux quatre veines, Shed.

— Tout ce que je veux, c'est résilier ce foutu droit de gage sur ma taverne. »

Gilbert lorgnait les bijoux, pâle, crispé. Il s'est passé la langue sur les lèvres et a pris une bague. Sa main tremblait.

Shed éprouvait un mélange de peur et de jubilation mauvaise. Gilbert reconnaissait la bague. Maintenant, peut-être que ça le rendrait nerveux d'essayer de rouler Marron Shed. À moins qu'il ne décide de trancher quelques gorges. Gilbert avait un peu les mêmes problèmes d'ego que Krage naguère.

« Tout cela devrait amplement suffire à rembourser le tout, monsieur Gilbert. Intégralement. Même en tenant compte de la majoration du taux d'intérêt. Rendez-moi donc ce droit de gage. »

À gestes mornes, Gilbert a retiré le document d'une boîte posée sur une étagère à portée de main. Son œil demeurait rivé sur la bague.

Shed a détruit le papier sur-le-champ. « Ne resterait-il pas un petit quelque chose que je vous doive, monsieur Gilbert ? Si, il me semble que si. Je ferai de mon mieux pour que vous obteniez tout ce qui vous est dû. »

Gilbert l'a dévisagé avec colère. Shed a aussi décelé une lueur craintive dans son regard. Ça l'a rempli d'aise. Personne n'avait jamais eu peur de Marron Shed, sauf peut-être Asa, qui comptait pour du beurre.

Il était temps de filer avant de pousser sa chance trop loin. « Merci, monsieur Gilbert. À bientôt. »

En traversant l'antichambre, il a eu la surprise de découvrir les deux gardes du corps de l'usurier en train de ronfler. Un sourire s'est étiré sur les lèvres du marin au faciès de grenouille. Une fois dehors, Shed a payé ses hommes. « Il a posé moins de problèmes que je ne le craignais.

— On était avec toi, a dit le plus petit. Retournons à ta taverne siffler une bière.

— On l'aurait dit en état de choc, a fait remarquer l'un des deux autres.

— Comment avais-tu pu te faire pigeonner à ce point par un usurier, dis-moi ?

— Une histoire de jupon. Je pensais me marier. Elle n'en voulait qu'à mon pognon. J'ai fini par réagir. »

Ses compagnons ont secoué la tête. L'un d'eux a dit : « Les femmes. Toujours faire gaffe, mon pote. Sans quoi elles te plument jusqu'au trognon.

— J'ai retenu la leçon. Allez. Je vous paye la tournée. Du pinard que je commandais pour un certain client. Depuis qu'il a quitté la ville, il me reste sur les bras.

— Il est si mauvais que ça ?

— Non, excellent au contraire. Personne ne peut se l'offrir. »

Shed a passé le reste de la soirée à siroter du vin, même après le départ des marins, sortis pour une autre affaire. Un mauvais sourire lui venait à chaque fois qu'il se remémorait la réaction de Gilbert devant la bague. « La prudence s'impose maintenant, a-t-il grommelé. Il est aussi dingue que Krage. »

Peu à peu, l'euphorie s'est dissipée. La peur a pris le dessus. Il allait devoir affronter Gilbert seul, or dans le fond il restait le même vieux Shed sous la patine laissée par Corbeau et les quelques expériences qu'il avait vécues depuis.

« Faudrait que je remonte ce salopard en haut de la colline », marmonnait-il dans sa chope. Et puis : « Bon Dieu ! J'suis aussi pourri que Corbeau. Pire. Corbeau n'a jamais vendu personne vivant. D'ailleurs qu'est-ce qu'il peut bien devenir maintenant, avec son bateau de luxe et son tendron de premier choix ? »

Il est devenu très, très saoul et très, très porté sur l'auto-apitoiement.

Le dernier hôte a gagné sa paillasse et le dernier client est rentré chez lui. Shed restait affalé sur sa chaise à cuver son vin et à darder sur Lisa un regard noir, lourd d'une rancœur dont il n'aurait su définir la cause. Son corps, a-t-il pensé. Appétissant. Mais elle refusait. Trop belle pour lui. Et aussi sa récente pugnacité. Ouais !

Elle l'observait tout en faisant le ménage. Efficace, la petite peste. Plus encore que Chérie, qui travaillait dur elle aussi, mais sans l'économie de gestes de Lisa. Peut-être qu'elle méritait effectivement de gérer la taverne. Pour ce qu'il en avait fait, lui...

Il l'a trouvée assise face à lui. Il a dardé sur elle un regard noir. Elle a tenu bon. Elle ne manquait pas de caractère, la petite. Elle ne bluffait pas. Peur de rien. Une môme de la Cothurne, coriace. Elle poserait problème un de ces jours.

« Qu'est-ce qu'il y a, m'sieur Shed ?

— Rien.

— J'ai entendu que vous aviez remboursé Gilbert. Pour récupérer une hypothèque sur cette taverne. Comment avez-vous pu hypothéquer le Lis ? Une maison de famille depuis des générations !

— Épargne-moi ce couplet sentimental. Toi-même, tu n'y crois pas.

— Où avez-vous trouvé l'argent ?

— Peut-être que tu devrais cesser de fourrer ton nez dans mes affaires. Peut-être que ça pourrait s'avérer mauvais pour ta santé. » En dépit de son ton sec et assuré, il ne pensait pas un mot de ce qu'il disait.

« Vous vous conduisez étrangement depuis quelque temps.

— J'étais amoureux.

— Il y avait autre chose. Mais qu'est-ce qu'il en est, au fait ? On raconte que Suzon a disparu. Gilbert prétend que vous l'avez liquidée.

— Quoi ? Je suis allé chez elle aujourd'hui même.

— Vous l'avez vue ?

— Non. Le gorille à l'entrée m'a dit qu'elle était absente. Ce qui veut dire qu'elle ne voulait pas me voir. Sans doute qu'il y avait quelqu'un d'autre à lui tenir compagnie.

— Peut-être que ça voulait dire qu'elle n'était vraiment pas chez elle. »

Shed est parti à maugréer. « Je t'ai déjà dit que je ne veux plus en entendre parler. C'est clair ?

— Tout à fait. Dites-moi où vous avez trouvé l'argent. »

Shed lui a jeté un regard furieux. « Pourquoi ?

— Parce que s'il en reste, je veux ma part du gâteau. Pas question que je moisisse toute ma vie dans la Cothurne. Je suis prête à tout pour en sortir. »

Shed s'est fendu d'un petit sourire narquois.

Elle l'a mal interprété. « Ce boulot, c'est du provisoire ; pour subsister, je trouverai autre chose.

— Des milliers de gens se sont dit ça avant toi, Lisa. On les a retrouvés morts de froid dans les ruelles de la Cothurne.

— Certains s'en sortent. Je serai de ceux-là. Où avez-vous trouvé cet argent, m'sieur Shed ? » Elle est allée chercher une bouteille de vin, du bon. Shed a estimé que sa réserve devait maintenant être à peu près épuisée.

Il lui a parlé de son silencieux associé.

« Foutaises ! Je suis ici depuis assez longtemps pour le savoir.

— T'aurais pourtant intérêt à me croire, ma fille. » Il s'est mis à glousser. « Si tu continues à vouloir jouer des coudes, t'as des chances de te retrouver devant lui un de ces jours. Et il ne te plaira pas, je te le garantis. » L'image de la haute silhouette le pressant de revenir lui a traversé l'esprit.

« Qu'est-ce qui est arrivé à Suzon ? »

Shed a tenté de se lever. Trahi par ses membres cotonneux, il est retombé sur sa chaise. « Je suis saoul. Plus que je ne croyais. J'ai plus les yeux en face des trous. » Lisa a opiné du chef gravement. « Je l'aimais. Je l'aimais vraiment. Elle n'aurait pas dû me faire ça. Je l'aurais traitée comme une reine. Je serais allé jusqu'en enfer pour elle. D'ailleurs, j'ai bien failli. » Il a eu un petit hoquet de rire. « J'y suis allé avec elle... Oups.

— Vous feriez ça pour moi, m'sieur Shed ?

— Quoi ?

— Vous êtes tout le temps à me faire des avances. Qu'est-ce que ça me rapporterait ? »

Shed l'a couvée d'un regard concupiscent. « Sais pas. J'peux pas dire avant de t'avoir essayée.

— Vous n'avez pas un sou à me donner, hein, vieux bonhomme ?

— Je sais où en trouver, en revanche.

— Où ? »

Shed restait assis là, son rictus aux lèvres, un filet de salive s'écoulant d'un coin de sa bouche.

« J'abandonne. Vous avez gagné. Allons, venez. Je vais vous aider à monter à l'étage avant de rentrer chez moi. »

L'ascension de l'escalier a été épique. Il s'en est fallu d'un verre que Shed ne s'écroule ivre mort. Une fois dans sa chambre, il s'est affalé sur son lit. « Merci, a-t-il balbutié. Qu'est-ce que tu fais ?

— Il faut bien que je vous déshabille.

— Mouais, je suppose. » Il a fait un petit effort pour l'aider. « Qu'est-ce que tu fabriques maintenant ? Pourquoi tu m'agrippes comme ça ?

— Vous me vouliez, non ? » Un moment plus tard, elle était dans son lit, frottant sa peau nue contre la sienne. Il était trop saoul pour profiter de la situation. Il l'a serrée dans ses bras et s'est laissé aller à larmoyer, à lui déballer ses soucis. Elle a joué ce jeu-là.

29

Génépi : Règlement de dette

Shed s'est assis, et le brusque changement de position lui a fait tourner la tête. Quelqu'un s'est mis à marteler un tambour à l'intérieur de son crâne. Il a roulé au bord de son lit et a eu un bruyant haut-le-cœur. Et puis c'est autre chose qui l'a rendu encore plus malade : une bouffée de terreur.

« Je lui ai raconté. Vérole ! je lui ai tout raconté. » Il a essayé de se dresser d'un bond. Il fallait qu'il ait quitté Génépi avant l'arrivée des inquisiteurs. Il possédait de l'or. Un capitaine étranger l'emmènerait peut-être vers le sud. Il y rejoindrait Corbeau et Asa... Il est resté planté sur sa couche, trop nauséeux pour agir. « Je meurs, a-t-il balbutié. Si l'enfer existe, c'est à ça qu'il va ressembler. »

Lui avait-il vraiment tout dévoilé ? Il y avait fort à craindre. Et pour rien. Cette nuit, pour lui, bernique. « Marron Shed, t'es un perdant-né. Quand grandiras-tu un peu ? »

Il s'est relevé de nouveau, doucement, et s'est mis à fourrager dans ses affaires. L'or était là. Peut-être qu'il ne lui avait pas tout dit. Il a considéré l'amulette. Pourquoi ne pas faire prendre à Lisa le même chemin qu'à Suzon ? À condition qu'elle n'ait encore rien ébruité. Mais elle se montrerait sûrement circonspecte, non ? Ce ne serait pas du gâteau de la prendre par surprise. Et encore fallait-il la trouver.

« Ma tête ! Misère ! Je n'arrive pas à réfléchir. »

Un raffut a éclaté au rez-de-chaussée. « Merde ! a-t-il balbutié. Elle est partie sans fermer à clé. Ils vont tout me faucher. » Des larmes ont roulé sur ses joues. Il touchait le fond. Peut-être que c'était Bœuf et ses sbires en train de tout dévaster.

Autant affronter son destin. En jurant, il a enfilé ses vêtements et entamé lentement la descente vers le rez-de-chaussée.

« Bonjour, m'sieur Shed, a lancé Lisa d'une voix claire. Qu'est-ce que vous prendrez pour le petit-déjeuner ? »

Il a écarquillé les yeux, dégluti, puis s'est traîné jusqu'à une table où il s'est avachi tête entre les mains, sans prêter attention au regard amusé d'un des marins de la virée chez Gilbert.

« Une petite gueule de bois, m'sieur Shed ?

— Oui. » Sa propre voix lui paraissait caverneuse.

« Je vais te concocter un petit remède dont mon père a le secret. C'est un maître ivrogne, tu sais. »

Shed a opiné du chef faiblement. Même ça, c'était douloureux. Le père de Lisa était une des raisons qui l'avait poussé à la choisir. Elle avait désespérément besoin d'aide. Encore un de ses généreux élans qui avait tourné en jus de boudin.

Elle est revenue avec une mixture si nauséabonde que même un sorcier n'y aurait pas touché. « À boire cul sec. C'est comme ça que ça passe le mieux.

— Je peux imaginer. » Espérant à moitié finir de s'empoisonner, il a lampé le breuvage malodorant. Il a haleté un peu pour retrouver son souffle, puis a demandé à voix basse : « Quand arrivent-ils ? De combien de temps est-ce que je dispose ?

— Qui, m'sieur Shed ?

— Les inquisiteurs. La loi. Qui que ce soit que tu as appelé.

— Pourquoi viendraient-ils ici ? »

Douloureusement, il a levé les yeux pour les plonger dans les siens. Elle a murmuré : « Je t'ai dit que j'étais prête à tout pour sortir de la Cothurne. C'est l'occasion que j'attendais. Nous voilà associés, m'sieur Shed. Cinquante-cinquante. »

Shed a enfoui sa tête entre ses mains en poussant un grognement. Ça ne finirait jamais. Pas avant de l'avoir démoli. Il s'est mis à maudire Corbeau et tout son lignage.

La salle commune était vide. La porte fermée. « En premier lieu, faudra se méfier de Gilbert », a dit Lisa.

Shed a baissé la tête, rivé le regard au plancher.

« C'était crétin de lui refourguer des bijoux qu'il pouvait reconnaître. Il te tuera si on ne le tue pas le premier. »

De nouveau Shed a baissé la tête. Pourquoi moi ? a-t-il gémi en son for intérieur. Qu'est-ce que j'ai fait pour mériter ça ?

« Et ne t'imagine pas te débarrasser de moi comme tu l'as fait pour Suzon ou ce maître chanteur. Mon père détient une lettre qu'il ira donner à Bœuf si jamais je disparais.

— Tu es trop maligne pour que ça ne te joue pas des tours. » Puis il a ajouté : « L'hiver viendra bientôt.

— Oui. Mais on ne s'y prendra pas comme Corbeau. Trop risqué et trop de boulot. On jouera la charité. On ouvrira nos portes aux épaves. Un ou deux pourront disparaître toutes les nuits.

— Mais c'est du meurtre !

— Qui s'en souciera ? Personne. Et c'est ce qui pourra leur arriver de mieux. J'appelle ça de la mansuétude.

— Comment peut-on être à la fois si jeune et si cynique ?

— Ce n'est pas grâce aux qualités de cœur qu'on s'en sort dans la Cothurne, m'sieur Shed. On dénichera une planque où le froid extérieur conservera les corps jusqu'à ce qu'il y en ait suffisamment pour une charretée. On ne montera nos livraisons qu'une fois par semaine, par exemple.

— L'hiver est...

— Ce sera ma dernière saison dans la Cothurne.

— Je refuse.

— Oh que non, tu vas accepter. Sans quoi tu entendras parler de Bœuf. Tu n'as pas le choix. Tu as une associée.

— Mon Dieu. Délivrez-moi de cette horreur.

— Tu te juges moins mauvais que moi ? T'as pourtant commis cinq meurtres.

— Quatre, s'est récrié faiblement Shed.

— Tu t'imagines que Suzon vit encore ? J'appelle ça couper les cheveux en quatre. De toute façon, tu es coupable de meurtre. Tu es un assassin si bêtement dépensier que tu n'as plus un sou vaillant. Un assassin imbécile au point pour se laisser embobiner sans cesse par des Suzon ou des Gilbert. Monsieur Shed, on ne monte qu'une fois sur l'échafaud. »

Quel argument opposer à un point de vue aussi immoral ? Lisa ne voyait qu'au travers d'elle-même. Les autres n'existaient que pour servir ses buts.

« Il faudra aussi s'occuper de quelques autres, après Gilbert. Le sbire de Krage qui en a réchappé. Il sait que la disparition des corps est louche. Pour l'instant, il a gardé le silence, sans quoi toute la Cothurne en parlerait. Mais la menace demeure. Et puis il y a aussi le type que tu as embauché pour liquider le maître chanteur. »

Elle avait le ton d'un général préparant une campagne. Planifiant un contingent de meurtres. Comment pouvait-on... ?

« Je ne veux plus de sang sur les mains, Lisa.

— Tu crois que tu as le choix ? »

Il ne pouvait dénier que sa survie passait par la mort de Gilbert. Et après l'élimination de l'usurier, il faudrait recommencer avec quelqu'un d'autre encore. Et puis elle l'achèverait. Mais elle finirait bien par baisser sa garde tôt ou tard.

Il y avait la lettre. Bon sang. Peut-être qu'en commençant par se débarrasser de son père... Le piège était bien pensé, sans faille, apparemment.

« Des occasions de m'en sortir comme celle-là, je n'en connaîtrai sans doute pas deux, m'sieur Shed. Croyez-moi, je ne vais pas la laisser passer. »

Shed, penché en avant, le regard braqué sur l'âtre, a tout de même fini par s'arracher à sa léthargie. Sa survie devait primer le reste. Il fallait se débarrasser de Gilbert. Ça, c'était une évidence.

Qu'en était-il du château noir ? Lui avait-il parlé de l'amulette ? Impossible de s'en souvenir. Il fallait qu'il évoque le sauf-conduit d'une façon ou d'une autre, sans quoi c'était *lui* qu'elle risquait d'essayer de tuer et de vendre. Il allait représenter un danger pour elle sitôt qu'ils auraient mis leur plan en action. Oui. Pas de doute. Elle essaierait de faire cavalier seul dès qu'elle aurait ses entrées chez les créatures du château. Donc, ajouter son nom à la liste de ceux qu'il devait supprimer s'imposait.

Bordel. Corbeau avait opté pour la seule solution intelligente. Compris la seule issue : quitter Génépi.

« Va falloir prendre le même chemin, a-t-il marmonné. Pas le choix.

— Quoi ?

— Rien, petite, je parle à mon bonnet. Tu as gagné. Réglons son compte à Gilbert.

— Bien. Reste sobre et lève-toi de bonne heure demain matin. Tu tiendras le Lis pendant que j'irai vérifier quelque chose.

— D'accord.

— Il va falloir te résoudre à t'acquitter de ta part de boulot, de toute façon.

— Sans doute. »

Lisa l'a observé d'un air suspicieux. « Bonne nuit, m'sieur Shed. »

Elle est revenue annoncer à Shed : « C'est dans la poche. Il viendra chez moi ce soir. Amène ta carriole. Je m'arrangerai pour que mon père ne soit pas dans les parages.

— J'ai entendu dire que Gilbert ne se déplaçait plus sans garde du corps.

— Il fera une exception ce soir. Il est censé me payer dix levas pour que je l'aide à s'emparer du Lis. Je lui ai laissé espérer une gâterie en prime. »

Une angoisse a étreint Shed. « Et s'il flairait le piège ?

— On sera deux et lui seul. Comment est-ce qu'une poule mouillée comme toi s'en est donc tirée jusqu'à présent ? »

Il savait maintenant maîtriser sa peur. Mais il a gardé cette confidence pour lui. Inutile de donner à Lisa plus d'empire qu'elle n'en avait déjà. Il était temps au contraire que lui-même mette à jour ses failles.

« Et toi, gamine, tu n'as peur de rien ?

— Si. De la misère. Et de vieillir pauvre par-dessus tout. Chaque fois que je vois les Veilleurs aller ramasser un vieux tout raide dans une ruelle, ça me glace jusqu'à la moelle.

— Ouais, ça, je peux comprendre. » Shed a esquissé un maigre sourire. C'était un début.

Shed a arrêté son chariot, jeté un coup d'œil vers la fenêtre d'un appartement situé à l'arrière d'un bâtiment, au rez-de-chaussée. Pas de lumière. Lisa n'était pas encore arrivée. Shed a fait claquer les rênes et s'est remis en route. Gilbert avait peut-être posté des guetteurs. Il ne fallait pas le prendre non plus pour un idiot. Shed a poursuivi sa route puis a fait demi-tour plus loin, et il est revenu nonchalamment sur ses pas, simulant l'ivresse. Peu de temps plus tard, une bougie s'est allumée dans l'appartement. Le cœur battant, Shed s'est faufilé vers la porte à l'arrière.

Elle n'était pas verrouillée, comme promis. Peut-être Gilbert était-il idiot, tout compte fait. À pas de loup, il a pénétré dans la maison. Son estomac se vrillait en pelote de nœuds. Ses mains tremblaient. Un cri se tapissait au fond de sa gorge.

Ce n'était pas le Marron Shed du soir contre Krage et sa bande. Ce Shed-là s'était retrouvé acculé à se battre pour sauver sa peau. Il n'avait eu le loisir ni de réfléchir ni de paniquer. Contrairement à l'heure présente. L'angoisse de tout faire capoter le hantait.

L'appartement se composait de deux pièces exiguës. La première, juste en entrant, était obscure et vide. Shed l'a traversée prudemment jusqu'à un rideau élimé. Une voix d'homme sourde a retenti derrière la porte donnant sur la seconde. Il a jeté un coup d'œil. Gilbert, déshabillé, se tenait debout, un genou posé sur un lit miteux tire-bouchonné. Lisa se trouvait dedans, couvertures tirées jusqu'au cou ; visiblement, elle était revenue sur sa décision. Le corps frissonnant, ridé, veiné de bleu de Gilbert contrastait singulièrement avec sa jeunesse. L'usurier paraissait en colère.

Shed a étouffé un juron. Il aurait aimé que Lisa cesse de jouer. Il fallait toujours qu'elle tourne autour du pot. Qu'elle manipule son monde, pour le seul plaisir d'assouvir on ne sait quel instinct.

Lui avait hâte d'en finir.

Lisa a paru consentir à s'abandonner, s'est poussée pour faire de la place à Gilbert.

Le plan consistait à l'attaquer dès qu'elle l'aurait étreint des quatre membres. Il a décidé, lui aussi, de lui jouer un tour à sa façon. Il a attendu patiemment. En retrait, il a regardé, un mauvais sourire aux lèvres, l'expression de la jeune femme qui trahissait ses pensées tandis que Gilbert se rassasiait d'elle.

Enfin il s'est avancé.

Trois pas rapides et silencieux. Un garrot a fusé et s'est plaqué contre la gorge maigre de l'usurier. Shed a tiré. Lisa a affermi sa prise. Comme il avait l'air chétif et vulnérable ! Rien d'un caïd craint par la moitié de la Cothurne.

Gilbert s'est débattu, mais il n'avait aucune chance.

Shed a cru que ça n'en finirait jamais. Il n'aurait pas imaginé qu'il fallait si longtemps pour étrangler un homme. Enfin, il s'est reculé. Sur le point de défaillir tant il tremblait.

« Enlève-le ! » a couiné Lisa.

Shed a fait rouler le corps d'une bourrade. « Rhabille-toi. Viens. On décanille. Des hommes à lui traînent peut-être dans le coin. Je vais chercher le chariot. »

Il s'est précipité à la porte, a jeté un coup d'œil dans la ruelle. Déserte. À la hâte, il est allé récupérer son véhicule.

« Grouille ! a-t-il aboyé quand, de retour, il a trouvé Lisa toujours nue. Sortons d'ici ! »

Elle ne parvenait pas à s'arracher à son hébétude.

Shed lui a lancé ses vêtements dans les bras et lui a giflé les fesses. « Bouge-toi, bordel ! »

Elle s'est habillée lentement. Shed est retourné à la porte, a balayé la ruelle du regard. Toujours personne. Il est revenu jusqu'au corps, l'a transporté dans le chariot et l'a recouvert d'une bâche. Marrant comme ils avaient toujours l'air plus légers une fois morts.

Il est rentré à nouveau. « Tu vas t'amener, oui ? Ou je te flanque dehors de force ! »

La menace est restée lettre morte. Shed l'a empoignée par le bras et l'a traînée à l'extérieur. « Grimpe ! »

Il l'a juchée sur le banc du conducteur avant de s'y asseoir lui-même.

Puis il a fait claquer les rênes. Les mules se sont ébranlées pesamment. Une fois le pont du port franchi, elles ont reconnu le chemin et progressé toutes seules. Mine de rien, il s'est demandé combien de fois elles avaient emprunté ce trajet.

À mi-pente de la colline, il s'est autorisé une halte pour s'occuper de Lisa. Elle paraissait en état de choc. Soudain, l'assassinat n'était plus un projet abstrait mais une expérience. Elle en était complice. Elle avait la corde au cou. « Moins facile que tu ne le croyais, hein ?

— Je ne pensais pas que ce serait ainsi. Je le tenais dans mes bras. J'ai senti la vie le quitter. Ce... ce n'était pas comme je l'aurais cru.

— Et tu comptes faire carrière là-dedans ? Je vais te dire un truc. Moi, je ne tuerai pas un seul client. Si tu veux continuer à opérer de la sorte, il faudra te charger de la besogne toi-même. »

Elle a rétorqué par une menace mal assurée : « Tu n'as plus aucun pouvoir sur moi. Va voir les inquisiteurs, ils sauront te faire parler. Cher associé. »

Lisa a frissonné. Shed a tenu sa langue jusqu'aux abords du château noir. « On ne joue plus. » Et s'il la vendait avec Gilbert ? Non, il se sentait incapable de rassembler assez de haine, de colère ou de vile bassesse pour passer à l'acte.

Il a arrêté les mules. « Tu ne bouges pas. Ne descends du chariot sous aucun prétexte, pigé ?

— Oui. » La voix de Lisa était ténue et distante. Terrifiée, selon lui.

Il est allé frapper au portail noir. Les vantaux se sont ouverts vers l'intérieur. Il a regagné son siège, est entré avec son attelage, puis est descendu du chariot, a déposé Gilbert sur une dalle de pierre. La haute créature s'est avancée, a examiné le cadavre, puis dévisagé Lisa.

« Pas elle, a dit Shed. C'est une nouvelle associée. »

La créature a opiné de la tête. « Trente.

— Vendu.

— Nous avons besoin de davantage de corps, Marron Shed. Beaucoup plus. Notre tâche est presque achevée. Nous avons hâte d'en finir. »

Le ton a fait frissonner Shed. « D'autres suivront bientôt.

— Bien. Très bien. Tu seras grassement rémunéré. »

Shed a frissonné de nouveau, jeté un coup d'œil circulaire.

« Tu cherches la femme ? a demandé la créature. Elle n'est pas encore devenue partie intégrante de la porte. » Ses longs doigts jaunes ont claqué.

Des frottements de pas ont retenti dans les ténèbres. Des ombres se sont avancées. Par les bras, elles soutenaient Suzon, nue. Shed a dégluti convulsivement. On l'avait salement esquintée. Amaigrie, elle avait la peau incolore là où elle n'était pas marquée par de multiples contusions ou griffures. L'une des créatures lui a relevé le menton pour que son regard croise celui de Shed. Ses yeux étaient caves et vides. « Une morte-vivante, a-t-il murmuré.

— Est-ce que la vengeance est assez douce ? a demandé l'escogriffe.

— Remmenez-la ! Je ne veux plus la revoir. »

L'être a de nouveau claqué des doigts. Ses congénères ont reflué dans l'obscurité.

« Mon argent ! » a exigé Shed.

En gloussant, la créature a compté les pièces aux pieds de Gilbert. Shed les a fourrées dans sa poche. « Ramène-les plutôt vifs, Marron Shed. Les vivants nous sont très utiles. »

Un hurlement a résonné dans les ténèbres. Shed a cru reconnaître son nom dans ce cri.

« Elle vous a reconnu, mon ami. »

Shed a laissé échapper un gémissement étranglé. Il s'est juché sur le banc de conducteur de son chariot et a aiguillonné ses mules.

La haute créature a dardé sur Lisa un regard lourd de sens. Lisa ne s'y est pas trompée. « Fichons le camp, m'sieur Shed. S'il vous plaît.

— Hue, les mules ! » Le chariot s'est ébranlé en grinçant et en craquant. Franchir le portail a paru prendre une éternité. Des échos de hurlements continuaient de retentir dans les profondeurs du château.

Une fois dehors, Lisa a dévisagé Shed avec une expression très curieuse. Shed a cru y déceler du soulagement, de la peur et un peu de dégoût. Le soulagement semblait l'emporter sur le reste. Elle prenait conscience qu'elle venait de l'échapper belle. Shed a esquissé un sourire énigmatique, hoché la tête et gardé le silence. Comme Corbeau, s'est-il souvenu.

Il s'est fendu d'un rictus. Comme Corbeau.

Il la laissait réfléchir. Se faire des cheveux blancs.

Les mules se sont arrêtées. « Eh ? »

Des hommes se sont matérialisés dans l'ombre. Des armes au clair. Des armes d'une facture militaire.

Une voix s'est étonnée : « Alors celle-là, elle est raide : le tavernier ! »

30

Génépi : Les ennuis se corsent

Otto a déboulé de l'obscurité. « Hé ! Toubib ! On a un client. »

J'ai rabattu mes cartes en un paquet que j'ai malgré tout gardé au creux de ma main. « T'es sûr ? » Toutes ces fausses alertes commençaient à me lasser.

Otto avait l'air penaud. « Ouais, sûr et certain. »

Quelque chose allait de travers. « Où est-il ? Accouche.

— Ils sont sur le point d'entrer.

— Sont ?

— Un homme et une femme. On n'a pas jugé utile de se méfier, jusqu'au moment où ils ont dépassé les dernières maisons et continué à gravir la colline. Mais alors il était trop tard pour les arrêter. »

J'ai jeté les cartes sur la table, méchamment en rogne. J'allais au-devant de gros ennuis le lendemain matin. Déjà, j'avais tendance à porter sur les nerfs de Murmure. Cet incident lui servirait peut-être de prétexte pour m'envoyer aux catacombes. Pour un séjour permanent. Les Asservis n'ont pas la réputation d'être patients.

« On y va », ai-je dit de la voix la plus pondérée que j'ai pu moduler, mais non sans assassiner Otto du regard. Il s'est arrangé pour rester hors de ma portée. Il me savait furieux. Il me savait aussi sur la sellette avec les Asservies. Il ne voulait pas me fournir l'occasion de lui serrer le cou. « Si ça foire encore, je ferai couler du sang. » Nous avons tous saisi nos armes et foncé dans la nuit.

Chacun connaissait son poste, ici ou là dans les fourrés à deux cents mètres en aval du portail noir. Alors que je dispersais les hommes en position, un hurlement a retenti à l'intérieur du château.

« Ça fait frémir, a dit un des gars.

— La ferme ! » ai-je aboyé. Un frisson m'a parcouru l'échine. Effectivement, il y avait de quoi frémir.

Le cri durait, et durait encore. Puis j'ai entendu des cliquetis assourdis de harnais et des grincements de roues mal graissées. Puis une conversation à voix basse.

Nous avons jailli des fourrés. Un des gars a ouvert l'œilleton d'une lanterne. « Alors celle-là, elle est raide : le tavernier ! » me suis-je exclamé.

Le type s'est prostré. La femme nous a dévisagés en écarquillant de grands yeux. Et soudain elle a bondi à terre et pris la fuite.

« Rattrape-la, Otto. Et fais ta prière si jamais elle te file entre les doigts. Crake, amène-moi ce salopard. Vairon, fais le tour pour planquer la carriole derrière la maison. Les autres, on coupe à travers champs. »

Le type, Shed, ne s'est pas débattu. Du coup, j'ai envoyé deux gars épauler Otto. Lui et la femme cavalaient au beau milieu des broussailles. Elle se dirigeait droit vers une petite falaise. Elle allait se retrouver coincée.

Nous avons conduit Shed dans la vieille bâtisse. À la lumière, il avait l'air résigné, l'oreille basse. Il se taisait. La plupart des prisonniers se rebiffent peu ou prou quand on les prend, ne serait-ce que pour protester qu'on les arrête sans aucun motif. Shed avait l'air convaincu de voir se terminer un sursis miraculeux.

« Assis », ai-je ordonné en lui désignant un siège près de la table où nous avions joué aux cartes. J'ai pris une chaise à mon tour, l'ai retournée et me suis posé dessus, les avant-bras sur le dossier et le menton sur les avant-bras. « Je crois que t'es cuit, Shed. »

Il gardait les yeux rivés sur le plateau de la table, accablé.

« T'as quelque chose à dire ?

— Y a rien à dire, non ?

— Une foule de choses, au contraire, à ce qu'il me semble. T'as posé ton cul dans la cuillère d'une catapulte, mais tu n'es pas encore mort. Peut-être que quelques confidences pourraient t'aider à t'en sortir. »

Ses yeux se sont arrondis légèrement, puis se sont désincarnés de nouveau. Il ne me croyait pas.

« Je ne suis pas un inquisiteur, Shed. »

Ses yeux ont papillonné brièvement.

« C'est la vérité. Je me suis trimballé avec Bœuf parce qu'il connaissait la Cothurne. Mon boulot n'a pas grand-chose à voir avec le sien. Le pillage des catacombes est le cadet de mes soucis. Le château noir me concerne déjà davantage parce que c'est une grave menace, mais néanmoins c'est toi qui m'intéresses par-dessus tout. À cause d'un nommé Corbeau.

— Un de vos hommes vous a appelé Toubib. Corbeau avait une peur bleue d'un certain Toubib qu'il a vu le soir où les soldats du duc ont arrêté certains de ses amis. »

Bon. Il avait donc assisté à notre descente. Sacrénom, on avait dû le manquer de justesse, cette fois-là.

« Je suis bien ce Toubib. Je veux que tu me racontes tout ce que tu sais sur Corbeau et Chérie. Et sur tous ceux qui pourraient détenir des informations. »

Il a affiché une moue empreinte d'un soupçon de défi.

« Beaucoup de gens te recherchent, Shed. Bœuf n'est pas le seul. Ma chef te veut aussi. Et elle est bien pire que lui. Tu ne l'aimerais pas du tout. Et elle te mettra la main dessus si tu ne me donnes pas satisfaction. »

J'aurais préféré le livrer à Bœuf. Bœuf ne s'intéressait pas à nos problèmes avec les Asservies. Mais Bœuf était loin.

« Il y a aussi Asa. Je veux savoir tout ce que tu m'as caché à propos de lui. » J'ai entendu la fille brailler dans le lointain, pousser des hurlements comme si Otto et les gars s'apprêtaient à la violer. Je n'étais pas dupe. Ils n'y étaient sûrement pas disposés après avoir déjà frôlé la catastrophe une fois ce soir. « C'est qui, la môme ?

— Ma serveuse. Elle... » Et il nous a déballé toute l'histoire. Rien ne pouvait plus l'arrêter une fois parti.

Une idée m'est venue qui pouvait nous tirer du pétrin qui s'annonçait. « Faites-le taire. » Un des gars a plaqué sa main sur la bouche de Shed. « Voici ce que je te propose, Shed. Si jamais tu as envie de sauver ta peau dans cette affaire. »

Il s'est fait attentif.

« Ceux pour qui je travaille sauront qu'un corps a été vendu cette nuit. Pour eux, je suis censé capturer l'auteur du forfait. Je vais devoir leur livrer quelqu'un. Ce pourrait être toi, la fille, ou encore vous deux. Toi, tu sais des choses que j'aimerais mieux que les Asservies ignorent. Une solution pour éviter que tu ne leur parles, c'est que je te livre mort. Je n'hésiterai pas au besoin. Ou alors tu joues le jeu. Tu laisses croire à la pouffiasse que tu viens de passer l'arme à gauche. Tu saisis ? »

Tremblant, il a répondu : « Je crois.

— Je veux tout savoir.

— La fille... »

J'ai haussé la main, aux aguets. Des bruits approchaient. « Elle ne reviendra pas de son interrogatoire avec les Asservies. Je ne vois pas pourquoi on ne te relâcherait pas une fois qu'on aura réglé ce qu'on doit régler. »

Il restait sceptique. Conscient de ses crimes, il croyait mériter le plus terrible des châtiments et n'attendait rien d'autre.

« On est la Compagnie noire, Shed. Génépi va apprendre à nous connaître très bientôt. Et aussi qu'on est à la hauteur de notre réputation. Mais peu importe pour toi. Pour l'instant, tu dois rester vivant jusqu'au jour où se présentera ta chance de salut. Ça veut dire que tu as franchement tout intérêt à te faire passer pour mort, pour plus mort qu'aucun des macchabées que tu as montés au sommet de cette colline.

— D'accord.

— Emmenez-le près du feu et préparez une petite mise en scène, comme si on venait de le passer à tabac. »

Les gars connaissaient le topo. Ils ont dépenaillé Shed sans cependant lui faire de mal. J'ai semé quelques babioles ici et là pour faire croire à une lutte. J'ai eu fini juste à temps.

Lisa a trébuché en entrant, propulsée par la poigne d'Otto. Elle n'était pas fraîche. Otto et les gars que j'avais envoyés l'aider non plus.

« Une petite furie, hein ? »

Otto s'est fendu d'un sourire un peu forcé. Un filet de sang s'écoulait à la commissure de ses lèvres. « T'es en dessous de la réalité, Toubib. » D'un fauchage du pied, il a fait tomber sa captive à terre. « Qu'est-ce qui s'est passé avec le type ?

— Il a voulu jouer les caïds, je l'ai calmé au couteau.

— Je vois. »

Nos regards se sont braqués sur la fille. Elle nous dévisageait en retour, matée. Chaque fois qu'elle lançait un coup d'œil à Shed, elle paraissait plus déconfite.

« Ouais. T'es dans une belle panade, ma jolie. »

Elle nous a sorti le grand numéro que j'aurais attendu de Shed. On l'a ignorée royalement, sachant qu'elle baratinait. Otto a remis un peu d'ordre, puis lui a ligoté poignets et chevilles. Il l'a calée sur une chaise en prenant garde à ce qu'elle ne puisse pas voir Shed. Le pauvre bougre avait besoin de respirer.

Je me suis assis devant elle et j'ai entamé l'interrogatoire. Shed prétendait lui avoir à peu près tout raconté. Je voulais m'assurer qu'elle ne savait rien sur Corbeau et ne risquait pas de vendre la mèche, ni à propos de lui ni de nous.

Je n'en ai pas eu le temps.

Un énorme tourbillon d'air a enveloppé la maison. Un rugissement semblable au passage une tornade, suivi d'un coup de tonnerre.

Otto a résumé le tout : « Oh merde ! Asservie ! »

La porte s'est ouverte vers l'intérieur à la volée. Je me suis levé, les tripes nouées, le cœur battant. Plume est entrée, on aurait dit qu'elle venait de traverser un bâtiment en flammes. Ses atours roussis exhalaient encore des filets de fumée.

« Qu'est-ce qui se passe ? ai-je demandé.

— Le château. Je m'en suis approchée de trop près. Ils ont failli m'éjecter dans les étoiles. Qu'est-ce que vous avez trouvé ? »

J'ai déballé mon histoire hâtivement, sans omettre que nous avions laissé passer un corps. J'ai désigné Shed. « Mort. Il a essayé de se battre pour échapper à l'interrogatoire. Mais celle-ci est en bonne santé. » Je montrais la fille.

Plume s'en est approchée. Elle avait vraiment essuyé un tir violent, là-haut. Je ne ressentais plus l'espèce d'aura de puissance contenue que l'on éprouve généralement en présence d'un Asservi. De son côté, elle n'a pas remarqué instinctivement que la vie palpitait toujours en Marron Shed. « Si jeune. »

Elle a soulevé le menton de la fille. « Oh ! quel regard. De feu et d'acier. La Dame va l'adorer.

— On maintient le dispositif de surveillance ? ai-je demandé, supposant qu'elle allait nous confisquer la prisonnière.

— Évidemment. Ils pourraient n'être pas les seuls. » Elle est venue se planter devant moi. « Plus un corps ne doit franchir les mailles du filet. La marge de manœuvre est trop restreinte. Murmure pardonnera celui-ci. Mais qu'il en passe un de plus et vous êtes morts.

— Oui, m'dame. Seulement, ce n'est pas facile d'agir sans attirer l'attention de la population locale. On ne peut quand même pas dresser un barrage sur la route.

— Pourquoi pas ? »

J'ai donné mes raisons. Elle avait fait des repérages du château noir et connaissait la configuration du terrain alentour. « Vous avez raison. Pour l'instant. Mais votre Compagnie sera bientôt là. Toute discrétion sera alors superflue.

— Oui, m'dame. »

Plume a pris la fille par la main. « Viens », a-t-elle dit.

J'ai été surpris par la docilité avec laquelle la petite furie l'a suivie. Je suis sorti regarder le tapis endommagé s'élever et mettre le cap sur Duretile. Un cri désespéré est monté dans son sillage.

J'ai trouvé Shed dans l'encadrement de la porte quand je me suis retourné pour rentrer. J'ai eu envie de le frapper pour son imprudence, mais je me suis contrôlé.

« C'était qui, ce truc ? a-t-il demandé. C'était quoi ?

— Plume. L'une des Asservis. Une de mes supérieures.

— Une sorcière ?

238

— Et des meilleures. Retourne t'asseoir. Il faut que j'apprenne précisément ce que cette fille sait sur Corbeau et Chérie. »

Un interrogatoire poussé m'a convaincu que Lisa connaissait trop peu d'éléments pour éveiller la suspicion de Murmure. À moins qu'elle ne fasse le lien entre le nom de Corbeau et celui de l'homme qui avait contribué à sa capture voilà des années.

J'ai continué d'assaillir Shed de questions jusqu'aux lueurs de l'aube. C'était tout juste s'il n'insistait pas pour me raconter les détails les plus sordides de son histoire. Il devait éprouver un immense besoin de se confesser. Les jours suivants, quand je suis retourné le questionner dans la Cothurne, il m'a révélé tout ce que j'ai pu écrire où il apparaît comme le personnage principal. Je ne crois pas avoir rencontré personne m'inspirant autant de dégoût. Des plus mauvais, oui. J'en ai croisé des tas. Quelques beaux salauds sont passés par le bataillon. Mais le levain de couardise et d'auto-apitoiement de Shed le destituait de cette catégorie pour le ravaler à celle des pitoyables pauvres types.

Bougre de balourd. Né pour être manipulé.

Et pourtant... Marron Shed recelait en lui une étincelle qui se laissait soupçonner dans ses relations avec sa mère, avec Corbeau, Asa, Lisa, Sal et Chérie, une lueur dont il avait d'ailleurs conscience et qui le déconcertait quand elle se manifestait. Il possédait un soupçon de dignité et de générosité. C'est justement le développement graduel en lui de cette lueur, ainsi que son impact possible sur la Compagnie, qui m'a poussé à noter par le menu tous les travers qui, par le passé, faisaient aussi du pauvre petit bonhomme effrayé un individu infect.

Le lendemain de sa capture, au matin, je suis descendu en ville dans la carriole de Shed et l'ai autorisé à ouvrir le Lis de fer, comme d'habitude. Pendant la matinée, j'ai convoqué Gobelin et Elmo pour un conciliabule. Shed est devenu nerveux quand il s'est rendu compte que nous nous connaissions tous. S'il ne s'était pas fait prendre plus tôt, c'était par chance.

Pauvre de lui. Il n'était pas sorti de l'auberge. Pauvre de nous. Il ne pouvait pas nous apprendre tout ce que nous aurions voulu savoir.

« Qu'est-ce qu'on fait du père de la fille ? a demandé Elmo.

— S'il existe bel et bien une lettre, faut qu'on s'en empare, ai-je répondu. Pas la peine que quelqu'un vienne compliquer nos problèmes. Gobelin, tu te charges du papa. S'il se montre un peu trop suspicieux, arrange-toi pour qu'il nous fasse une petite crise cardiaque. »

À contrecœur, Gobelin a opiné du chef. Il a demandé à Shed où le père habitait et il est sorti. Une demi-heure plus tard, il était de retour.

« Encore une tragédie. Il n'avait pas de lettre. Elle bluffait. Mais il en savait trop et aurait tout raconté en cas d'interrogatoire. Cette affaire commence à me miner. Traquer les rebelles, c'était plus propre. Chacun dans son camp ; au moins, les rôles étaient clairs.

— Je ferais bien de remonter sur la colline. Les Asservies risquent de ne pas comprendre ce que je fiche ici. Elmo, vaudrait mieux laisser un ange gardien à Shed.

— Bon. Prêteur habitera sur place à compter de maintenant. Même quand ce gugus ira aux chiottes, on lui tiendra la main. »

Gobelin paraissait absent, songeur. « Corbeau s'achetant un navire. Ça me scie ! Mais qu'est-ce qu'il pouvait bien projeter ?

— De mettre le cap sur le grand large, à mon avis, ai-je dit. Paraît qu'il y a des îles au loin. Peut-être vers un autre continent. Idéal pour disparaître, très certainement. »

Je suis retourné sur ma colline ; j'y ai fainéanté deux jours, sauf pour de rares escapades dans la Cothurne où j'allais faire parler Shed. C'était le calme plat. Personne d'autre ne se risquait à venir vendre de corps. J'imagine que Shed était le seul imbécile dans cette affaire de cadavres.

Quelquefois je promenais mon regard sur ces remparts noirs et lugubres, et je m'interrogeais. Ils avaient mis le paquet, contre Plume. Quelqu'un là-dedans savait que les Asservis représentaient un danger. Combien de temps avant qu'ils ne se rendent compte du blocus, avant qu'ils ne passent à l'action pour s'approvisionner de nouveau en macchabées ?

31

Génépi : Le retour

Shed, deux jours après sa capture, tremblait toujours autant. Chaque fois que son regard franchissait la salle commune et échouait sur l'un de ces salopards de la Compagnie noire, il perdait les pédales. Il vivait en sursis. Il ne savait pas trop à quoi il leur servait, mais ce dont il était sûr, c'était qu'ils se débarrasseraient de lui comme d'un détritus dès que possible. D'ailleurs, certains de ses gardes-chiourmes le considéraient déjà ostensiblement comme tel. Il n'arrivait même pas à leur donner tort.

Il s'affairait à sa vaisselle, derrière son comptoir, quand Asa a franchi la porte d'entrée. Le gobelet qu'il tenait lui est tombé des mains.

Leurs regards se sont croisés un bref instant, puis Asa a longé l'angle de la salle commune et gravi les escaliers. Shed a inspiré profondément et lui a emboîté le pas. Il s'est rendu compte que le nommé Prêteur était sur ses talons quand il a atteint le palier – il s'était déplacé sans un bruit, un couteau au poing pour parer à toute éventualité.

Shed est entré dans l'ancienne chambre de Corbeau. Prêteur est resté à l'extérieur. « Qu'est-ce que tu fous ici, Asa ? Les inquisiteurs sont à tes trousses. Pour le raid dans les catacombes. Bœuf en personne est parti vers le sud pour te retrouver.

242

— Du calme, Shed. Je sais. Il nous a rattrapés. Y a eu de la chicore. On l'a blessé. Mais il guérira. Et il reviendra à Génépi pour toi. Je suis venu te prévenir. Il faut que tu quittes la ville.

— Oh, non ! » a gémi Shed. Un croc supplémentaire dans la mâchoire du destin. « J'y pensais de toute façon. » Pas de quoi alerter Prêteur : il s'en doutait déjà certainement. « Tout va de mal en pis, ici. Je commence à chercher un acheteur. » Ça, c'était faux, mais ça ne le serait plus d'ici la fin de la journée.

Pour une raison qu'il s'expliquait mal, le retour d'Asa lui redonnait du cœur au ventre. Peut-être simplement parce qu'il se sentait en présence d'un allié, de quelqu'un qui partageait sa débine.

Shed a déballé le gros de l'histoire. Prêteur, n'y voyant pas d'objection, restait à l'écart.

Asa avait changé. Il n'a pas paru ébranlé. Shed lui a demandé à quoi c'était dû.

« J'ai passé tellement de temps avec Corbeau. Il m'a raconté des histoires à flanquer la chair de poule. Des histoires d'avant son arrivée à Génépi.

— Comment est-ce qu'il va ?

— Au plus mal. Il est mort.

— Mort ? s'est exclamé Shed.

— Quoi ? » C'était Prêteur qui pointait la tête par l'entrebâillement. « Tu as dit que Corbeau était mort ? »

Asa a dévisagé Prêteur, puis Shed, puis Prêteur de nouveau. « Shed, enfant d'salaud...

— La ferme, Asa ! a aboyé Shed. T'as pas la moindre idée de ce qui s'est passé ici pendant ton absence. Prêteur est un ami. En quelque sorte.

— Prêteur, tu dis ? Comme celui de la Compagnie noire ? »

Prêteur a haussé les sourcils. « Corbeau a causé ?

— Il m'a raconté quelques souvenirs du vieux temps.

— Ho, ho. Je vois, mon pote. C'est bien moi. Revenons-en à la mort de Corbeau. »

Asa a lancé un regard au tavernier. Lequel a opiné. « Raconte.

— D'accord. Je ne sais pas vraiment ce qui s'est passé. On était en train de se tailler après notre empoignade avec Bœuf. On cavalait. Les gros bras qu'il avait engagés nous sont tombés dessus par surprise. On a battu en retraite dans les bois en lisière de la ville quand soudain le voilà qui se met à hurler et à sauter en tous sens. J'ai pas compris pourquoi. » Asa a secoué la tête. Il avait le visage pâle et mouillé de sueur.

« Continue, l'a pressé Shed.

— Shed, j'en sais pas plus.

— Quoi ? a grincé Prêteur.

— Je ne sais pas. Je ne me suis pas éternisé sur place. »

Shed a grimacé. Typique du vieil Asa qu'il connaissait.

« Ben, tu m'en fais un compagnon de confiance, mon toto, a commenté Prêteur.

— Écoutez... »

Shed a imposé le silence.

« Shed, faut que tu décanilles de Génépi, a repris Asa. Vite. Une lettre envoyée par Bœuf peut arriver n'importe quand par bateau.

— Mais...

— Shed, au sud, c'est bien mieux qu'on croyait. T'as du pognon, tout ira bien. Les catacombes, on s'en balance, là-bas. L'histoire passe pour une grosse farce dont les Veilleurs sont les dindons. C'est comme ça que Bœuf a retrouvé notre piste. Tout le monde rigolait de ce raid. Il y avait même des plaisantins pour clamer haut et fort qu'ils allaient mettre sur pied une expédition pour finir de les vider.

« — Comment est-ce que la nouvelle de ce raid a pu se répandre, Asa ? Corbeau et toi étiez les seuls au courant. »

Asa a pris un air penaud.

« Ouais, je m'en doutais. T'as pas pu t'empêcher de fanfaronner, hein ? » À la fois troublé et effrayé, il commençait à en vouloir à Asa. Il lui fallait quitter Génépi, comme il le préconisait. Mais comment fausser compagnie à ses gardiens ? Surtout prévenus qu'il allait tenter de fuir ?

« Un navire amarré au dock Tulguerre partira demain matin pour Vydromel, Shed. J'ai retenu deux places de passagers auprès du capitaine. Dois-je en réserver une de plus pour vous ? »

Prêteur s'est carré dans l'ouverture de la porte pour bloquer le passage. « Ni l'un ni l'autre ne prendrez ce bateau. J'ai des amis qui voudraient causer un brin avec toi.

— Shed, c'est quoi cette embrouille ? » a demandé Asa de son timbre aigu.

Le tavernier a levé les yeux sur Prêteur. Le mercenaire a opiné du chef. Shed a raconté presque tout. Asa ne comprenait pas. Shed non plus, d'ailleurs, étant donné que ses chaperons ne lui avaient pas tout dit ; le tableau qu'il avait de la situation comportait pas mal de zones d'ombre.

Prêteur était seul au Lis.

« Et si j'allais chercher Gobelin ? » a suggéré Shed.

Prêteur s'est fendu d'un sourire. « Et si on se contentait d'attendre ?

— Mais...

— Quelqu'un viendra. Suffit d'attendre. On redescend au rez-de-chaussée. Toi (il désignait Asa de la pointe de son couteau), ne va pas te mettre en tête des idées à la noix.

— Fais gaffe, Asa, a ajouté Shed. Ce sont ces types dont Corbeau avait la trouille.

— Je sais, il m'en a assez parlé.

— Et c'est bien dommage, a dit Prêteur. Toubib et Elmo ne vont pas aimer. On descend, messieurs. Shed, tu reprends ton boulot comme si de rien n'était.

— Quelqu'un pourrait reconnaître Asa, l'a prévenu Shed.

— On prend le risque. Zou. » Prêteur s'est écarté pour céder le passage aux deux hommes. Une fois en bas, il a ordonné à Asa de s'attabler dans l'angle le plus obscur, s'est assis près de lui et s'est mis à se curer les ongles à la pointe de son couteau. Asa le regardait avec fascination. Comme s'il contemplait un fantôme, s'est dit Shed.

Il pouvait fuir sur-le-champ à condition de sacrifier Asa. Ils tenaient au bonhomme plus encore qu'à lui. S'il filait par la cuisine, Prêteur ne le poursuivrait pas.

Sa cousine par alliance est sortie de la cuisine, un plateau sur chaque main. « Quand t'auras une minute, Sal... » Et quand elle a eu une minute : « Tu crois que les gosses et toi pourriez tenir la baraque quelques semaines ?

— Bien sûr. Pourquoi ? » Elle avait l'air étonnée. Mais elle a bien vite tourné le regard vers le coin sombre de la salle.

« Je vais peut-être devoir m'absenter quelque temps. Je serais rassuré de savoir que quelqu'un de la famille s'occupe du Lis. Je n'ai pas tellement confiance en Lisa.

— Tu sais où elle est ?

— Non. Elle aurait quand même pu venir pour la mort de son père, non ?

— Peut-être qu'elle est coincée quelque part et qu'on ne l'a pas encore mise au courant. » Sal ne sonnait pas très convaincue. À vrai dire, suspectait Shed, elle devait flairer un lien entre sa disparition et lui-même. Il craignait que de fil en aiguille, elle en trouve également un pour la disparition de Wally.

« À en croire une rumeur, elle aurait été arrêtée. Veille sur m'man. Les gardes-malades que j'ai embauchés pour s'occuper d'elle font du bon boulot, mais il faut les surveiller.

— Et où comptes-tu aller, Marron ?

— Je ne sais pas encore. » Au pire, songeait-il, il était bon pour monter à mi-pente de la colline et finir sous la Clôture. Sinon, sa destination serait sûrement un havre loin de tout ce qui se passait ici. Loin de ces types impitoyables et de leurs employeurs qui ne l'étaient pas moins. Il fallait prévenir Asa à propos des Asservis. Quoique Corbeau lui ait peut-être déjà évoqué le sujet.

Il aurait bien voulu s'isoler avec Asa pour arranger quelque chose. Un plan de fuite pour eux deux. Mais pas sur le navire de Tulguerre. Asa avait vendu la mèche, l'imbécile. Un autre bâtiment en partance pour le sud.

Qu'était devenu le vaisseau flambant neuf de Corbeau ? Et Chérie ?

Il s'est approché de la table. « Asa. Qu'est devenue Chérie ? »

Le feu au visage, Asa a contemplé ses mains jointes. « J'en sais rien, Shed. J'te jure. J'ai paniqué. J'ai pris mes jambes à mon cou jusqu'au premier bateau qui remontait vers le nord. »

Shed s'est éloigné en secouant la tête, dégoûté. Abandonner la fille comme ça. Asa n'avait guère changé, en fin de compte.

Celui qui s'appelait Gobelin est entré. Tout de suite, il a rivé son regard sur Asa. Avant même que Prêteur lui ait dit quoi que ce soit, il a marmonné : « Aïe, aïe, aïe, aïe, aïe. Est-ce que ce type est bien celui auquel je pense, Prêteur ?

— Tout juste. L'infâme Asa en personne, de retour de guerre. Avec moult histoires à narrer. »

Gobelin a pris place face à Asa. Il arborait un large sourire de grenouille. « Telles que...

— Entre autres, il prétend que Corbeau est mort. »

Le sourire de Gobelin s'est évanoui. En un clin d'œil il est devenu terriblement sérieux. Il a ordonné à Asa de recommencer son récit et l'a écouté en contemplant un gobelet de vin. Lorsqu'il a relevé les yeux pour finir, il avait l'air abattu. « Vaudrait mieux en parler à Elmo et Toubib. Bon boulot, Prêteur. Je l'embarque. Garde l'œil sur l'ami Shed. »

Shed a tressailli. Il avait entretenu l'espoir presque inconscient de les voir partir tous les deux avec Asa.

Sa décision était prise. Il fuirait à la première occasion. Gagnerait le Sud, changerait de nom, achèterait une taverne avec son or, où il mènerait une existence si rangée que nul ne le remarquerait.

Asa a voulu s'insurger. « Non, mais vous vous prenez pour qui, les mecs ? Et si moi je refuse de bouger ? »

Gobelin s'est fendu d'un sourire vénéneux puis a marmonné dans sa barbe. Des lambeaux de fumée brun sombre se sont exhalés de son gobelet, teintés par la lueur rouge sang qui s'y était allumée, tout au fond. Gobelin fixait Asa. Asa fixait le gobelet, abasourdi.

La fumée s'est agglomérée en une masse rappelant une petite tête. Des points se sont mis à luire à l'emplacement des orbites. « Mon petit ami *veut* te voir te rebeller. Il se nourrit de douleur. Or voilà un moment qu'il n'a rien mangé. J'ai dû rester discret à Génépi. »

Les yeux d'Asa continuaient de s'écarquiller. Ceux de Shed pareillement. De la sorcellerie ! Il y avait été confronté en présence de la femme qui portait le titre d'Asservie, mais sur le coup ça ne l'avait pas chamboulé. Il s'était agi d'une impression diffuse, non d'une démonstration. Quelque chose dont Lisa avait fait les frais, loin de lui. Ceci, par contre...

Ce n'était pas de la sorcellerie de haut vol, d'accord. Un tour, ni plus ni moins. Mais de la sorcellerie tout de même, dans une ville où il ne s'en manifestait que dans la lente croissance du château noir. Les arts occultes n'avaient pas conquis beaucoup d'adeptes à Génépi.

« C'est bon, a balbutié Asa d'un filet de voix couinante et haut perchée. C'est bon. » Il essayait vainement de reculer sa chaise. Prêteur la lui bloquait.

Gobelin a grimacé un sourire. « Je vois que Corbeau t'a parlé de Gobelin. Bien. Alors tu vas te conduire sagement. Viens. »

Prêteur a relâché la chaise d'Asa. Le petit homme a suivi Gobelin docilement.

Shed s'est penché pour jeter un coup d'œil au fond du gobelet. Prêteur s'est fendu d'un petit sourire. « Il vaut le jus, son tour, pas vrai ?

— Ouais. » Shed a rapporté le gobelet à son évier. Dès que Prêteur a eu le dos tourné, il l'a jeté à la poubelle. Il avait plus peur que jamais. Comment avait-il pu échapper à un sorcier ?

Des histoires rapportées par des marins du Sud se sont mises à lui trotter dans la tête. Les sorciers, ça ne rigolait pas.

Il aurait voulu pleurer.

32

Génépi : Visiteurs

Gobelin m'a ramené le dénommé Asa et a insisté pour qu'on attende Elmo avant de l'interroger. Il avait dépêché quelqu'un pour l'arracher à Duretile, où il s'employait à calmer Murmure. L'Asservie se faisait régulièrement sonner les cloches par la Dame et se calmait les nerfs sur le premier qui passait à sa portée.

Gobelin était déstabilisé par ce qu'il venait d'apprendre. Il s'est abstenu de son habituel petit jeu de devinettes. « Asa prétend que Corbeau et Bœuf se sont colletés, a-t-il jeté de but en blanc. Corbeau est mort. Cramé. Chérie se retrouve livrée à elle-même là-bas. »

De quoi s'enfiévrer ? Et pas qu'un peu. J'aurais bien soumis sur-le-champ le petit homme à la question. Mais je me suis contrôlé.

Nous avons attendu Elmo un certain temps. Gobelin et moi rongions notre frein, Asa se préparait au pire. Mais notre patience s'est avérée payante. Elmo n'est pas venu seul.

D'abord, nous avons perçu une odeur ténue mais aigre qui semblait émaner de l'âtre où nous entretenions un petit feu. Un petit feu au cas où, vous voyez. Avec quelques tiges de fer à portée de la main, prêtes à chauffer, histoire de faciliter les méditations d'Asa et de le convaincre éventuellement de ne pas oublier le moindre détail.

« Qu'est-ce qui pue comme ça ? a demandé quelqu'un. Toubib, t'as encore laissé entrer ce chat ?

— Je l'ai flanqué dehors après qu'il a arrosé mes bottes, ai-je répondu. Il a dû bouler jusqu'à mi-pente de la colline. Mais peut-être qu'il s'était vidé sur le bois de chauffe avant. »

L'odeur s'est accentuée. Pas franchement délétère, vaguement irritante seulement. Tout le monde s'est mis à examiner le feu. En pure perte.

J'étais, pour la troisième fois, en train d'essayer de localiser la source de cette infection quand le feu a attiré mon regard. L'espace d'une seconde, j'ai entrevu un visage dans les flammes.

J'en ai eu un coup au cœur. Pendant une demi-minute, j'ai paniqué, rien d'autre que ce visage ne s'étant manifesté. J'ai passé en revue tous les sales coups que cela pouvait induire : une surveillance des Asservies, de la Dame, des habitants du château noir, peut-être même le Dominateur en personne nous espionnait-il au travers de ce feu... Alors une idée plus rassurante s'est épanouie depuis les tréfonds de mon esprit, et un détail m'est apparu, que je n'avais pas remarqué faute de raison de m'y attarder. Le visage dans les flammes était borgne.

« Qu'un-Œil ! ai-je lancé tout à trac. Ce petit salaud est à Génépi. »

Gobelin a pivoté vers moi, les yeux écarquillés. Il a humé l'air. Son petit sourire habituel lui a étiré les lèvres. « T'as raison, Toubib. Tout à fait raison. C'est bien l'odeur de cette fripouille. J'aurais dû la reconnaître tout de suite. »

J'ai regardé le feu à nouveau. Le visage n'a pas reparu.

« Quel genre d'accueil conviendrait ? a murmuré Gobelin, songeur.

— Tu crois que c'est le capitaine qui l'a envoyé ?

— Sans doute. Ce serait logique qu'il l'envoie en éclaireur, lui ou Silence.

— Tu veux me faire plaisir, Gobelin ?

— Quoi ?

— Épargne-lui un accueil de ton cru. »

Gobelin a paru déçu. Tant de temps s'était écoulé. Il mourait d'envie de raviver sa relation avec Qu'un-Œil à coups d'éclairs et de pétards.

« Écoute, ai-je insisté. Il est ici incognito. Il ne faut pas alerter les Asservies, sans quoi elles auront tôt fait de flairer sa présence. »

J'avais mal choisi mes mots. La puanteur menaçait de nous expulser.

« Ouais, a grogné Gobelin. J'aurais préféré que le capitaine désigne Silence. J'avais tout préparé. Je lui avais concocté la plus belle surprise de sa vie.

— Tu la lui feras plus tard. En attendant, pourquoi tu ne nous dissipes pas cette odeur ? Si tu veux vraiment l'énerver, ne lui accorde aucune attention. »

Il a réfléchi. Ses yeux sont devenus brillants. « Ouais », a-t-il dit, et j'ai su qu'il s'était approprié ma suggestion sans pour autant renoncer à son propre sens de l'humour tordu.

Un poing a tambouriné contre la porte. J'avais beau m'y attendre, j'ai sursauté. Un des gars a ouvert, Elmo est entré.

Suivi de Qu'un-Œil, souriant comme une petite mangouste noire sur le point de déguster un serpent. On l'a ignoré superbement. Vu que le capitaine arrivait derrière.

Le capitaine ! Il était bien le dernier que je m'attendais à voir à Génépi avant l'arrivée de la Compagnie elle-même.

« Chef ? ai-je hoqueté. Comment ça se fait que vous êtes là ? »

D'un pas pesant, il est allé tendre les mains au-dessus du feu. L'été finissait, mais il ne faisait pas encore très froid. Il était aussi ours que jamais, bien que vieilli et amaigri. Ç'avait été une rude marche. « Cigogne », a-t-il répondu.

J'ai froncé les sourcils, dévisagé Elmo. Lequel a souri et déclaré : « J'avais envoyé Cigogne porter un message. »

Le capitaine est devenu plus loquace. « Cigogne était incohérent. Qu'est-ce que c'est que cette histoire au sujet de Corbeau ? »

Corbeau, faut-il le rappeler ?, était le meilleur ami du capitaine avant sa désertion. Je commençais à subodorer vaguement quelque chose.

J'ai désigné Asa. « Ce type trempe dans l'affaire depuis le début. Il s'était acoquiné avec Corbeau. Il prétend que Corbeau a trouvé la mort du côté de... Asa, comment s'appelle cette ville, déjà ? »

Asa, le regard rivé alternativement sur le capitaine et Qu'un-Œil, a dégluti au moins six fois d'affilée avant de pouvoir sortir un mot. J'ai glissé au capitaine : « Corbeau l'a abreuvé d'histoires à lui hérisser les cheveux sur la tête à notre sujet.

— Écoutons-le », a dit le capitaine, le regard braqué sur lui.

Asa a donc raconté son histoire pour la troisième fois. Gobelin écoutait mot à mot, prêt à relever tout ce qui pourrait sonner faux. Il ignorait Qu'un-Œil de la plus magistrale façon qui soit. Pour des clopinettes.

Le capitaine s'est désintéressé d'Asa sitôt le récit terminé. Une attitude délibérée, à mon avis. Il voulait passer les informations au tamis avant de reprendre l'histoire pour l'analyser. Il m'a demandé un rapport précis de tout ce à quoi j'avais assisté depuis mon arrivée à Génépi. J'ai supposé qu'il avait déjà eu le son de cloche d'Elmo.

J'ai conclu mon rapport. « Tu es trop méfiant à l'égard des Asservis, m'a-t-il dit. Le Boiteux nous a accompagnés tout le chemin. Il n'a pas l'air de manigancer quoi que ce soit. » Si quelqu'un avait des raisons de nous en vouloir, c'était bien le Boiteux.

« Pourtant, ai-je rétorqué, il y a toutes sortes de forces en jeu entre les Asservis et la Dame. Peut-être que les autres ne lui ont rien dit de peur qu'il ne tienne pas sa langue ?

— Possible », a reconnu le capitaine. Il arpentait la pièce à pas lourds et dardait sur Asa un regard perplexe de temps à autre. « Quoi qu'il en soit, inutile de mettre la puce à l'oreille de Murmure plus que ce n'est déjà fait. Jouez fin. Faites comme si vous ne vous doutiez de rien. Exécutez vos tâches. Qu'un-Œil et ses gars resteront dans les parages pour vous seconder. »

Bien sûr, me suis-je dit. Contre les Asservies ? « Si le Boiteux est avec la Compagnie, comment vous êtes-vous échappés ? S'il apprend votre escapade, la Dame ne va pas tarder à être mise au courant, non ?

— Je ne pense pas qu'il s'en apercevra. On ne s'est pas parlé depuis des mois. Il reste dans son coin. Il s'ennuie, j'ai l'impression.

— Et qu'en est-il des Tumulus ? » J'avais hâte d'apprendre tout ce qui s'était déroulé pendant la longue marche de la Compagnie, car je n'avais rien à noter dans mes annales sur les tribulations du gros de mes camarades. Mais le moment n'était pas à entrer dans les détails. Au mieux à aborder les événements essentiels.

« On ne les a pas vus, a dit le capitaine. D'après le Boiteux, la Dame et Trajet creusent la question. Faudra s'attendre à une opération d'envergure sitôt qu'on aura pris le contrôle de Génépi.

— On n'a rien préparé pour vos quartiers, ai-je dit. Les Asservies nous maintiennent sur la brèche à propos du château noir.

— Sale machin, pas vrai ? » Il a porté son regard au-delà de nous. « Je pense que vous auriez pu abattre plus de boulot si vous n'aviez pas tant cédé à la paranoïa.

— Pardon ?

— Je trouve toutes vos enquêtes un peu vaines ; du temps perdu. Le problème concernait Corbeau, pas vous. Il l'a résolu typiquement à sa manière. Sans aide. » Il a lorgné sur Asa. « Et à vrai dire, le problème semble réglé définitivement. »

N'étant pas sur place, il avait échappé aux pressions que nous avions subies, mais j'ai gardé cette réflexion pour moi. Je me suis rabattu sur une question : « Gobelin, à ton avis, est-ce qu'Asa a dit la vérité ? »

Gobelin a hoché la tête avec circonspection.

« Et toi, Qu'un-Œil ? T'as repéré des fausses notes ? »

Le petit homme noir a esquissé prudemment un geste négatif.

« Asa. Corbeau devait trimballer un paquet de documents. Est-ce qu'il y a fait allusion à un moment donné ? »

Asa a eu l'air surpris. Il a secoué la tête.

« Il possédait une malle ou autre chose dont il ne laissait personne approcher ? »

Asa paraissait déconcerté par le nouveau tour de mes questions. Les autres aussi. Seul Silence était au courant de l'existence de ces documents. Silence et peut-être aussi Murmure, qui les avait jadis détenus elle-même.

« Asa, est-ce qu'il avait des réactions bizarres au sujet de quoi que ce soit ? »

Une lueur a point dans l'esprit du petit homme. « Il y avait une caisse. De la taille d'un cercueil à peu près. Je le revois encore plaisanter à ce sujet. Lancer une blague lugubre comme quoi il s'agirait du ticket de quelqu'un pour la tombe. »

J'ai grimacé un sourire. Les documents existaient donc encore. « Qu'est-ce qu'il fichait avec sa caisse là-bas ?

— Sais pas.

— Asa...

— J'vous jure. Je ne l'ai entrevue qu'à deux reprises, sur le bateau. Je ne m'en suis soucié à aucun moment.

— Où veux-tu en venir, Toubib ? a demandé le capitaine.

— J'échafaude une hypothèse. En me basant simplement sur ce que je sais de Corbeau et Asa. »

Tout le monde a froncé les sourcils.

« D'une façon générale, pour ce qu'on en sait, Asa n'est pas le genre de lascar sur lequel miserait Corbeau comme partenaire. C'est un trouillard. Pas fiable. Trop bavard. Pourtant Corbeau l'a pris avec lui. L'a emmené dans le sud et fait équipe avec lui. Pourquoi ? Peut-être que ça ne vous fait ni chaud ni froid, les gars, mais moi ça me pose question.

— Je ne te suis pas, a dit le capitaine.

— Supposons que Corbeau ait voulu s'éclipser de telle sorte que personne ne se donne la peine de le rechercher ? Il a déjà essayé de disparaître une première fois, en venant à Génépi. Mais on a déboulé. À sa recherche, a-t-il pensé. Alors que faire ? Qu'en est-il d'un mort ? Mort devant témoin ? On ne pourchasse pas un mort. »

Elmo m'a interrompu. « Tu prétends qu'il a mis sa mort en scène et s'est servi d'Asa pour ébruiter la nouvelle sans que personne n'aille voir de plus près ?

— Ce que je dis, c'est qu'il s'agit d'une option à ne pas négliger. »

Pour toute réponse, le capitaine a soupiré un « hum » songeur.

« Pourtant Asa l'a vu mourir, a objecté Gobelin.

— Peut-être. Mais peut-être aussi est-ce ce qu'il croit avoir vu. »

Tous nos regards ont convergé vers Asa. Il s'est recroquevillé.

« Fais-lui répéter son histoire, Qu'un-Œil, a jeté le capitaine. Point par point. »

Deux heures durant, Qu'un-Œil a interrogé le petit bonhomme, encore et encore. On n'a pas repéré de hic. Asa maintenait qu'il avait vu Corbeau mourir, comme dévoré de l'intérieur par une sorte de serpent. Ma thèse avait beau faire eau, j'étais de plus en plus persuadé de voir juste.

« Mon hypothèse se base sur le caractère de Corbeau, ai-je insisté alors que tout le monde se liguait contre mon point de vue. Il y a cette caisse, et aussi Chérie. Elle et puis ce navire qu'il a fait armer à grands frais, crénom ! Il a laissé une piste évidente quand il est parti, sciemment. Pourquoi aller s'amarrer dans un port à quelques centaines de kilomètres quand il savait qu'on allait se lancer à sa poursuite ? Pourquoi laisser Shed vivant derrière lui, en prenant le risque qu'il raconte sa participation au raid dans les catacombes ? Et pour rien au monde il n'aurait laissé Chérie en plan. Pas même l'espace d'un moment. Il aurait pris des dispositions pour elle. Vous le savez. » Mes arguments commençaient à sonner un peu forcés, même à mes propres oreilles. Je me sentais prêcheur essayant de vendre sa religion. « Pourtant Asa soutient qu'ils l'ont tout simplement abandonnée à son sort dans une quelconque taverne. Je vous le dis, Corbeau suivait un plan. Je parie que si on se rendait sur place, on s'apercevrait que Chérie a disparu sans laisser de trace. Et, si le navire est encore à quai, que la caisse n'est plus à bord.

— Qu'est-ce que tu imagines à propos de cette caisse ? » a demandé Qu'un-Œil. Je me suis abstenu de répondre.

« Je crois que tu as beaucoup d'imagination, Toubib, a déclaré le capitaine. Mais il faut reconnaître que Corbeau est assez rusé pour concevoir un coup de ce genre. Sitôt que je serai en mesure de lever votre assignation ici, attendez-vous à ce que je vous envoie enquêter.

— Que Corbeau soit un malin est une chose, mais peut-être aussi que les Asservis seront assez retors pour s'en prendre à nous ?

— On verra en temps et lieu. » Il s'est tourné vers Qu'un-Œil. « Je compte sur Gobelin et toi pour arrêter vos petits jeux. Pigé ? Trop de singeries et les Asservies deviendront curieuses. Toubib, tu ne lâches pas le bonhomme. Il te sera utile pour t'indiquer où est mort Corbeau. Je retourne auprès de l'équipe. Elmo, tu m'accompagneras une partie du chemin. »

Allons bon. Des messes basses. J'aurais parié qu'elles concernaient mes soupçons sur les Asservies. À force de temps passé avec certaines personnes, on en vient presque à lire leurs pensées.

33

Génépi : L'engagement

La visite du capitaine a entraîné des changements notables. Les hommes se sont mis sur le pied de guerre. L'influence d'Elmo croissait tandis que la mienne déclinait. L'atmosphère mollasse devenait plus tendue au sein de notre détachement de la Compagnie noire. Tous les hommes se tenaient prêts à bouger au moindre commandement.

La communication s'est améliorée terriblement au détriment de notre temps de sommeil qui, lui, se réduisait douloureusement. Aucun de nous ne restait livré à lui-même plus de deux heures. Elmo trouvait des prétextes pour disperser ses troupes à l'extérieur de Duretile – sans lui-même participer au mouvement –, de préférence là où les Asservies auraient du mal à les trouver. Asa est devenu mon pupille sur ce contrefort du château noir.

La tension montait. Je me sentais comme une volée de poules prêtes à s'égailler d'un bond à l'instant où le renard ferait irruption. J'essayais de juguler ma nervosité en mettant à jour les annales. J'avais dû les délaisser, à mon corps défendant, ayant rarement fait plus que prendre quelques notes.

Lorsque la tension m'écrasait, je gravissais la colline pour aller contempler le château.

J'en mesurais le risque, comme celui que prendrait un gamin en s'aventurant sur une branche au-dessus d'un vide mortel. Plus j'approchais du château, plus ma concentration s'affûtait. À deux cents mètres, toutes mes autres peurs s'envolaient. L'épouvante qu'il suscitait me glaçait la moelle et le tréfonds de l'âme. À deux cents mètres, je comprenais ce que signifiait d'avoir l'ombre du Dominateur suspendue au-dessus du monde. J'éprouvais les mêmes sensations que la Dame lorsqu'elle imaginait la résurrection de son époux. Toute émotion se frangeait d'un arrière-goût de désespoir.

D'une certaine façon, le château noir était plus qu'une brèche possible par laquelle le plus grand et le plus vieux mal du monde pouvait resurgir. Il concrétisait des concepts métaphoriques, c'était un symbole tangible. Il agissait à la manière d'une grandiose cathédrale. Et, tout comme une cathédrale, il représentait plus qu'un simple édifice.

Je contemplais ses murailles d'obsidienne et ses décorations grotesques, me remettais en mémoire les récits de Shed, et néanmoins je ne pouvais m'empêcher de plonger dans le cloaque de mon âme, de la sonder en quête de la décence originelle que ma vie adulte y avait ensevelie. Le château était, en quelque sorte, un point de repère moral. Pour quiconque doté d'une cervelle. Ou de tant soit peu de sensibilité.

Parfois, Qu'un-Œil, Gobelin, Elmo ou un autre m'accompagnait. Aucun n'en revenait indemne. Nous pouvions rester devant le château à discuter trivialement de sa forme, ou plus en profondeur de ce qu'il pourrait signifier pour la Compagnie dans l'avenir, mais toujours quelque chose nous remuait les tripes.

Je ne crois pas au mal absolu. Je me suis déjà expliqué à ce sujet dans certains passages des annales, et d'une façon générale cette opinion transpire dans ma façon de rapporter toutes mes observations depuis que je suis le rédacteur en titre de ces chroniques. Je nous trouve comparables à l'ennemi, et je crois que les notions de bien et de mal sont déterminées après les événements par ceux qui survivent. Il est bien rare de trouver parmi les hommes une incarnation de la bonté ou du mal. Lors de notre guerre contre les rebelles, il y a huit et neuf ans, nous avons lutté dans le camp réputé mauvais. Pourtant nous pouvons témoigner que les coups bas étaient plus souvent commis par les tenants de la Rose Blanche que par ceux de la Dame. Au moins, les salauds dans cette affaire étaient francs du collier.

Le monde sait à quoi s'en tenir vis-à-vis de la Dame. Ce sont les idéaux et aspirations morales des rebelles qui entrent en conflit et deviennent aussi indécis que le sens du vent, sinueux comme des serpents.

Mais je m'écarte de mon sujet. Le château noir produit cet effet. Il vous pousse à vous engouffrer dans tous les chemins de traverse, les culs-de-sac et fausses pistes que vous avez pu éviter au cours de votre vie. Il incite à réexaminer les choses. Il vous donne l'envie de prendre position fermement, quitte à ce que ce soit pour le mal. Il provoque du dégoût pour cette moralité malléable qui est la nôtre.

C'est ce qui explique, je suppose, qu'on ait décidé à Génépi de faire comme s'il n'existait pas. L'absolu de sa nature exige une position absolutiste dans un monde qui préfère la relativité.

Chérie revenait souvent dans mes songeries tandis que j'observais ses murailles noires et luisantes, car elle était son contraire. Comme un pôle de clarté, aux antipodes de ce que le château noir symbolisait. Je l'avais peu côtoyée après avoir appris sa véritable identité, mais je me souviens d'avoir été moralement dérouté par sa présence à elle aussi. Je me demandais quel effet elle me ferait après toutes ces années, maintenant qu'elle devait avoir bien grandi.

À en croire Shed, elle n'émettait rien de comparable aux pestilences du château. Le tavernier était resté obsédé par le désir de l'emmener batifoler dans sa chambrette. Quant à Corbeau, il n'avait pas glissé sur la pente du puritanisme. Seul constat : il s'était englué plus profondément dans le mal – certes pour servir la plus élevée des causes.

Peut-être fallait-il en retirer un message. Une réflexion sur le débat de la fin et des moyens. Notre Corbeau avait agi avec l'amoralité pragmatique d'un prince de l'enfer, tout cela pour sauver une enfant qui représentait l'espoir du monde entier contre la Dame et le Dominateur.

Mon Dieu, qu'il serait doux d'imaginer un monde où les problèmes d'éthique se régleraient comme sur un jeu de plateau, avec des pions noirs contre des pions blancs, des règles bien établies, et pas la moindre nuance de gris.

Même Asa et Shed ressentaient l'aura du château, pour peu qu'on les emmène contempler ses murs lugubres de plein jour.

Shed surtout.

Shed pouvait se permettre d'exercer sa conscience et d'éprouver des doutes. Ce que je veux dire, c'est qu'il était débarrassé des ennuis financiers qui l'accablaient il y avait peu encore, tout comme de la perspective que nous lui fassions creuser sa tombe ; il avait donc tout le loisir de réfléchir à son rôle dans les événements et de se dégoûter de lui-même. Plus d'une fois, je l'ai traîné là-haut et l'ai observé tandis que son étincelle de décence enfouie se ravivait et le plongeait dans un tourment intérieur qui confinait au supplice.

J'ignore comment Elmo s'y est pris. Peut-être s'est-il privé de sommeil pendant quelques semaines. Mais quand la Compagnie est descendue des monts

Wolander, il avait préparé le plan d'occupation. Un plan rudimentaire, certes, mais plus abouti qu'aucun de nous ne l'aurait cru.

Je me trouvais dans la Cothurne, chez Shed, au Lis de fer, quand la rumeur s'est répandue dans le quartier du port pour causer une des plus belles paniques qu'il m'ait été donné de voir. Le voisin de Shed, un négociant en bois, s'est engouffré dans la taverne pour annoncer : « Une armée descend du col ! Des étrangers ! Par milliers ! Paraît que... »

Dans l'heure qui a suivi, une douzaine d'habitués ont apporté leur son de cloche. Chaque fois l'armée était plus puissante et sa mission plus obscure. Nul ne savait ce que voulait la Compagnie. Nombre de témoins projetaient leurs propres angoisses dans les raisons qu'ils avançaient pour expliquer sa venue. Bien peu tablaient sur les bonnes.

Bien que fatigués par une si longue marche, les hommes se sont rapidement déployés dans la ville ; des gars d'Elmo guidaient les plus grosses unités. Candi a investi la Cothurne avec une section renforcée. Les pires taudis sont toujours les premiers foyers de rébellion, comme nous l'a enseigné l'expérience. Quelques violentes échauffourées ont éclaté. Les habitants de Génépi, pris de court, ne savaient pas trop pour quoi se battre. La plupart se sont retranchés dans l'expectative.

Je suis retourné auprès de mon escadron. Les Asservis allaient faire parler d'eux. Si tant est qu'ils aient prévu un plan d'action.

Rien ne s'est passé. Comme j'aurais pu m'y attendre, sachant que les hommes de notre détachement avancé s'occupaient de guider les nouveaux venus. À vrai dire, je suis même resté deux jours là-haut sans que personne ne me contacte. Le temps de pacifier la ville. En deux jours, nous tenions tous les centres névralgiques. Tous les bâtiments publics, les arsenaux, les sites fortifiés, jusqu'au quartier général des Veilleurs dans la Clôture. Puis la vie a repris son cours. Les rebelles ont déclenché quelques petites frictions quand ils ont essayé de fomenter un soulèvement en accusant le duc, à juste titre, d'avoir introduit la Dame à Génépi.

Dans l'indifférence de la majeure partie de la population.

La Cothurne a connu un peu de grabuge aussi. Elmo voulait remettre bon ordre dans les bas-fonds. Mais certains habitants de ces bas-fonds ne l'entendaient pas de cette oreille. Il a recouru à la force, avec la compagnie de Candi, pour démembrer les organisations des truands. Je n'en voyais pas la nécessité, mais certaines têtes mieux pensantes craignaient que les bandes puissent devenir des noyaux de résistance à l'avenir. Tout ce qui en portait le germe devait être éradiqué sur-le-champ. Je crois que cette opération était aussi une manœuvre pour essayer de gagner un peu de popularité.

Le troisième jour après l'arrivée de la Compagnie, Elmo a conduit le lieutenant jusqu'à ma masure à flanc de colline. « Comment ça se passe ? » ai-je demandé. Le lieutenant avait pris un méchant coup de vieux depuis la dernière fois que je l'avais vu. Le passage à l'ouest avait laissé des traces.

« On a la ville en main, a-t-il dit. Foutu bled.

— Je ne vous le fais pas dire. Ce n'est qu'une fosse aux serpents ! Qu'est-ce qui vous amène ?

— Il a besoin de jeter un coup d'œil sur l'objectif », a déclaré Elmo.

J'ai haussé un sourcil.

« Le Boiteux prétend qu'on va devoir l'enlever, a annoncé le lieutenant. Je ne sais pas exactement quand. Le capitaine veut que j'y jette un œil.

— Ben, on va se marrer, ai-je bougonné. On ne le prendra pas par surprise. » J'ai enfilé mon manteau.

Il faisait frisquet dans la pente. Elmo et Qu'un-Œil nous ont emboîté le pas tandis que je montrais le chemin au lieutenant. Il a observé le château, perdu dans ses pensées. Finalement il a murmuré : « J'aime pas. Mais alors pas du tout. » Il ressentait l'aura glacée qui en émanait.

« Je tiens un type qui est entré dedans, ai-je signalé. Mais les Asservies ne doivent rien en savoir. Il est censé être mort.

— Qu'est-ce qu'il pourra m'apprendre ?

— Pas grand-chose. Il n'y est allé que de nuit, dans une cour derrière le portail.

— Hum. Les Asservies gardent aussi une fille à Duretile. Je lui ai parlé. Elle n'a rien pu me dire. Elle ne s'y est rendue qu'une fois et elle avait trop peur pour regarder autour d'elle.

— Elle est toujours en vie ?

— Ouais. C'est celle que t'as capturée ? Ouais, elle est en vie. Ordre de la Dame, apparemment. Sale petite sorcière. Allez, on va reconnaître le terrain. »

Nous nous sommes éloignés dans la pente, où la progression devenait difficile, dans une litanie de ronchonnements de Qu'un-Œil. Le lieutenant a reconnu l'évidence. « Pas d'accès par ici. Pas sans l'aide des Asservis.

— Va falloir pas mal d'aide, quel que soit le côté qu'on envisage. »

Il m'a interrogé du regard.

Je lui ai raconté la mésaventure de Plume, le soir de la capture de Shed et de sa serveuse.

« Il s'est passé quelque chose depuis ?

— Que dalle. Pas plus après qu'avant, d'ailleurs. Le type qui est entré n'a jamais assisté à quoi que ce soit d'extraordinaire non plus. Mais, bordel, ce truc est connecté aux Tumulus. Le Dominateur tire les ficelles. Vous savez que ce ne sera pas du gâteau. Ils sont au courant que ça chauffe ici. »

Qu'un-Œil a poussé un couinement. « Qu'est-ce qu'il y a ? » a aboyé le lieutenant.

Qu'un-Œil a tendu le doigt. On a tous regardé vers le sommet du rempart qui nous surplombait d'au moins vingt mètres. Je n'ai rien décelé. Le lieutenant non plus. « Qu'est-ce qu'il y a ? a-t-il redemandé.

— Quelque chose nous espionnait. Une créature qu'avait une sale bobine.

— Je l'ai vue aussi, est intervenu Elmo. Un échalas, maigre, jaunâtre, avec des yeux de serpent. »

J'ai considéré la muraille. « Comment tu peux dire tout ça d'ici ? »

Elmo a frissonné et haussé les épaules. « Je peux te le dire. Et je peux te dire aussi qu'il m'a fait froid dans le dos. On aurait dit qu'il voulait me mordre. » On a continué à progresser entre les broussailles et les blocs de roche, un œil sur le château, l'autre sur les accidents du terrain. « Des yeux affamés, a murmuré Elmo. Voilà comme ils étaient. »

On a atteint la corniche à l'ouest du château. Le lieutenant a fait halte. « Jusqu'où peut-on s'en approcher ? »

J'ai haussé les épaules. « J'ai jamais eu les couilles d'aller voir. »

Le lieutenant s'est déplacé un peu à gauche, puis à droite, comme s'il cherchait à scruter quelque chose. « Qu'on amène des prisonniers et on verra bien.

J'ai aspiré ma salive entre mes dents et j'ai dit : « Vous aurez du mal à traîner un autochtone dans le coin.

— Tu crois ? Et contre une promesse de libération ? Candi a coffré la moitié des malfrats de la Cothurne. Il mène une véritable croisade contre le crime. À la troisième plainte enregistrée contre quelqu'un, il serre le suspect.

— Ça me paraît un peu simple », ai-je dit. Nous nous sommes remis en marche pour jeter un coup d'œil au portail. Par simple, j'entendais simpliste, non pas facile.

Le lieutenant a gloussé. Les mois âpres qu'il venait de vivre n'avaient pas entamé son sens de l'humour, qu'il avait plutôt bizarre. « Les simples d'esprit ont réponse aux questions simples. Que Candi poursuive son nettoyage encore quelques mois et le duc passera pour un héros. »

Je comprenais son raisonnement. Génépi était une cité sans loi, régie par des caïds locaux. Il y avait des légions de Shed qui vivaient dans la terreur, opprimés en permanence. Qui atténuerait cette terreur gagnerait la popularité. Adroitement entretenue, cette faveur permettrait de commettre des excès par la suite.

Je me demandais pourtant si ce dévouement des plus faibles valait ces efforts. Ou si en parvenant à leur insuffler un peu de courage, nous ne risquions pas de nous créer des problèmes ultérieurement. Débarrassés de leur joug quotidien, ils s'en prendraient peut-être à nous.

J'ai eu l'occasion d'assister à ce genre de réaction. Les gens ont besoin de haïr, il leur faut incriminer quelqu'un à qui imputer la responsabilité de leur propre médiocrité.

Mais là n'était pas le problème. La situation présente exigeait qu'on s'en occupe et qu'on mobilise toute notre énergie, sans délai.

Le portail du château s'est ouvert d'un coup dès que nous sommes arrivés dans son axe. Une demi-douzaine de créatures en noir se sont ruées sur nous. Un brouillard de léthargie m'a submergé et j'ai senti ma peur s'évanouir à l'instant où elle éclosait en moi. Le temps qu'elles franchissent la moitié de la distance qui nous séparait d'elles, je n'avais plus envie que d'une chose : m'écrouler par terre.

Une douleur m'a vrillé les membres. Ma tête s'est mise à m'élancer. Des crampes m'ont noué l'estomac. La léthargie s'est dissipée.

Qu'un-Œil s'activait étrangement, dansait, poussait des aboiements de louveteau, agitait les mains en l'air comme des oiseaux blessés. Emporté par le vent, son chapeau a dévalé la pente pour finir sa course accroché à un buisson. Entre deux glapissements, il a braillé : « Passez à l'action, bande d'abrutis ! Je ne les retiendrai pas éternellement ! »

Tzing ! Elmo a tiré son épée du fourreau. Le lieutenant l'a imité. Je ne portais pour toute arme qu'une dague longue. Je l'ai dégainée et j'ai foncé avec les autres. Les êtres du château restaient figés, de la surprise dans leurs yeux ophidiens. C'est le lieutenant qui les a rejoints le premier ; il a pilé, bandé ses muscles et levé son épée pour décocher un magistral coup de taille.

Il trimballe une rapière qui évoque d'assez près le cimeterre d'un bourreau. Son coup avait assez de puissance pour décapiter trois condamnés. Son adversaire a gardé la tête sur les épaules, malgré une profonde entaille au cou. Nous avons tous les trois été aspergés de sang.

Elmo a frappé à son tour. Moi aussi. Son épée s'est enfoncée de trente centimètres dans sa victime. Au bout de ma dague, j'ai eu l'impression de rencontrer du bois tendre. Elle s'y est fichée de trois centimètres à peine. Sans doute pas assez profondément pour atteindre un organe vital.

J'ai dégagé ma lame et puisé dans mes connaissances anatomiques pour toucher cette fois un point mortel. Elmo a dû flanquer un coup de pied au torse de sa victime pour en retirer son épée.

Le lieutenant possédait l'arme la plus appropriée et la méthode la plus efficace. Il a asséné un coup sur la nuque d'une seconde créature pendant qu'on s'échinait sans grand succès de notre côté.

Et puis Qu'un-Œil a perdu le contrôle. Les yeux des créatures du château sont redevenus vivants. Ils irradiaient un venin brûlant. J'ai eu peur que les deux encore indemnes nous sautent dessus. Mais le lieutenant a de nouveau frappé comme une brute et elles ont battu en retraite. Celle que j'avais blessée clopinait à la traîne. Elle s'est écroulée avant d'atteindre le portail. Elle a continué en rampant. La porte s'est refermée devant son nez.

« Bon, a dit le lieutenant. Ça en fera toujours quelques-uns qu'on n'aura pas sur le poil plus tard. Chapeau, Qu'un-Œil. »

Il s'exprimait plutôt calmement, mais sa voix s'étranglait dans les aigus. Ses mains tremblaient. On l'avait échappé belle. Sans la présence de Qu'un-Œil, notre compte était bon. « Je crois qu'on en a assez vu pour aujourd'hui. On se tire. »

J'aspirais à quatre-vingt-dix pour cent à prendre mes jambes à mon cou. Les dix pour cent restants voulaient en savoir davantage. « Faut qu'on ramène un de ces salopards avec nous, ai-je déclaré, la bouche sèche de trouille.

— Pour quoi faire, bordel ? a demandé Elmo.

— Pour le disséquer et voir ce que c'est.

— Ouais. » Le lieutenant s'est accroupi et a saisi un corps par les aisselles. Il s'est débattu faiblement. Avec un frisson, je suis allé le prendre par les bottes et on l'a soulevé. Il s'est plié par le milieu.

« Merde, on s'y prend autrement », a dit le lieutenant. Il a lâché prise et s'est placé à mes côtés. « Tire-le par cette jambe, moi par l'autre. »

On a entrepris de le traîner. Le corps chassait de biais. On a commencé à se chamailler pour savoir qui devait faire quoi.

« C'est bientôt fini vos conneries, les mecs ? » a glapi Qu'un-Œil. Il pointait son index noir et fripé. J'ai tourné les yeux là-haut. Des créatures apparaissaient entre les créneaux. Le château m'est apparu plus terrifiant que jamais.

« Ça va barder », ai-je murmuré. Et je me suis élancé dans la pente sans toutefois lâcher le corps. Le lieutenant en a fait autant. Notre fardeau morflait dans la course sur les rocs et les broussailles.

Boum ! Quelque chose a percuté la pente ; on aurait dit un talon de géant. Je me suis senti comme un cafard poursuivi par un type affligé d'une phobie des insectes et chaussé de lourdes bottes. Nouveau heurt ; la terre a tremblé.

« Oh merde ! » a lâché Elmo. Il nous a doublés en cavalant comme un dératé. Qu'un-Œil, dans sa foulée, volait en rase-mottes et gagnait du terrain. Ni l'un ni l'autre n'ont offert leur aide.

Un troisième impact, puis un quatrième ; ils éclataient à intervalles réguliers, chacun plus proche que le précédent. Le dernier a projeté des débris de roche et des morceaux de branche au-dessus de nos têtes.

Cinquante mètres plus bas dans la pente, Qu'un-Œil s'est arrêté, a fait volte-face et s'est lancé dans un de ses tours. Une boule de feu bleu pâle a jailli de ses mains brandies et a fusé en grondant vers le sommet de la colline, me rasant à moins d'une coudée avec un miaulement. Le lieutenant et moi avons dépassé le petit sorcier. Un cinquième impact géant nous a criblé le dos de poussière de roche et de végétation.

Qu'un-Œil a poussé un hurlement de dément et s'est remis à courir. Il a crié : « C'était mon meilleur coup. Larguez ce pantin et foncez. » Il galopait de plus belle, comme un lièvre pourchassé par une meute.

Un mugissement a empli la vallée du port. Deux flèches ont fendu l'air depuis le versant sud, presque trop rapides pour le regard. Elles sont passées au-dessus de nous dans un vrombissement grave et sourd. Des détonations ont claqué comme des coups de tambour assourdissants. Sans en être sûr, il me semblait que les flèches volaient de conserve.

Deux nouveaux points sont apparus, décrivant tous les deux un arc de cercle en suivant le même axe. Je les ai regardés plus attentivement. Oui, ils étaient reliés l'un à l'autre. Ils ont fusé dans un rugissement. Puis ont éclaté. J'ai jeté un coup d'œil en arrière. Les murailles du château noir avaient disparu sous une couche de couleurs qu'on aurait dite faite de giclées de peinture dégoulinant sur une surface trop lisse pour y adhérer – comme une paroi de verre.

« Les Asservis sont au boulot », a haleté le lieutenant. Ses yeux s'écarquillaient, mais il ne relâchait pas pour autant sa prise.

La saleté que nous ramenions s'est crochetée dans un buisson épineux. Pris de panique, nous avons donné de grands coups de pied dans ses vêtements pour la libérer. Je gardais les yeux rivés en l'air, dans la crainte de voir surgir quelque chose qui nous écrabouillerait dans la pente.

Deux nouveaux projectiles ont jailli et pulvérisé leurs couleurs. Visiblement, ils ne causaient pas de grands dégâts mais mobilisaient les occupants du château.

Nous avons enfin dégagé notre prise, et sommes repartis à toute allure.

Deux autres points, différents des précédents, sont apparus en altitude et ont basculé en piqué. Je les ai montrés du doigt. « Plume et Murmure. » Les Asservies plongeaient droit sur le château noir, précédées d'un hurlement strident. Une gangue de feu a enveloppé ses murailles. L'obsidienne a paru s'amollir et fondre comme la cire d'une bougie, tordant les bas-reliefs déjà grotesques en formes plus étranges encore. Les Asservies sont remontées en chandelle et ont viré pour effectuer un second passage. Pendant ce temps, une autre paire de projectiles ont mugi dans la vallée du port et coloré des strates d'atmosphère. J'aurais sûrement apprécié le spectacle si je n'avais été si pressé de mettre les bouts.

On aurait dit qu'un géant invisible piétinait la colline. Un disque de cinq mètres de diamètre pour un mètre cinquante d'épaisseur a fusé au-dessus de nous. Des débris de bois et de pierre ont voltigé. Il nous a ratés d'une douzaine de pas. L'impact nous a plaqués au sol. Des cratères comme des empreintes de pas géants s'égrenaient en enfilade sur le flanc de la colline.

Pour forte qu'elle ait été, la dernière déflagration le cédait quand même en violence aux précédentes.

Plume et Murmure ont piqué de nouveau, et de nouveau les parois du château ont fondu, dégouliné, changé de forme. Puis des coups de tonnerre ont cisaillé le ciel. *Bang bang !* Les deux Asservies ont disparu dans un nuage de fumée. Elles sont parties en vrille, luttant pour garder le contrôle de leur tapis. Toutes deux étaient aussi roussies que Murmure la nuit où nous avions capturé Shed. Elles se démenaient pour ne pas perdre trop d'altitude.

Les occupants du château se sont polarisés sur elles. Le lieutenant et moi en avons profité pour nous faire la belle.

34

Génépi : La belle

Le Lis a tremblé à plusieurs reprises.

Shed nettoyait ses gobelets en se demandant qui de ses clients appartenait à la Compagnie noire. Les vibrations l'avaient plongé dans l'angoisse. Puis un hurlement est monté au-dessus des têtes, a pris de l'ampleur, et a fini par décliner comme s'il avait été balayé plus loin vers le nord. Un instant plus tard, le sol tremblait de nouveau, assez pour que la vaisselle cliquette. Shed s'est précipité dans la rue. Un petit quelque chose en lui de rusé lui faisait garder un œil sur ses clients pour essayer d'identifier ceux qui le surveillaient. Ses chances de fuite s'étaient considérablement réduites avec l'arrivée de la Compagnie. Il ne savait plus qui était qui. En revanche, eux le connaissaient tous.

Au moment où il sortait, un nouveau hurlement est monté depuis le quartier de la Clôture. Il a suivi du regard des doigts tendus. Deux boules reliées l'une à l'autre par une corde filaient vers le nord. Quelques secondes plus tard, un flamboiement bariolé illuminait tout Génépi. « Le château noir ! s'exclamaient les badauds. Ils canardent le château noir ! »

Shed assistait au spectacle de la rue. Le château avait disparu derrière un rideau coloré. La terreur lui a noué les tripes. Une terreur qu'il ne s'expliquait pas. Après tout, il se trouvait en sécurité, non ?

Non ? La Compagnie comptait des magiciens d'envergure. Ils n'allaient pas laisser le château faire n'importe quoi... Une espèce de gros coup de marteau a dévasté une partie du versant nord, pulvérisant ce qui s'y trouvait. Shed ne voyait pas bien ce qui se passait, mais il a immédiatement eu l'intuition que le château s'en prenait à quelqu'un de précis. Peut-être ce Toubib, posté là-haut et chargé d'interdire tout passage. Peut-être qu'on cherchait à s'ouvrir une voie depuis l'édifice.

Une clameur de la foule a attiré son attention sur deux points qui plongeaient des nues. Le château s'est enveloppé de feu. L'obsidienne a molli, s'est tordue, puis a recouvré sa forme initiale. Les assaillants aériens sont remontés en flèche, ont entamé un virage. Une autre paire de projectiles ont fusé, depuis Duretile selon toute apparence. Et les tapis volants ont piqué de nouveau.

Shed savait qui en étaient les pilotes et de quoi il retournait ; il en était terrifié. Autour de lui, les habitants de la Cothurne, pris au dépourvu, cédaient à la panique.

Il a gardé assez de présence d'esprit pour ne pas perdre de vue sa propre situation. Ici, là, des soudards de la Compagnie noire couraient vers leur poste de combat. Des escadrons se constituaient, filaient au trot. Des soldats, deux par deux, allaient prendre les positions déterminées à l'avance en prévision d'émeutes et de pillages. Nulle part Shed n'a repéré quelqu'un assigné à sa surveillance.

Il s'est faufilé dans sa taverne, a gravi les escaliers, est entré dans sa chambre et a fourragé dans sa cachette. Il s'est rempli les poches d'or et d'argent ; il a hésité un instant devant son amulette et a fini par se l'enfiler autour du cou, sous ses vêtements. Après un dernier regard circulaire, ne voyant rien de plus à emporter, il est redescendu en hâte.

Il n'y avait plus personne dans la salle commune, à part Sal, qui observait les événements sur le versant nord depuis la porte. Il ne l'avait jamais vue si épanouie, si calme.

« Sal.

— Marron. Le moment est venu ?

— Oui. Je laisse vingt levas dans la caisse. Tu t'en sortiras tant que les soldats continueront de fréquenter la taverne.

— Ce qui se passe là-haut, c'est ce qui se préparait ?

— C'était leur objectif. La situation ne va probablement qu'empirer. C'est pour anéantir le château qu'ils sont venus. Reste à savoir s'ils en seront capables.

— Où vas-tu aller ?

— Je ne sais pas. » Et c'était la stricte vérité. « Et puis, même si je le savais, je ne te le dirais pas. Ils s'arrangeraient pour te faire parler.

— Quand reviendras-tu ?

— Jamais, peut-être. En tout cas, certainement pas tant qu'ils occuperont encore la ville. » Il craignait fort que la Compagnie ne reparte plus. Ou alors, ce serait pour être relevée par une autre. Leur Dame ne semblait pas du genre à lâcher prise sur quoi que ce soit.

Il a embrassé Sal sur la joue. « Prends garde à toi. Et ne te saigne pas trop pour les gosses. Si Lisa revient, annonce-lui qu'elle est virée. Si Wally en fait autant, dis-lui que je lui pardonne. »

Il s'est dirigé vers la porte de derrière. Les éclairs et les détonations se succédaient sur la colline. À un moment donné, un mugissement lancé contre Duretile a cisaillé les airs mais s'est étouffé plus ou moins au-dessus de la Clôture. Il a rentré la tête dans les épaules, a remonté son col et s'est enfoncé dans les ruelles en direction du port.

Il n'a croisé que deux patrouilles. Ni dans l'une ni dans l'autre on ne le connaissait. Il est passé près de la première sans même qu'on le remarque. Le caporal qui commandait la seconde lui a conseillé de déguerpir des rues illico, puis a poursuivi sa route.

Depuis la rue du Môle, il pouvait encore voir le château noir à travers la forêt de mâts et d'étais que dressaient d'innombrables navires. Il semblait avoir subi les plus gros dommages de l'échange, qui s'était atténué. Une épaisse colonne de fumée noire et poisseuse s'élevait à l'oblique de la forteresse, montait jusqu'à une centaine de mètres, puis se diffusait en nappe sombre. Dans les contreforts du château, on apercevait un foisonnement émaillé de scintillements, des mouvements qui grouillaient comme dans une fourmilière. Shed a supposé que la Compagnie entrait dans la danse.

Un climat de panique régnait dans le port. Une douzaine de vaisseaux encombraient le chenal menant à la mer. Tous les navires étrangers larguaient les amarres. Le fleuve lui-même semblait étrangement brassé, clapoteux.

Shed a tenté sa chance sur trois bateaux avant que la voix de son or ne trouve une oreille. Il a payé dix levas le commissaire de bord d'un pirate et est allé se nicher dans un recoin d'où on ne pouvait l'apercevoir du bord.

Pourtant, au moment où l'équipage appareillait, le dénommé Prêteur a surgi, a remonté le quai à toute allure avec une escouade de soldats et a beuglé au capitaine d'interrompre la manœuvre.

Le capitaine les a envoyés au diable, appuyant sa réponse d'un geste obscène, et a laissé le bateau dériver dans le courant. Il y avait trop peu de remorqueurs pour le nombre de navires en partance.

Sa provocation lui a valu une flèche dans la gorge. Marins et officiers en sont restés pétrifiés d'horreur.

Une volée de flèches a criblé le pont, fauchant plus d'une douzaine d'hommes dont le second et le maître d'équipage. Shed tremblait dans son réduit, en proie à la pire terreur de sa vie.

Il savait depuis longtemps que ces hommes étaient des durs, des types qui ne jouaient pas. Mais durs à ce point ! Les hommes du duc auraient gesticulé avec dépit et fini par tourner les talons. Ils n'auraient massacré personne.

Les flèches ont continué de pleuvoir dru jusqu'à ce que le vaisseau soit hors de portée.

Alors seulement, Shed a osé jeter un coup d'œil vers la ville dont ils s'éloignaient peu à peu. Oh, avec quelle lenteur ils se traînaient !

À sa grande surprise, aucun des marins ne s'en est pris à lui. Ils étaient furieux, certes, mais n'avaient pas fait de rapprochement entre l'attaque et leur passager de dernière minute.

En sécurité, a-t-il songé. Il a exulté jusqu'au moment où il a commencé à s'interroger sur la destination du bateau et sur ce qu'il ferait au terme du voyage.

Un marin a braillé : « Hé ! Ils nous poursuivent en chaloupe ! » Shed a senti son estomac dégringoler. Il a regardé en arrière et vu une petite embarcation qui mettait les voiles et prenait le large. Des hommes en uniforme de la Compagnie noire houspillaient l'équipage pour accélérer la manœuvre.

Il s'est rencogné dans sa cachette. Après la peignée que les marins venaient de recevoir, sûr qu'ils le livreraient sans broncher plutôt que d'en risquer une seconde. S'ils se rendaient compte que c'était après lui que Prêteur en avait.

Comment ce gaillard avait-il retrouvé sa trace ?

Sorcellerie. Bien sûr. Nécessairement.

Pourraient-ils donc le retrouver n'importe où ?

35

Génépi : Mauvaise nouvelle

Le chambard s'est terminé. Le spectacle avait été grandiose, quoique moins impressionnant que certains qu'il m'avait été donné de voir. La bataille des Marches de la Déchirure. Les combats autour de Charme. Ici, l'affrontement s'était cantonné à un échange d'éclairs et de fulminations, plus effrayant pour les habitants de Génépi que pour nous ou même les hôtes du château. Nous n'avons déploré aucune perte. Les plus lourdes parmi les leurs, c'étaient les morts à l'extérieur des murailles. Le feu ne leur a causé aucun dommage. En tout cas, c'est ce que les Asservies nous ont rapporté.

L'air sombre, Murmure a posé son tapis devant mon quartier général, puis est entrée lourdement, les vêtements en lambeaux mais indemne. « Qu'est-ce qui a tout déclenché ? » a-t-elle demandé.

Le lieutenant a expliqué.

« Ils prennent peur, a-t-elle conclu. Ils sont peut-être acculés. Leur sortie visait à vous effrayer ou à vous capturer ?

— À nous capturer, sans conteste, ai-je répondu. Ils nous ont lancé une sorte d'enchantement pour nous endormir avant de passer à l'attaque. » Qu'un-Œil a confirmé d'un signe de tête.

« Comment se fait-il qu'ils aient raté leur coup ?

— Qu'un-Œil a rompu l'enchantement. L'a retourné contre eux. On en a tué trois.

— Ah ! Pas étonnant qu'ils se soient énervés. Vous en avez ramené un ?

— Je pensais qu'en disséquer un nous aiderait à comprendre. »

Murmure s'est enfermée dans une de ses absences : elle communiquait avec la Dame à propos de nous tous. Puis elle est revenue. « Bonne idée. Mais c'est Plume et moi qui opérerons la dissection. Où est le corps ? Je vais l'emmener à Duretile tout de suite. »

J'ai désigné la dépouille. Elle se trouvait bien en vue. Murmure a ordonné à deux hommes de la charger sur son tapis. « Ils ne nous font plus confiance en rien désormais », ai-je balbutié. L'Asservie m'a entendu. Elle s'est abstenue de commentaire.

Une fois le corps arrimé, elle a dit au lieutenant : « Préparez le siège immédiatement. Cernez la place forte d'engins. Le Boiteux vous apportera son soutien. Ceux du château essaieront sans doute de rompre l'encerclement ou de prendre des prisonniers, peut-être les deux. Vous devez les en empêcher. Une douzaine de captifs leur permettraient d'ouvrir le passage et c'est alors le Dominateur qu'il vous faudrait affronter. Et il ne fait pas dans la dentelle.

— Sans blague ? » Quand ça lui prend, le lieutenant est capable de s'imposer comme un dur de dur. Dans ces moments-là, même la Dame ne saurait l'intimider. « Pourquoi vous ne débarrassez pas le plancher ? Chargez-vous de votre boulot et laissez-moi me charger du mien. »

Sa remarque ne tombait franchement pas au bon moment mais exprimait son ras-le-bol des Asservis en général. Il venait d'endurer plusieurs mois de marche en compagnie du Boiteux, et le Boiteux menait son monde à la baguette. Le capitaine et le lieutenant en avaient soupé de lui. Peut-être que les frictions entre la Compagnie et les Asservis venaient de là. La patience du capitaine avait aussi ses limites, même s'il se montrait plus diplomate. Il savait ignorer les ordres qui ne lui convenaient pas.

Je suis sorti pour aller observer les préparatifs du siège. Des contingents de manœuvres arrivaient de la Cothurne, pelle sur l'épaule, terreur dans le regard. Nos hommes ont posé leurs outils et pris le rôle de gardes-chiourmes et de chefs de chantier. De temps en temps, le château crachotait comme pour intervenir sans grande conviction ; on aurait dit un volcan se lamentant sur sa puissance évanouie. Parfois les autochtones s'égaillaient dans la nature et il nous fallait les rattraper. Le travail reprenait avec un peu moins de bonne volonté.

Prêteur s'est amené, il voulait me voir. Il avait l'air à la fois penaud et en colère, et la lumière de l'après-midi accusait ses traits. J'ai tout planté là et me suis avancé vers lui. « C'est quoi, ta mauvaise nouvelle ?

— Ce saligaud de Shed. Il a profité du tumulte pour se carapater.

— Le tumulte ?

— Quand les Asservis se sont mis à canarder le château, un vent de folie a soufflé sur la ville. Shed nous a échappé. Le temps que Gobelin le retrouve, il s'était déjà embarqué sur un navire appareillant pour Vydromel. J'ai tenté de le retenir, mais le bateau n'a rien voulu savoir. J'ai donné l'ordre de tirer, puis réquisitionné un canot pour le poursuivre, mais on n'a pas pu les rattraper. »

Après avoir lâché une bordée de jurons et réprimé une furieuse envie de l'étrangler, je me suis assis pour réfléchir. « Qu'est-ce qu'il a, le Shed, Prêteur ? De quoi est-ce qu'il a si peur ?

— De tout, Toubib. De sa propre ombre. Il s'imaginait qu'on finirait par le liquider, m'est avis. Gobelin prétend qu'il y a autre chose, mais tu connais son penchant pour compliquer les histoires.

— C'est quoi, son point de vue ?

— Gobelin pense qu'il cherchait à rompre complètement avec l'ancien Shed.

— Rompre complètement ?

— Tu vois bien. Avec tous les remords qu'il trimballait. Avec le châtiment possible des inquisiteurs. Bœuf sait qu'il a participé au pillage des catacombes. Sitôt de retour, il lui serait tombé dessus à bras raccourcis. »

J'ai regardé en direction du port noyé dans l'ombre. Les navires continuaient d'en sortir. Les quais paraissaient tout nus. Si l'exode des étrangers se poursuivait, nous risquions de devenir très impopulaires. Génépi tirait le gros de ses ressources du commerce.

« Va voir Elmo. Préviens-le. Je pense que tu devrais partir aux trousses de Shed. Trouve Pilier et ses gars et dis-leur de revenir ici. Vois ce qu'il en est de Chérie et de Bœuf par la même occasion. »

Prêteur tirait une mine de condamné, mais il n'a pas protesté. Il avait commis plusieurs boulettes. Se séparer de ses compagnons lui pesait, mais il s'en tirait tout de même à bon compte. « Bien », a-t-il dit simplement avant de s'éloigner en hâte.

Je suis retourné à mes occupations.

La désorganisation du début se restreignait, la troupe fractionnait la main-d'œuvre locale en équipes de travail. Des pelletées de terre volaient. D'abord, une belle tranchée pour parer à toute éventuelle sortie des êtres du château, puis une palissade derrière.

Un des Asservis, resté en l'air, tournoyait pour surveiller la forteresse.

Des charrettes ont commencé à monter depuis la ville, chargées de madriers et de gravats. On y rasait des bâtiments pour fournir de la matière première. Même si c'étaient des bâtisses insalubres depuis longtemps promises à la démolition, leurs occupants n'allaient pas nous bénir de les jeter à la rue.

Qu'un-Œil et un sergent nommé Tremblote ont emmené une tripotée de manœuvres autour du château, en descendant par le versant le plus escarpé, afin d'ébouler dans la pente un pan de muraille au moyen d'une sape creusée dessous. Ils n'ont rien tenté pour camoufler leurs intentions. Ç'aurait été superflu. Les créatures en face avaient le pouvoir de déjouer n'importe lequel de nos subterfuges.

Ne serait-ce que pour parvenir à ouvrir une brèche dans leurs remparts, il allait falloir se donner du mal. Et pendant peut-être des semaines, même avec l'aide de Qu'un-Œil. Les mineurs auraient à percer plusieurs dizaines de mètres de roche dure.

C'était l'une des feintes mises au point par le lieutenant, quoi qu'étant donné sa tactique en matière de siège, la feinte d'un jour pouvait fort bien se muer en axe d'attaque principal le lendemain. En puisant sa main-d'œuvre dans un réservoir comme Génépi, il pouvait envisager à peu près toutes les stratégies.

J'éprouvais une certaine fierté à voir le siège prendre tournure. Il y avait longtemps que je traînais mes guêtres au sein de la Compagnie. Jamais nous n'avions entrepris de projet aussi ambitieux. Jamais on ne nous avait confié autant de moyens. J'ai vadrouillé ici et là et fini par trouver le lieutenant. « C'est quoi le plan, au juste ? » Moi, on ne me disait jamais rien.

« Tout bêtement de les encercler pour leur interdire toute sortie. Puis les Asservis leur rentreront dans le lard. »

J'ai poussé un grognement. Basique et simple. Je m'étais attendu à quelque chose de plus élaboré. Ceux du château se battraient. J'imaginais les affres du Dominateur, allongé dans son sépulcre, essayant d'ourdir une contre-attaque.

Ça doit être horrible d'être enterré vivant, de se trouver incapable d'agir et contraint de placer tous ses espoirs entre les mains de larbins échappant pour ainsi dire à tout contrôle. Une pareille impotence aurait eu raison de moi en quelques heures.

J'ai informé le lieutenant de la fuite de Shed. La nouvelle ne lui a fait ni chaud ni froid. Shed était le cadet de ses soucis. Il ne connaissait ni Corbeau ni Chérie. À ses yeux, Corbeau n'était qu'un déserteur et Chérie une fille à soldats. Rien de plus. Je tenais tout de même à lui raconter cette affaire pour qu'il en glisse un mot au capitaine, qui prendrait peut-être alors des mesures plus draconiennes que la recommandation que j'avais faite à Elmo.

Je suis resté quelque temps avec le lieutenant, lui à observer les équipes au travail, moi un chariot qui remontait la colline. Celui-là devait amener la soupe. « Je commence à en avoir plein le dos des repas froids, ai-je grommelé.

— Je vais te dire ce que tu devrais faire, Toubib. Tu devrais te marier et t'installer.

— Certainement, ai-je répondu avec plus de sarcasme que je n'en éprouvais. Après vous.

— Non, vraiment. Et pourquoi pas ici ? C'est l'endroit rêvé. Tu ouvres un cabinet, en ciblant la clientèle riche. La famille du duc, mettons. Et puis quand ta douce arrive, tu demandes sa main, et l'affaire est dans le sac. »

Une dague de glace m'a pénétré le cœur en se vrillant. « Ma douce ? » ai-je grincé.

Il a grimacé. « Bien sûr. Personne ne t'a prévenu ? Elle viendra pour le grand spectacle. Dont elle entend diriger personnellement la mise en scène. C'est l'occasion de ta vie. »

L'occasion de ma vie. Mais pour quel avenir ?

Il parlait de la Dame, bien entendu. L'histoire remontait à plusieurs années, mais tous continuaient de me brocarder à propos de bluettes que j'avais écrites avant de la rencontrer. On aime bien retourner le couteau dans la plaie, dans la Compagnie. Ça fait partie du jeu. De l'esprit de fratrie.

Je parie que ce fils de pute bouillait depuis qu'il connaissait la nouvelle, et qu'il crevait d'envie de me l'envoyer dans les dents.

La Dame. Bientôt à Génépi.

J'ai pensé sérieusement déserter. Pendant qu'il restait encore un navire ou deux en partance.

36

Génépi : Feux d'artifice

Le château nous berçait d'un calme trompeur. Nous laissait croire que nous allions pouvoir enfoncer son portail sans faillir. Pendant deux jours d'affilée, les équipes ont défiguré la crête nord. Elles ont creusé une belle tranchée bien profonde, élevé une palissade sur presque toute sa longueur, entamé un joli début de galerie souterraine. Puis les créatures nous ont manifesté leur mécontentement.

En une action un peu chaotique et tout à fait effrayante qui, à y regarder rétrospectivement, n'entendait peut-être pas dégénérer comme ce qui a suivi.

C'était par une nuit sans lune, mais les terrassiers travaillaient à la lumière des feux, des torches et des lanternes. Le lieutenant faisait bâtir des tours de bois tous les cinquante mètres le long de la palissade bordant la tranchée, là où les travaux étaient terminés, et assembler des balistes pour les en coiffer. Une perte de temps, à mon avis. À quoi bon ces machines ordinaires contre les servants du Dominateur ? Mais le lieutenant était notre expert en siège. Il était décidé à faire les choses dans les règles, en respectant strictement la théorie, quitte à ce que les balistes ne servent pas. Il voulait les avoir à disposition.

Des guetteurs à l'œil exercé, membres de la Compagnie, se sont perchés dans les tours en voie de finition pour scruter le château. L'un d'eux a détecté du mouvement vers le portail. Plutôt que d'alerter tout le monde, il a fait descendre un message. Le lieutenant est monté. Il a conclu qu'un détachement s'était glissé hors du château et s'aventurait du côté tenu par Qu'un-Œil. Il a fait battre le tambour, sonner les trompes et décocher une volée de flèches enflammées dans les airs.

L'alarme m'a réveillé. Je me suis précipité pour découvrir ce qui se passait. En cet instant, il n'y avait rien à voir.

Dans la pente, au loin, Qu'un-Œil et Tremblote commandaient le branle-bas de combat. Leurs terrassiers ont paniqué. Une bonne partie d'entre eux se sont estropiés ou meurtris en s'élançant éperdument dans la pente abrupte semée de rocs et de broussailles. Une minorité a gardé assez de sang-froid pour rester à son poste.

L'ennemi tentait un raid pour capturer des ouvriers de Qu'un-Œil, les ramener au château et parachever son rite, quel qu'il soit, supposé ramener au monde le Dominateur. Une fois découvert, il a changé de tactique. Les guetteurs dans les tours ont annoncé à grands cris que d'autres sortaient. Le lieutenant a ordonné un feu roulant. Grâce à deux petits trébuchets, il a fait expédier des ballots de broussaille enflammée aux alentours du portail. Il a envoyé chercher Gobelin et Silence en espérant qu'ils seraient capables de mieux faire en matière d'illuminations.

Gobelin se trouvait dans la Cothurne. Il ne fallait pas compter sur lui avant une heure. J'ignorais totalement où pouvait être Silence. Je ne l'avais pas encore vu bien qu'il soit arrivé à Génépi la semaine précédente.

Le lieutenant a fait allumer des fanaux pour prévenir les guetteurs postés sur les remparts de Duretile que nous tombions sur un os.

Les Asservis ont fini par venir s'informer. En la personne du Boiteux. Il a commencé par s'emparer d'une brassée de lances qu'il est allé planter dans le sol depuis les airs après leur avoir administré un traitement spécial. Elles se sont muées en piliers irradiant une lumière vert-jaune vif entre la tranchée et le château.

Sur la pente opposée, Qu'un-Œil éclairait le terrain en tissant des sortes de toiles d'araignées violettes luminescentes dont il accrochait les quatre coins à la brise. Elles ont assez vite révélé l'approche d'une demi-douzaine de silhouettes en noir. Des flèches et des javelots ont jailli.

Les créatures ont essuyé plusieurs pertes avant de réagir. La lumière a flamboyé, puis s'est amoindrie pour ne plus subsister qu'en un faible chatoiement autour de chacune d'elles. Elles se sont jetées à l'attaque.

D'autres sont apparues entre les créneaux des remparts. Elles ont propulsé des projectiles en contrebas. Gros comme des crânes humains, ils rebondissaient en direction de la tranchée de tête. Qu'un-Œil a fait de son mieux pour dévier leur course. Le seul qui lui a échappé a laissé dans son sillage une hécatombe de soldats et d'ouvriers inconscients.

Les êtres du château, à l'évidence, avaient paré à toute éventualité fors Qu'un-Œil. Ils pouvaient mener la vie dure au Boiteux, mais notre sorcier, lui, ne s'attirait aucunes représailles.

Il a établi des protections pour ses hommes et leur a donné l'ordre de combattre pied à pied quand les créatures du château sont arrivées à leur portée. Ils ont subi de lourdes pertes mais sont venus à bout de tous les assaillants.

À ce moment-là, les créatures ont lancé un coup de main contre la tranchée et la palissade, pile dans l'axe du terre-plein qui me servait d'observatoire. Je me souviens d'avoir éprouvé sur le coup plus d'étonnement que de peur.

Combien étaient-elles ? À en croire les impressions de Shed, le château était quasiment désert. Mais face à leur troupe d'au moins vingt-cinq assaillants épaulés par leur magie, notre tranchée et notre palissade paraissaient bien dérisoires.

Ils sont sortis par le portail. Quelque chose a jailli par-dessus les murailles du château, pareil à une énorme vessie. Ça a touché le sol, rebondi deux fois, écrasé la tranchée et la palissade, comblant l'une, disloquant l'autre. Le détachement a foncé pour briser l'encerclement. Les créatures pouvaient se montrer véloces.

Le Boiteux a surgi du ciel nocturne, poussant un hurlement furieux dans son piqué, irradiant une clarté de plus en plus vive. Cette lumière se fractionnait en flocons gros comme des akènes d'érable, qui voletaient dans son sillage, se dispersaient en tournoyant vers le sol et dévoraient tout ce qu'ils touchaient. Quatre ou cinq attaquants se sont effondrés.

Le lieutenant a lancé une contre-offensive rapide. Les ennemis ont achevé certains des blessés, puis ont dû battre en retraite. Plusieurs créatures traînaient des soldats éclopés vers le château. Les autres repartaient à l'assaut.

Au mépris de tout héroïsme, j'ai détalé dans la pente. Décision qui s'est avérée pleine de sagesse.

Des étincelles ont crépité en l'air et une béance s'est ouverte comme une fenêtre. Quelque chose se déversait depuis un mystérieux ailleurs. Le terrain a gelé, sa température a chuté de façon si vertigineuse et brutale que l'atmosphère elle-même devenait glace. L'air autour de moi a été aspiré par cette zone où aussitôt il s'est réfrigéré. Le froid a pétrifié la plupart des êtres du château, les nimbant de givre. Un javelot perdu en a percuté un. Il s'est désagrégé et répandu en miettes. Les hommes ont fait pleuvoir leurs armes de jet et ont détruit les autres.

La béance s'est refermée quelques secondes plus tard. La relative tiédeur ambiante est venue à bout du froid mordant. Des brouillards ont moutonné et masqué la zone pendant plusieurs minutes. Quand ils se sont dissipés, il ne restait plus trace de l'ennemi.

Alors on s'est aperçu que trois créatures indemnes filaient à toute allure sur la route en direction de Génépi. Elmo et une section au complet se sont élancés à leur poursuite. Au-dessus, le Boiteux a plafonné en chandelle et basculé en piqué pour attaquer la forteresse. À cet instant, une nouvelle troupe en sortait.

Les êtres se sont précipités vers tous les corps qu'ils ont pu trouver et ont entrepris de les traîner vers l'intérieur. Le Boiteux a rajusté son vol pour les aligner en mire et décoché ses coups. Il en a décimé la moitié. Les autres ont réussi à ramener au moins une douzaine de cadavres.

Deux de ces projectiles sphériques ont fusé de nouveau en hurlant depuis Duretile et ont frappé le château de plein fouet, pulvérisant leur écran de couleur. Un autre tapis a piqué derrière celui du Boiteux. Il a largué quelque chose qui s'est enfoncé dans le château noir. Un éclair a aveuglé tout le monde à des lieues à la ronde. Je n'avais pas le regard braqué dans cette direction à ce moment-là, et pourtant il m'a fallu au moins quinze secondes pour recouvrer la vue et distinguer le château, qui brûlait.

Ce feu ne ressemblait pas à celui, évanescent, que nous avions vu précédemment. Il s'agissait cette fois d'un incendie qui consumait la matière dont la forteresse était constituée. D'étranges cris ont retenti à l'intérieur. Ils m'ont donné la chair de poule. Ce n'étaient pas des cris de douleur mais de rage. Des créatures sont apparues entre les créneaux, menant grand battage à coups de fléaux en forme de chats à neuf queues pour étouffer les flammes. Où le feu avait pris, le château s'était visiblement réduit.

Des jets réguliers de boules, par deux, se sont succédé à travers la vallée. Je ne voyais pas en quoi elles contribuaient à quoi que ce soit ; pourtant je suis sûr que ces tirs avaient leur raison d'être.

Un troisième tapis a piqué pendant que le Boiteux et l'autre regagnaient de l'altitude. Celui-ci répandait un nuage de poussière dans son sillage. Ce que touchait cette poussière réagissait comme au contact des akènes d'érable, sauf qu'il était impossible de l'éviter. Celles des créatures du château touchées ont poussé des cris d'agonie. Plusieurs ont paru fondre. Les autres ont abandonné les remparts.

Les offensives se sont enchaînées comme à l'exercice pendant un bon moment ; le château noir encaissait la plupart des coups échangés. Pourtant l'ennemi avait réussi à ramener des corps à l'intérieur, ce qui me laissait présager le pire.

Profitant de l'échauffourée, Asa s'est fait la belle. À mon insu. Et à l'insu général, d'ailleurs, jusqu'à ce que, quelques heures plus tard, Prêteur ne le repère comme il entrait au Lis de fer. Mais Prêteur se trouvait trop loin, et le Lis était bourré à craquer malgré l'heure tardive, car tout le quartier s'y était rassemblé autour d'un verre pendant que la violence se déchaînait sur la crête nord. Prêteur a perdu de vue le bonhomme dans la foule. J'imagine qu'Asa est allé toucher deux mots à la belle-sœur de Shed, qui l'a mis au courant de sa cavale. Nous n'avions pas pris le temps quant à nous de l'interroger, elle.

Pendant ce temps, le lieutenant reprenait la situation en main. Il a fait évacuer les blessés gisant derrière la palissade, placer les balistes en position de tir pour parer à toute nouvelle sortie, creuser des chausse-trappes. Il a envoyé des terrassiers à Qu'un-Œil en remplacement de ceux qu'il avait perdus.

Les Asservis assaillaient sans trêve le château, à un rythme toutefois un peu plus relâché. Ils avaient porté tôt leurs coups les plus dévastateurs.

Sporadiquement, deux sphères jaillissaient en mugissant depuis Duretile. J'ai appris par la suite qu'elles étaient tirées par Silence, à qui les Asservis avaient enseigné la technique.

Le pire semblait passé. Sauf les trois fugitifs pourchassés par Elmo, nous avions contenu la poussée. Le Boiteux a décroché pour partir à la recherche des trois rescapés. Murmure est retournée à Duretile pour réapprovisionner sa batterie de coups tordus. Plume patrouillait au-dessus du château et plongeait de temps à autre quand ses occupants se risquaient à sortir pour éteindre les dernières flammes encore actives. Un calme relatif s'est rétabli.

Pourtant, nul ne s'est reposé. Ils avaient ramené des corps à l'intérieur. Nous nous demandions tous s'ils en avaient moissonné suffisamment pour permettre le retour du Dominateur.

Mais c'était autre chose qu'ils manigançaient là-dedans.

Un groupe de créatures est apparu sur un rempart, qui s'est activé pour y installer un engin pointé dans l'axe de la pente. Plume a plongé.

Bam ! Elle a émis des traînes de fumée qui paraissaient éclairées de l'intérieur. Elle a tangué. *Bam !* Et *bam !* à nouveau. Trois autres détonations ont encore suivi. Après la dernière, elle n'a rien pu maîtriser.

Elle était en feu, s'est muée en comète décrivant son ellipse, a monté au loin pour retomber sur la ville. Une violente explosion s'est produite à son point d'impact. En quelques instants, un incendie s'est déclenché dans la zone du port. Le feu s'est propagé à toute allure parmi les bâtisses agglutinées.

Quelques minutes plus tard, Murmure sortait de Duretile et repassait à l'attaque à coups de poussière corrosive et de cette sorte de feu qui brûlait la matière dont était fait le château. On sentait dans sa trajectoire, dans la fièvre de son vol, toute la colère qu'avait provoquée en elle la chute de Plume.

Le Boiteux, lui, a abandonné sa chasse aux trois rescapés pour aller lutter contre l'incendie de la Cothurne. Grâce à son aide, on a pu le maîtriser au bout de quelques heures. Sans lui, le quartier entier serait peut-être parti en fumée.

Elmo a rattrapé deux des fugitifs. Le troisième s'est évanoui dans la nature. Lorsque les recherches ont repris avec l'aide des Asservis, on n'en a pas retrouvé la moindre trace.

Murmure a continué son harcèlement jusqu'à l'épuisement de ses munitions. Qui est intervenu bien après le lever du soleil. La forteresse ressemblait plus à un terril géant qu'à un château, mais l'Asservie n'en était pas venue à bout. Qu'un-Œil, quand il s'est pointé dans les parages pour chercher des outils, m'a dit qu'y régnait une activité fourmillante.

37

Génépi : Le calme

J'ai roupillé deux heures. Le lieutenant a autorisé une première moitié des troupes et des ouvriers à en faire autant, puis la seconde. À mon réveil, j'ai remarqué peu de changements, hormis la présence de Poches, envoyé par le capitaine avec mission de dresser un hôpital de campagne. Poches, jusqu'à présent, avait été assigné dans la Cothurne, où il devait se rendre populaire en dispensant des soins gratuits. Je me suis rendu au centre de soins, j'y ai trouvé une poignée de blessés et la situation en de bonnes mains, alors j'ai continué sur ma lancée pour aller voir où en étaient les travaux de siège.

Le lieutenant avait fait colmater la brèche dans la palissade et recreuser la tranchée. Sous ses directives, on les étendait toutes les deux pour parfaire l'encerclement, malgré les difficultés que cela pouvait poser sur le versant le plus raide. On construisait de nouvelles machines de guerre, plus lourdes.

Il refusait de se borner à s'en remettre aux seuls Asservis pour réduire la place forte. Il ne les estimait pas capables d'accomplir le nécessaire.

À un moment durant ma brève sieste, Candi avait acheminé des contingents de ses prisonniers. Mais le lieutenant n'a pas autorisé les civils à disposer. Il leur a donné ordre d'amasser de la terre pendant qu'il cherchait un site pour élever une rampe.

« Vous devriez aller dormir un peu, ai-je suggéré.

— Faut que je dirige le troupeau », a-t-il répondu. Il avait son idée en tête. Voilà des années qu'il n'avait pas eu l'occasion de déployer ses talents. Il y tenait. J'imagine que la présence des Asservis l'agaçait, malgré tout ce que le château noir pouvait avoir d'exceptionnel.

« C'est votre affaire, ai-je dit. Mais on risque gros si jamais ils lancent une contre-attaque et que vous êtes trop fatigué pour garder la tête claire. »

Nous communiquions à un niveau au-delà du langage. Nous étions tous moulus, harassés, et ni nos pensées ni nos actes ne suivaient un cours logique ou linéaire. Il a opiné du chef, brièvement. « Tu as raison. » Il a promené le regard sur le chantier. « Ça m'a l'air de rouler. Je descends à l'hôpital. Envoie quelqu'un me chercher en cas d'incident. »

La tente de l'hôpital se dressait non loin, à l'abri du soleil. Le ciel clair, limpide, profond, promettait une tiédeur exceptionnelle pour la saison. Je m'en réjouissais. J'en avais ma claque de grelotter. « Ne t'en fais pas. »

Il avait raison : tout roulait. C'est le cas en général quand les hommes savent quelles tâches accomplir.

De là-haut, pour le Boiteux qui avait repris ses patrouilles aériennes, le versant devait présenter l'aspect d'une fourmilière dévastée. Six cents hommes de la Compagnie supervisaient les efforts de dix fois plus d'habitants de la ville. Un tel trafic engorgeait la route à flanc de colline que la chaussée se défonçait. Malgré les émotions de la nuit et le manque de sommeil, j'ai jugé le moral des troupes excellent.

Les soldats avaient effectué un si long voyage durant lequel marcher avait été leur unique occupation qu'ils avaient accumulé une belle réserve d'énergie. Elle trouvait à s'employer à présent. Ils travaillaient avec un entrain qui gagnait les autochtones. Ces derniers paraissaient heureux de contribuer à un projet requérant les efforts concertés de milliers de personnes. Les plus réfléchis soulignaient qu'il y avait des lustres qu'on ne s'était pas lancé dans un chantier d'une telle envergure pour le bien commun à Génépi. Un citoyen a même argué qu'il y fallait voir la cause du déclin de la ville. Il estimait que la Compagnie noire et l'assaut du château noir pouvaient grandement contribuer à guérir un corps social moribond.

Cette opinion, cependant, ne faisait pas l'unanimité. Les prisonniers de Candi, surtout, nous en voulaient de les traiter comme des serfs corvéables à merci. Potentiellement, ils pouvaient nous causer de graves problèmes.

On m'a reproché ma tendance au pessimisme. À juste titre peut-être. En tout cas, elle a le mérite de limiter les déconvenues.

Contrairement à ce que j'attendais, le calme s'est maintenu plusieurs jours. Les créatures du château semblaient s'être tapies dans leurs abris. Nous avons relâché un peu nos efforts et cessé de travailler comme si tout devait être achevé le jour même.

Le lieutenant a terminé son enceinte ; elle s'étirait jusque dans la pente abrupte et contournait les tranchées de Qu'un-Œil. Il a ensuite ouvert la palissade et s'est lancé dans la construction de sa rampe. Il n'utilisait presque aucun mantelet, car il l'avait conçue en sorte qu'elle offre elle-même un abri aux ouvriers qui l'édifiaient. Elle s'est élevée rapidement de notre côté, soutenue par des piliers en pierres récupérées dans des bâtiments détruits. Les équipes de démolition, en ville, rasaient les décombres du sinistre déclenché par la chute de Plume. Il y avait plus de matériaux que nécessaire pour ce siège. L'équipe de Candi prélevait ce qui pouvait servir à reconstruire le quartier, une fois la zone déblayée.

La rampe devait s'élever à six mètres environ au-dessus de la muraille du château, et de son point culminant s'incliner jusqu'au rempart. L'ouvrage avançait plus vite que je ne l'aurais supposé. Idem pour le chantier de Qu'un-Œil. Il avait élaboré une combinaison de sortilèges qui ramollissaient la pierre et la rendait relativement friable. Sa galerie a bientôt atteint les soubassements du château.

Là, il s'est heurté à l'espèce d'obsidienne. Plus moyen d'avancer d'un pouce. Alors il a commencé d'élargir la sape.

Le capitaine en personne est venu jauger la situation. Je me demandais justement ce qu'il fabriquait. Je le lui ai demandé.

« Je m'arrange pour occuper tout le monde », m'a-t-il répondu. Il arpentait le terrain à grands pas. À la moindre inadvertance de notre part, nous le perdions de vue, il fallait le rechercher et souvent nous le retrouvions en train d'examiner une chose ou une autre qui nous paraissait futile.

« La satanée Murmure ! Elle est en train de me transformer en véritable administrateur militaire.

— Han-han ?

— Quoi, Toubib ?

— Je suis l'annaliste, vous vous souvenez ? Il serait intéressant que je note tout ça. »

Il a froncé les sourcils et braqué le regard vers une barrique d'eau pour les bêtes, à l'écart. L'eau posait problème. Il fallait en monter beaucoup pour suppléer aux maigres appoints des averses. « Elle s'arrange pour que je tienne les rênes de la ville. Que je me tape le boulot du duc et de ses pairs. » Il a décoché un coup de pied dans un caillou et l'a regardé rouler en silence. « Je m'en tire plus ou moins. Je crois que tout le monde turbine, en ville. Nourris et logés pour tout salaire, mais ils bossent. Il y en a même qui profitent de ce que la population s'active pour mener leurs propres projets. Les Veilleurs me rendent dingue. Pas moyen de leur faire comprendre que leurs épurations ne serviront sans doute à rien. »

J'ai trouvé un drôle de ton à sa remarque. Ça corroborait une impression latente : que tous ces événements lui sapaient le moral. « Pourquoi ça ? »

Il a jeté un coup d'œil à la ronde. Pas d'autochtone à portée de voix. « Pure spéculation, remarque. Rien d'officiel. Mais je crois que la Dame a dans l'intention de piller les catacombes.

— Les gens d'ici ne vont pas aimer.

— Je sais. Tu es au courant, moi aussi, Murmure et le Boiteux de même. Mais aucun ordre n'est donné. Le manque d'argent de la Dame alimente grandement nos conversations. »

Depuis toutes ces années à son service, elle nous avait toujours payés rubis sur l'ongle. Sur ce plan-là, rien à dire. Les troupes touchaient leur solde, qu'il s'agisse de mercenaires ou de l'armée régulière. Je pense qu'il devait y avoir ici ou là quelques retards. C'est presque une tradition pour les chefs d'arnaquer leurs hommes de temps en temps.

La plupart d'entre nous ne s'intéressent pas à l'argent. Nous avons dans l'ensemble des goûts frustes et peu onéreux. Je suppose que nous n'en aurions pas moins réagi si nous avions dû nous passer de solde.

« Trop d'hommes en armes sur trop de fronts, a ajouté le capitaine, songeur. Trop de conquêtes, trop rapides, et qu'il faut tenir trop longtemps. L'Empire ne fournit plus. L'effort des Tumulus a consumé ses dernières forces. Et pourtant, tout continue. Si elle écrase le Dominateur, attends-toi à ce que les choses changent.

— On a peut-être commis une boulette, hein ?

— Des tas, tu veux dire. De laquelle parles-tu ?

— D'être venus dans le Nord, d'avoir franchi la mer des Tourments.

· — Oui. Ça fait des années que j'en suis arrivé à ce constat.

— Et ?

— Et pas moyen de mettre les voiles. Pas encore. Un jour, peut-être, quand on recevra un ordre de marche pour les Cités Précieuses ou pour une quelconque destination d'où on pourra quitter l'Empire sans pour autant fuir toute contrée civilisée. » Sa voix exprimait une nostalgie démesurée. « Plus je passe de temps dans le Nord, moins j'ai envie d'y finir mes jours, Toubib. Consigne-le dans tes annales. »

Il se livrait à moi. Chose rare. Je ponctuais ses phrases de discrets grognements d'encouragement, pour qu'il continue de s'épancher. Ce qu'il a fait.

« On bosse pour le sale camp, Toubib. Je sais que ça ne devrait pas donner lieu à tergiversation. Logique. On est la Compagnie noire. On n'est ni bons ni mauvais. On est juste des soldats, des épées à louer. Mais j'en ai ma claque de nous voir systématiquement employés à de sales besognes. Si ce pillage doit se produire, il se pourrait que ce soit sans moi. Corbeau a fait le bon choix, là-bas, à Charme. Il a tout plaqué. »

J'ai avancé une idée qui me trottait dans la tête depuis des années. Une idée que je n'avais jamais considérée sérieusement tant je la trouvais chevaleresque. « Ça ne servirait à rien, capitaine. Mais on peut toujours basculer dans l'autre camp.

— Hein ? » Il s'est sorti des lointaines pensées qui l'absorbaient et m'a regardé bien en face. « Raconte pas de bêtises, Toubib. Faut pas jouer au con. La Dame écrase tous ceux qui essaient. » Il a enfoncé un talon en terre. « Comme des punaises.

— Ouais. » C'était effectivement une idée stupide à plusieurs égards dont celui, non des moindres, de la solde. On n'avait pas les moyens de nous enrôler, en face. Et puis je ne nous imaginais pas dans les rangs rebelles. Il s'agissait dans leur grande majorité d'un ramassis d'idiots, de balourds arrivistes qui espéraient grappiller quelques miettes de ce que possédait la Dame. Chérie représentait la grande exception, et elle avait valeur de symbole, un symbole plutôt désincarné et de surcroît bien mystérieux.

« Huit ans depuis le passage de la comète, a repris le capitaine. Tu connais les légendes. La Dame ne tombera pas avant l'apparition de la Grande Comète. Tu veux essayer de survivre vingt-neuf ans pourchassé par les Asservis ? Non, Toubib. Même si de cœur on était pour la Rose Blanche, on ne pourrait se permettre ce choix. Ce serait du suicide. La seule issue, c'est foutre le camp.

— Elle ne nous lâchera pas comme ça.

— Et pourquoi pas ? Pourquoi est-ce qu'elle ne se contenterait pas de ce qu'on lui a donné depuis dix ans ? On ne représente pas une menace pour elle. »

Erreur. On en représentait même une grave, ne serait-ce que parce que nous savions que la Rose Blanche était réincarnée. Et une chose était certaine pour moi, c'était qu'une fois sorti de l'Empire, soit Silence, soit moi, on divulguerait notre secret.

Évidemment, la Dame ignorait que nous étions au courant.

« Cette putain de discussion ne mène nulle part, a dit le capitaine. Je préfère ne plus en parler.

— Comme vous voudrez. Dites-moi ce qu'on va faire ici.

— La Dame arrive ce soir. Murmure prétend que l'assaut sera lancé dès que les auspices seront favorables. »

J'ai embrassé le château noir du regard.

« Non, a-t-il avancé. Ce ne sera pas du gâteau. Impossible peut-être, même avec le soutien de la Dame.

— Si elle se renseigne à propos de moi, dites-lui que je suis mort. Ou n'importe quoi d'autre. »

Ça lui a arraché un sourire. « M'enfin, Toubib, c'est ta...

— Corbeau, l'ai-je coupé. Je sais des choses sur lui qui pourraient valoir notre arrêt de mort à tous. Et Silence aussi. Évacuez-le de Duretile avant son arrivée. Ni l'un ni l'autre, on n'est de taille à affronter l'Œil.

— Et moi non plus, d'ailleurs. Parce que je sais que tu sais quelque chose. C'est un risque qu'il va falloir courir, Toubib.

— Exact. Alors ne lui insinuez rien.

— J'imagine qu'elle t'a oublié depuis belle lurette, Toubib. T'es un soldat comme les autres. »

38

Génépi : La tempête

La Dame ne m'avait pas oublié. Loin de là. Peu après minuit, Elmo, l'air sombre, est venu m'attirer dehors sans cérémonie. « Murmure est là. Pour toi, Toubib.

— Hein ? » Je n'avais rien fait pour aviver sa colère. Pas depuis des semaines.

« On veut te voir à Duretile. *Elle* veut te voir. Murmure est là pour t'y emmener. »

Vous avez déjà vu un grand gaillard pris de vapeurs ? Moi pas souvent. Pourtant il s'en est fallu de peu que je défaille. J'ai bien manqué succomber à une attaque aussi. Ma pression artérielle a dû monter en flèche. Pendant deux minutes, pris de vertige, j'ai eu la tête vide. Mon cœur tambourinait. Mon estomac m'élançait de trouille. Je savais qu'elle voulait me faire subir une séance avec l'Œil, capable d'explorer le cerveau d'un homme dans ses moindres replis et d'y percer tous ses secrets. Et pourtant je ne pouvais rien pour lui échapper. Il était trop tard pour fuir. Si seulement j'avais pu embarquer avec Prêteur sur le navire pour Vydromel !

Comme un condamné en route pour la potence, j'ai marché jusqu'à Murmure et son tapis ; je me suis installé derrière elle, accablé. Nous avons pris de l'altitude et filé dans la nuit fraîche vers Duretile.

Alors que nous survolions le port, Murmure m'a glissé par-dessus son épaule : « Vous avez dû faire une sacrée impression à l'époque, docteur. Vous êtes la première personne qu'elle a convoquée à son arrivée. »

J'ai trouvé assez de présence d'esprit pour demander : « Et pourquoi ?

— Je suppose qu'elle cherche quelqu'un pour rédiger son histoire. Comme pour la bataille de Charme. »

J'ai relevé le nez sous le coup de la surprise. Comment avait-elle su cela ? Je m'étais toujours figuré que les Asservis et la Dame ne se faisaient pas de confidences.

Elle venait de dire vrai. Pendant la bataille de Charme, la Dame m'avait traîné partout avec elle afin que les événements de la journée soient consignés tels qu'ils s'étaient produits. Elle ne m'avait demandé aucune interprétation particulière. En vérité, elle avait même insisté pour que je note strictement ce que je voyais. À peine avait-elle glissé un soupçon d'allusion au fait qu'elle serait peut-être renversée un beau jour, et qu'alors elle craignait d'être mise à mal par les historiens. Elle voulait établir des archives sans parti pris. Je n'y avais pas repensé depuis des années. C'était à ma connaissance une de ses lubies les plus singulières. Elle se moquait de l'opinion des gens à son égard, mais elle craignait que les annales puissent être déformées pour servir les fins de quelqu'un.

J'en ai conçu une infime lueur d'espoir. Peut-être voulait-elle effectivement que j'écrive ces archives. Peut-être allais-je en réchapper, après tout. Si je réussissais à me soustraire à l'Œil.

Le capitaine est venu à notre rencontre sitôt notre atterrissage sur le chemin de ronde au nord de Duretile. Un coup d'œil aux tapis déjà posés m'a appris que les Asservis étaient tous là. Même Trajet, que je pensais resté aux Tumulus. Mais Trajet avait une terrible vengeance à assouvir. Plume avait été sa femme.

Un second coup d'œil, pour le capitaine cette fois, m'a appris qu'il compatissait silencieusement à ma situation, qu'il aurait voulu dire quelque chose mais ne le pouvait pas. Je lui ai adressé un petit haussement d'épaules, espérant qu'on en aurait l'occasion plus tard. Ça n'a pas été le cas. Du chemin de ronde, Murmure m'a emmené directement voir la Dame.

Elle n'avait pas changé d'un iota depuis notre dernière rencontre. Nous autres avions tous vieilli terriblement ; elle demeurait comme figée à jamais dans la splendeur de ses vingt ans, radieuse, magnifique, avec ses somptueux cheveux noirs et son regard fascinant à en mourir. Elle rayonnait toujours d'une telle beauté qu'il était impossible de la décrire physiquement. Un portrait précis ne servirait à rien, d'ailleurs, car celle que je voyais n'était pas la véritable Dame. La femme que j'avais sous les yeux n'avait pas existé sous cette apparence pendant quatre cents ans, à supposer qu'elle ait jamais existé.

Elle s'est levée pour m'accueillir, main tendue. Je ne pouvais détacher mon regard d'elle. Elle m'a répondu par le sourire un brin moqueur dont je me souvenais si bien, évoquant la complicité d'un secret partagé. J'ai effleuré sa main et l'ai trouvée chaude, à ma grande surprise. Loin d'elle, quand elle devenait dans mon esprit un fléau abstrait, comme un tremblement de terre, je ne pouvais l'imaginer que froide, morte et meurtrière. Je l'assimilais plus à une morte-vivante sanguinaire qu'à une personne de chair et de sang, vulnérable peut-être.

Elle a souri de nouveau et m'a invité à m'asseoir. Je me suis exécuté avec une sensation de ne pas être à ma place qui confinait au grotesque, parmi cette assemblée qui comptait ni plus ni moins que les personnalités les pires du monde. Même le Dominateur était présent par l'esprit dans la salle où planait son ombre froide.

De toute évidence, je n'avais pas été convié pour participer au débat. Le capitaine et le lieutenant ont pris la parole pour la Compagnie. Le duc et le Veilleur Hardagon, également là, demeuraient aussi muets que moi. Les Asservis menaient la discussion, interrogeaient le capitaine et le lieutenant. La seule fois où l'on m'a adressé la parole, la question émanait du capitaine, qui voulait savoir comment je gérerais un éventuel afflux de blessés au combat.

Je n'ai retenu qu'une chose de cette réunion. L'assaut était prévu au petit jour le surlendemain. Il se poursuivrait jusqu'à ce que le château noir soit emporté ou que nous ne soyons plus en mesure de l'attaquer.

« Cette forteresse est comme un trou dans la coque du vaisseau de l'Empire, a déclaré la Dame. Soit nous parvenons à le reboucher, soit nous coulons tous. » Elle a coupé court aux récriminations du duc et d'Hardagon, qui regrettaient amèrement d'avoir requis son aide. Le duc était maintenant réduit à l'impuissance dans son propre domaine, et Hardagon ne détenait guère plus de pouvoir. Les Veilleurs se doutaient qu'ils seraient évincés sitôt la menace du château disparue. Bien peu de membres de la Compagnie et aucun des Asservis ne s'étaient donné la peine de masquer leur mépris pour l'étrange religion de Génépi. Pour avoir côtoyé ses habitants pas mal de temps, je dirais qu'ils ne la prenaient au sérieux qu'en réponse aux attentes des inquisiteurs, Veilleurs et autres fanatiques.

J'espérais néanmoins que la Dame prendrait son temps pour tout bouleverser. Au point d'attendre, même, que la Compagnie soit envoyée en mission ailleurs avant de s'y atteler. Jouer avec la religion des gens, c'est jouer avec le feu. Même auprès de ceux qui n'ont pas l'air convertis. La religion, ça s'inculque tôt et on ne s'en débarrasse jamais vraiment. Et ça reste un point sensible, capable de provoquer des réactions dépassant l'entendement.

L'aube du surlendemain allait se lever. Guerre totale. Efforts tous azimuts pour anéantir le château noir. Mise en œuvre dans ce but de tous les moyens de la Dame, des Asservis et de la Compagnie, quel que soit le temps nécessaire pour l'atteindre.

L'aube du surlendemain allait se lever. Mais rien ne s'est déroulé comme prévu. Personne n'avait spécifié au Dominateur qu'il était censé nous attendre gentiment.

C'est lui qui a frappé le premier, six heures avant le branle-bas, alors que la plupart des ouvriers civils et des soldats dormaient encore. À ce moment-là, le seul Asservi en alerte était Trajet, qui n'était pas le plus fervent partisan de la Dame.

Pour commencer, une de leurs sortes de vessies a fusé par-dessus les créneaux, comblant l'intervalle encore vide entre la rampe du lieutenant et la muraille. Au moins une centaine de créatures ont jailli du château et sont passées.

Trajet était aux aguets. Il avait senti quelque chose de bizarre dans la forteresse et s'attendait à du vilain. Il a plongé à toute vitesse et largué sur les assaillants sa poussière corrosive.

Bam! Bam-bam-bam! Le château l'a canardé comme feu son épouse naguère. Il a louvoyé entre les déflagrations, esquivé le pire, mais essuyé le souffle de chacune ; puis il a décroché en dégageant de la fumée, son tapis détruit.

Les détonations m'ont réveillé. Elles ont réveillé tout le camp, car elles ont éclaté en même temps que les alarmes et les ont couvertes complètement.

J'ai foncé vers l'hôpital et j'ai vu les assaillants dévaler l'escalier de la rampe du lieutenant. Trajet n'en avait arrêté qu'une poignée. Ils étaient nimbés de cette espèce d'aura protectrice que Qu'un-Œil avait déjà eu l'occasion de constater. Ils se sont déployés, cavalant sous une averse de traits décochés par nos hommes de garde. Quelques-uns se sont écroulés, mais peu. Ils ont entrepris d'éteindre toutes les lumières, à mon avis parce qu'ils voyaient mieux dans l'obscurité que nous.

Les hommes galopaient en tous sens, leurs vêtements à la main tandis qu'ils se précipitaient vers l'ennemi ou le fuyaient. Les terrassiers, pris de panique, freinaient beaucoup la riposte de la Compagnie. Plusieurs d'entre eux sont morts sous les coups de nos propres soldats, excédés de les trouver dans leurs jambes.

Le lieutenant s'est frayé un chemin dans ce chaos en braillant ses ordres. D'abord, il a dépêché des équipes sur ses batteries d'engins lourds, les a fait braquer sur l'escalier. Il a envoyé des estafettes partout pour ordonner à tous les balistes, catapultes, mangonneaux et trébuchets de viser la rampe. Ça m'a laissé perplexe jusqu'au moment où la première créature a rebroussé chemin vers le château, un cadavre sous chaque bras. Une pluie de projectiles s'est abattue sur elle, la déchiquetant complètement, éparpillant les corps et enterrant le tout.

À l'aide de trébuchets, le lieutenant a bombardé l'escalier de jarres d'huile, puis de boules de feu qui l'ont embrasé. Il a continué d'expédier huile et feu. Les servants du château ne s'aventureraient pas à travers les flammes.

Autant pour moi : le lieutenant n'avait pas perdu son temps à faire construire ses machines.

Le gaillard connaissait son affaire. Un pro. Sa préparation et sa riposte fulgurante nous ont sauvés plus qu'aucune réaction de la Dame ou des Asservis cette nuit-là. Il a contenu le front pendant ces quelques minutes cruciales.

Un furieux combat s'est engagé quand les créatures se sont rendu compte que leur retraite était coupée. Elles ont attaqué promptement, ont tenté d'atteindre les machines de guerre. Sur ordre du lieutenant, tous les sous-officiers ont rameuté leurs hommes en masse pour leur barrer le chemin. Il fallait au moins ça. Pas moins de deux hommes pour résister à chacun de ces êtres, de surcroît protégés par leur aura.

Ici ou là, un courageux citoyen de Génépi empoignait une arme abandonnée et se jetait dans la mêlée. La plupart payaient leur bravoure au prix fort, mais leur sacrifice permettait d'enrayer l'avance des créatures vers les engins.

Tout le monde savait que si elles parvenaient à s'échapper en emmenant trop de corps, c'en était fait de nous. Nous nous retrouverions alors bien vite nez à nez avec leur maître en personne.

Des sphères par deux ont commencé à jaillir depuis Duretile, illuminant la nuit de leurs terribles couleurs. Les Asservis ont surgi des ténèbres, le Boiteux et Murmure ont chacun largué un œuf qui mettait le feu à la matière du château. Le Boiteux a esquivé plusieurs tirs de barrage, décrit une ample boucle et posé son tapis près de mon hôpital en contrebas où affluaient déjà les blessés. Il m'a fallu m'y retrancher pour m'atteler au boulot qui me valait ma solde. J'ai fait relever les rabats des tentes en hauteur pour ne rien perdre du spectacle.

Le Boiteux s'est écarté de son coursier des airs et s'est mis à gravir la colline ; dans son poing, une longue épée noire jetait des éclats mauvais à la lueur de la forteresse en feu. Un halo l'enveloppait qui n'était pas sans rappeler l'aura protectrice des créatures. Le sien, toutefois, l'emportait en puissance sur le leur, comme cela s'est avéré quand, se frayant un chemin dans le tumulte, il a engagé le fer. Leurs armes ne pouvaient l'atteindre. La sienne les découpait comme du lard.

Les créatures, à ce moment-là, avaient massacré au moins cinq cents hommes. Des ouvriers pour la plupart, mais la Compagnie avait subi une vilaine saignée elle aussi. Et cette saignée s'est poursuivie même après que le Boiteux est arrivé à la rescousse, car il ne pouvait affronter qu'un adversaire à la fois. Les nôtres cherchaient désormais à occuper l'ennemi en attendant que le Boiteux puisse les rejoindre.

Les créatures ont répliqué en essayant de submerger l'Asservi, non sans un certain succès : elles se sont jetées à quinze ou vingt sur lui et l'ont cloué au sol par leur seul poids. Le lieutenant a temporairement suspendu le tir d'une partie de ses machines pour le braquer sur la pile d'assaillants, qu'il a fini par disloquer, permettant au Boiteux de se relever.

Devant cet échec, un certain nombre de créatures se sont regroupées et ont essayé de forcer le passage vers l'ouest. J'ignore si elles cherchaient à fuir définitivement ou à contourner les défenseurs pour les prendre à revers. La douzaine qui ont réussi la percée se sont retrouvées face à Murmure qui les a aspergées d'une pluie de poussière corrosive. Le nuage a tué cinq ou six ouvriers pour chaque créature du château, mais a brisé net leur élan. Cinq d'entre elles seulement ont survécu.

Devant ces cinq-là, la béance de l'au-delà s'est ouverte, exhalant le souffle glacé de l'infini. Toutes ont péri.

Murmure, simultanément, reprenait de l'altitude. Un roulement continu de déflagrations l'a poursuivie dans le ciel. Bien que meilleur pilote que Trajet, elle ne s'en est pas sortie indemne. Elle est redescendue et a fini par atterrir en catastrophe en aval du château.

Dans la forteresse elle-même, les créatures s'efforçaient avec leurs chats à neuf queues d'éteindre les foyers allumés par les Asservis. L'édifice commençait à prendre pitoyable allure, tant de sa masse était partie en fumée. Adieu la sombre, sinistre majesté de la façade qu'il arborait il y avait quelques semaines. N'en restait plus qu'un gros monticule noir et vitreux, dont il paraissait incroyable que les occupants puissent encore survivre. Pourtant, tel était le cas, et les êtres du château poursuivaient le combat. Une poignée d'entre eux sont sortis sur la rampe et ont fait quelque chose qui a rongé les brandons noirs de l'incendie déclenché par le lieutenant. Toutes les créatures à découvert se sont ruées vers leur repaire, sans oublier de ramasser au moins un cadavre au passage.

Les portes de glace se sont ouvertes à nouveau, déversant leur froidure sur l'escalier. Les ultimes foyers se sont éteints aussitôt. Beaucoup de créatures sont mortes aussi, désagrégées par les projectiles du lieutenant.

Les autres, dans le château, ont recouru à une tactique que je redoutais depuis que j'avais vu Plume se faire abattre. Elles ont dardé leur sortilège, celui qui provoquait des explosions, sur la pente.

Ça n'a pas produit exactement le même effet que les coups de boutoir qui nous avaient poursuivis, le lieutenant, Elmo, Qu'un-Œil et moi, lors de notre fameuse équipée, mais ça y ressemblait beaucoup. Ça ne dégageait ni beaucoup de fumée ni éclairs, mais creusait d'énormes cratères dont le fond était souvent rempli de bouillie sanguinolente.

Et le tout s'est produit si vite, causant un tel choc, que personne n'a vraiment eu le temps de réfléchir. Je crois que même la Compagnie aurait pris ses jambes à son cou si ça s'était prolongé assez pour qu'on ait le temps d'y réfléchir. Mais dans la confusion qui régnait, les hommes se cramponnaient au rôle pour lequel on les avait conditionnés depuis leur arrivée à Génépi. Ils tenaient le terrain et, trop souvent, y mouraient.

Le Boiteux clopinait dans la pente à toute allure comme un poulet en folie, caquetant et pourchassant celles des créatures qui n'avaient pas succombé dans l'escalier. Il en restait une vingtaine, la plupart cernées par des soldats en colère. Certaines ont été tuées par leur propre camp, car ces attroupements faisaient des cibles tentantes pour le sortilège détonant.

Des équipes du château sont apparues sur les remparts pour y installer des engins comme ceux qu'elles avaient déjà tenté d'utiliser. Cette fois, il n'y avait pas d'Asservi dans les airs pour les pilonner à mort. Pas jusqu'à ce que ce cinglé de Trajet arrive en trombe devant l'hôpital, l'air vraiment mal en point, et fauche le tapis du Boiteux.

J'avais toujours eu dans l'idée que les Asservis ne pouvaient pas utiliser les tapis de leurs collègues. À tort, visiblement, car Trajet a décollé et replongé sur le château pour le bombarder de poussière et d'un nouvel œuf incendiaire. Le château l'a encore abattu et, malgré le vacarme, j'ai entendu le Boiteux lui hurler des insultes.

Avez-vous déjà vu un gosse tracer une ligne ? Pas bien droite. Un projectile à la trajectoire aussi hésitante qu'une main d'enfant a dessiné une ligne tremblotante entre Duretile et le château noir. Elle est restée suspendue au ciel comme une corde à linge absurde, frissonnante, d'une vague couleur luminescente. Son extrémité crépitait d'étincelles au contact de l'obsidienne, comme du silex frappant du fer à la puissance mille et produisant une lumière actinique trop puissante pour être supportée à l'œil nu. Tout le versant baignait dans une clarté bleue aveuglante.

J'ai posé mes instruments et je suis sorti observer le phénomène, car en mon for intérieur je savais qu'à

310

l'autre bout de cet arc gribouillé se tenait la Dame, et qu'elle entrait en lice pour la première fois. Elle était l'incontournable, la plus puissante de tous, et si jamais le château pouvait être anéanti, ce ne serait que par elle.

Le lieutenant a dû se laisser distraire. Pendant quelques secondes, ses feux de barrage ont faibli. Une demi-douzaine de créatures se sont précipitées dans l'escalier, chacune avec deux ou trois corps. Une charge de leurs congénères a déboulé à la rencontre du Boiteux, qui s'était lancé éperdument à leurs trousses. À vue de nez, j'ai estimé qu'elles avaient réussi à ramener une douzaine de cadavres. Certains n'avaient peut-être même pas encore complètement rendu l'âme.

L'extrémité du linéament de la Dame en contact avec le château a commencé à l'ébrécher, descellant des morceaux qui irradiaient une lumière crue. De fines crevasses cramoisies se sont ouvertes sur sa façade noire, se ramifiant lentement. Les créatures qui installaient leur engin ont battu en retraite, bientôt relayées par d'autres qui ont tenté de limiter les dégâts de l'assaut. Elles n'ont pas eu de chance. Plusieurs ont été fauchées par les projectiles des batteries du lieutenant.

Le Boiteux a atteint le sommet de l'escalier, s'y est campé et a brandi son épée, silhouette éclairée en contre-jour par le sinistre qui ravageait toujours une partie du château. Un nabot géant, si vous me pardonnez cette contradiction. Plutôt petit de taille, il avait en cet instant quelque chose de grandiose. « Suivez-moi ! » a-t-il tonné, et il s'est lancé à l'assaut sur la rampe.

À mon ébahissement le plus complet, les hommes l'ont suivi. Par centaines. J'ai vu Elmo et les survivants de son escouade gravir en hâte l'escalier, se lancer à l'attaque et disparaître. Des dizaines de citoyens, les plus intrépides, ont même décidé de prendre part à l'action.

Des bribes de l'histoire de Marron Shed avaient circulé ces derniers temps ; aucun nom n'avait été cité, aucun détail précisé, mais la fortune que Corbeau et lui y avaient acquise avait été amplement exagérée. Manifestement, on avait répandu ces rumeurs en vue du moment où des effectifs considérables seraient indispensables pour réduire le château, à savoir ce moment même. Dans les minutes qui ont suivi, l'appât du gain a poussé plus d'un gueux de la Cothurne dans l'escalier.

Au pied de l'autre flanc du château, Murmure a rejoint l'avant-poste de Qu'un-Œil. Le sorcier et ses hommes étaient, bien entendu, sur le pied de guerre, mais ils n'avaient encore participé à aucun affrontement. Ils avaient laissé en plan le chantier de sape quand on s'était aperçu qu'il n'y avait moyen ni de contourner ni de briser les soubassements du château.

Murmure a apporté un de ses œufs, l'a calé contre la matière d'obsidienne dénudée par la galerie de Qu'un-Œil. Elle a déclenché le brasier qui s'est mis à ronger les fondations de la forteresse.

Ce plan, je l'ai su plus tard, était convenu de longue date. Elle avait dû se livrer à quelques acrobaties aériennes pour pouvoir poser son tapis criblé d'impacts près de Qu'un-Œil et réaliser ainsi cet objectif.

Voyant que l'attaque massive investissait le château, que la Dame fracassait les remparts délaissés, que les incendies prenaient une ampleur incontrôlée, j'ai estimé la bataille gagnée, et je me suis dit que tout était terminé sauf les pleurs. Je suis retourné dans mon hôpital pour me remettre à inciser et suturer, poser des attelles et secouer la tête devant ceux pour qui je ne pouvais plus rien. Oh, comme j'aurais souhaité avoir Qu'un-Œil à mon côté ! Il m'avait toujours aidé comme assistant, il me manquait. Non que je veuille dénigrer la compétence de Poches, mais il n'avait pas le talent du petit sorcier. Plus d'une fois, avec l'aide d'un peu de magie, Qu'un-Œil était parvenu à sauver un cas désespéré.

Un cri de joie suivi d'un hurlement m'a averti du retour de Trajet qui, réchappé de son dernier atterrissage en catastrophe, repartait une fois de plus à l'assaut de l'ennemi. Et non loin derrière sont arrivés les hommes de la Compagnie jusqu'alors postés dans la Cothurne. Le lieutenant est venu à la rencontre de Candi et l'a dissuadé de se précipiter sur la rampe. Au contraire, il a fait quadriller le périmètre et rassembler les ouvriers encore présents. Il a donné l'ordre de reconstruire ce qui pouvait l'être.

L'arme détonante continuait ses tirs sporadiques. Mais avec de moins en moins de puissance. Le lieutenant pestait bruyamment contre le manque de tapis pour aller larguer des œufs incendiaires.

Pourtant il en subsistait un. Celui de la Dame. Et j'étais persuadé que la situation ne lui échappait pas. Mais elle n'abandonnait pas sa corde de lumière fulgurante. Sans doute une priorité, de son point de vue.

Au bout de la galerie, le feu rongeait les fondations du château. Une brèche s'y est peu à peu ouverte. Qu'un-Œil a rapporté que ces flammes dégageaient très peu de chaleur. Quand Murmure a jugé le moment opportun, elle a mené ses troupes dans la forteresse.

Qu'un-Œil prétend avoir hésité à suivre le mouvement, mais un mauvais pressentiment le tenaillait. Il a regardé la phalange s'élancer, ouvriers compris, puis a contourné le château pour venir de notre côté. Il m'a rejoint à l'hôpital et m'a informé tout en travaillant.

Peu après son arrivée, l'arrière du château noir s'est effondré. La terre a tremblé. Un grondement prolongé

313

s'est répercuté le long des centaines de mètres de la pente. Très impressionnant mais peu efficace en termes de résultat. Apparemment, ça n'a pas dérangé les créatures du château pour un sou.

Des pans de la muraille frontale s'éboulaient aussi, laminées par les efforts incessants de la Dame.

Des soldats de la Compagnie continuaient d'affluer, flanqués d'escouades de la garde ducale mortes de peur, et même de Veilleurs affublés d'équipements de combat. Le lieutenant les a intégrés à ses rangs. Il n'a autorisé personne à entrer dans le château.

En émanaient d'étranges lueurs, des incandescences, tout un fracas émaillé de hurlements féroces accompagnés d'une terrible, abominable puanteur. J'ignore ce qu'il s'y passait. Je ne le saurai peut-être jamais. Il paraît que presque personne n'en est sorti.

Un étrange gémissement, rauque et sourd, presque inaudible, s'est mis à sourdre. J'en ai eu froid dans le dos avant même d'en prendre véritablement conscience. Il a grimpé dans les aigus avec une extrême et lente régularité ; son volume sonore, en revanche s'est amplifié rapidement. Il a bientôt fait trembler tout le sommet de la colline. Il montait de partout à la fois. Au bout d'un moment, il m'a semblé que ces sons produisaient du sens, comme s'il s'agissait de paroles extrêmement ralenties. J'ai distingué comme des séquences, comme des mots étirés sur plusieurs minutes.

Une pensée m'est venue en tête. Obnubilante. Le Dominateur. Il sortait.

L'espace d'un instant, j'ai eu l'impression de déchiffrer ces mots : « Ardath, espèce de chienne. » Mais cette impression s'est vite dissipée, chassée par la peur.

Gobelin s'est pointé dans l'hôpital, nous a cherchés et trouvés du regard, a paru soulagé de voir Qu'un-Œil. Il n'a pas soufflé mot et je n'ai pas eu le temps de lui

314

demander comment la bataille se déroulait pour lui. Avec un geste d'au revoir, il est reparti dans la nuit.

Silence a surgi quelques minutes plus tard, l'air sinistre. Silence, le complice de mon savoir coupable, que je n'avais pas vu depuis plus d'un an, que j'avais manqué lors de ma visite à Duretile. Il paraissait plus grand, plus maigre et blême que jamais. Il m'a adressé un hochement de tête et s'est mis à discourir à toute allure en langage des signes : Il y a un navire au port arborant une bannière rouge. Allez-y tout de suite.

« Quoi ? »

Filez immédiatement jusqu'au navire à la bannière rouge. Ne vous arrêtez que pour passer la consigne aux briscards de la Compagnie. Ordres du capitaine. Vous n'avez pas le choix.

« Qu'un-Œil...

— J'ai pigé, Toubib. Hé ! Silence ! Qu'est-ce qui se trame ? »

Par signes, Silence a répondu : Bisbille en perspective avec les Asservis. Le navire appareille pour Vydromel, d'où il faudra leur fausser définitivement compagnie. Ceux qui en savent trop doivent disparaître. Grouille. On ne rassemble que les anciens et on file.

D'anciens, il y en avait peu dans le secteur. Qu'un-Œil et moi avons pris nos cliques et nos claques et rameuté tous ceux que nous avons croisés en chemin. Un quart d'heure plus tard, notre troupe filait vers le pont du port, tous autant que nous étions un peu déboussolés. Je ne pouvais me retenir de jeter des coups d'œil derrière moi. Elmo se trouvait dans le château. Elmo, mon meilleur ami. Elmo, qui allait peut-être tomber entre les griffes des Asservis.

39

En fuite

Quatre-vingt-seize hommes ont répondu à l'appel à bord, selon les instructions. Une douzaine d'entre eux n'étaient pas concernés par l'ordre de départ, mais on ne pouvait les renvoyer. Manquaient une centaine de frères de l'époque d'autrefois, d'avant notre traversée de la mer des Tourments. Certains étaient morts sur la colline. D'autres se trouvaient à l'intérieur du château. D'autres encore n'avaient pu être retrouvés. Mais aucun des absents ne détenait d'informations compromettantes, sauf Elmo et le capitaine.

J'étais là. Silence, Qu'un-Œil et Gobelin étaient là. Le lieutenant aussi, plus perdu que quiconque. Candi, Otto, Hagop... La liste serait longue. Tous étaient là.

Sauf Elmo. Et le vieux. Un vent de mutinerie s'est mis à souffler quand Silence a annoncé que nous allions partir sans eux. Ce sont les ordres ! Ce fut tout ce qu'il trouvait à dire, et ce en langage des sourds, que la plupart des soldats ne comprenaient pas bien que nous l'utilisions depuis des années. C'était un legs de Chérie à la Compagnie, un mode de communication bien pratique pour la chasse ou le champ de bataille.

Lorsque le navire a eu appareillé, Silence a exhibé une lettre portant le sceau du capitaine. Il a convoqué les officiers présents dans la cabine du commandant de bord, où il m'a invité à lire le message à voix haute.

« *Tu avais raison à propos des Asservis, Toubib*, stipulait-il. *Ils se doutent de quelque chose et projettent de se retourner contre la Compagnie. J'ai fait ce que j'ai pu pour limiter la casse en louant ce navire afin d'emmener les frères les plus menacés en lieu sûr. Je ne vais pas pouvoir me joindre à vous. Mon absence leur mettrait la puce à l'oreille. Ne perdez pas de temps. Je ne pense pas pouvoir tenir longtemps une fois qu'ils auront découvert votre désertion. Comme Gobelin et toi le savez, on ne dissimule rien à l'Œil de la Dame.*

»Je ne sais pas si votre fuite vous sauvera. Ils vous pourchasseront, car ils me feront parler à moins que je réussisse à jouer des flûtes. J'en sais assez pour les lancer sur la piste... »

Le lieutenant m'a interrompu : « De quoi il retourne, bordel ? » Il savait que nous partagions des secrets dont il ignorait tout. « Il me semble qu'on a passé l'âge des cachotteries et autres messes basses entre nous. »

J'ai interrogé Silence du regard et dit : « Je crois qu'il est temps de mettre tout le monde au parfum, pour qu'il y ait une chance que l'information survive. »

Silence a opiné du chef.

« Lieutenant, Chérie est la Rose Blanche.

— Quoi ? Mais...

— Oui. Silence et moi, on le sait depuis la bataille de Charme. Corbeau l'a découvert le premier. C'est pourquoi il a déserté. Il voulait l'emmener aussi loin que possible de la Dame. Vous savez combien il l'aimait. Je crois que quelques autres l'ont deviné aussi. »

La révélation n'a pas fait sensation. Seul le lieutenant a été surpris. Les autres s'en doutaient.

La lettre du capitaine ne contenait rien de plus. Des adieux. La suggestion d'élire le lieutenant à sa place. Et un post-scriptum confidentiel à mon attention.

Les circonstances poussent à l'option dont tu m'avais parlé, Toubib. À moins que tu ne parviennes à semer les Asservis en filant vers le sud. Il me semblait entendre le gloussement sardonique accompagnant le commentaire.

Qu'un-Œil a demandé ce qu'il était advenu du coffre au trésor de la Compagnie. Depuis tout ce temps que nous servions la Dame, nous avions amassé une fortune en argent et pierres précieuses. Nous l'avions toujours gardée par-devers nous au fil de ces années, les bonnes comme les mauvaises – c'était, en quelque sorte, notre secrète garantie pour l'avenir.

Silence a répondu qu'il se trouvait à Duretile avec le vieux. On n'avait pas eu l'occasion de l'y récupérer.

Qu'un-Œil s'est effondré au bord des larmes. Ce coffre revêtait plus d'importance pour lui que toutes nos vicissitudes passées, présentes et à venir.

Gobelin s'est penché vers lui. Des étincelles ont jailli. Le lieutenant s'apprêtait à intervenir quand quelqu'un a pointé en coup de vent la tête dans l'encadrement de la porte. « Hé, les gars ! Montez d'urgence sur le pont, faut voir ça. » Il avait tourné les talons avant qu'on ait pu lui demander de quoi il retournait.

Nous avons tous gagné en hâte le pont supérieur.

Le courant du fleuve et le jusant avaient charrié le navire au moins à deux milles au large du port. Mais les fulgurances du château nous éclairaient encore, ainsi que Génépi, comme par une journée nuageuse.

Le château dessinait comme la base d'un geyser de feu qui s'élevait à des kilomètres en altitude. Une gigantesque silhouette se tordait dans les flammes ; ses lèvres articulaient de longs mots qui résonnaient dans le port : « Ardath, chienne ! »

J'avais donc raison.

La silhouette a levé une main, lentement, posément, et a tendu un doigt vers Duretile.

« Ils ont réuni assez de cadavres ! a glapi Gobelin. Le vieux salaud revient ! »

Les hommes regardaient, frappés de terreur pure. Moi de même, songeant seulement que nous avions eu de la chance de pouvoir fuir à temps. À cet instant, je n'éprouvais aucun sentiment à l'égard de ceux que nous avions laissés derrière nous. Je ne pouvais penser qu'à moi.

« Là ! a gémi doucement l'un d'entre nous. Oh, regardez, là ! »

Une boule de feu se formait sur la muraille de Duretile. Elle a enflé rapidement, s'est moirée d'une multitude de couleurs. Elle était magnifique, comme une lune géante de vitrail tournant lentement sur elle-même. Elle mesurait au moins deux cents mètres de diamètre quand elle s'est écartée de Duretile et s'est mise à dériver vers le château noir. La silhouette là-haut a tendu la main vers le globe, l'a saisi, mais n'a pas pu l'affecter.

J'ai gloussé nerveusement.

« Qu'est-ce que tu trouves drôle ? m'a demandé le lieutenant.

— Je pensais à ce que doivent éprouver les habitants de Génépi devant ce spectacle. Eux qui n'avaient jamais vu de sorcellerie ! »

La sphère de vitrail pivotait sur elle-même. L'espace d'un instant, elle a révélé une facette que je n'avais pas encore remarquée. C'était un visage. Celui de la Dame. Ses grands yeux de verre ont dardé leur regard vers moi, un regard qui faisait mal. Sans réfléchir, j'ai dit : « Je ne vous ai pas trahie. C'est vous qui m'avez trahi. »

Je jure tous les dieux qu'une forme de communication s'était établie. J'ai lu à quelque chose dans ses yeux qu'elle avait entendu et qu'elle était peinée par l'accusation. Et puis la facette a basculé et je ne l'ai plus revue.

Le globe a dérivé jusque dans le geyser de feu. Et y a disparu. J'ai cru entendre la voix au ralenti articuler : « Je t'ai eue, Ardath. »

« Là. Regardez, là ! » a repris le même homme. Nous nous sommes tournés vers Duretile. Au-dessus de la muraille d'où la Dame était partie vers son mari brillait une autre lumière. Pendant un moment, je suis resté incapable de distinguer ce que c'était. Puis elle a commencé à se mouvoir dans notre direction, vacillante, tantôt prenant de l'altitude, tantôt en perdant.

« C'est le tapis de la Dame, a déclaré Silence. Je l'ai déjà vu.

— Mais qui ?... » Il ne restait personne pour le piloter. Les Asservis se trouvaient tous au château noir.

L'objet prenait de la vitesse ; de cahotant, son vol est devenu incroyablement rapide. Il filait vers nous, de plus en plus vite, en perdant de l'altitude.

« Quelqu'un qui ne sait pas le manier, a estimé Qu'un-Œil. Et qui va se tuer si... »

Il venait droit sur nous, à guère plus de vingt mètres au-dessus de l'eau. Le navire opérait un ample virage afin de contourner le dernier cap qui le séparait encore du grand large.

« Peut-être qu'on le dirige sur nous. Comme un projectile. Pour nous empêcher de fuir, ai-je hasardé.

— Non, a objecté Qu'un-Œil. Les tapis sont précieux. Trop difficiles à façonner et à maintenir en état. Celui de la Dame est le dernier. S'il lui arrive malheur, même elle devra repartir à pied. »

Le tapis, descendu à dix mètres, grossissait rapidement, précédé d'un bourdonnement sonore. Il devait dépasser les deux cent cinquante kilomètres à l'heure.

L'instant d'après, il était sur nous. Il a sectionné les gréements, effleuré un mât, poursuivi sa course en tournoyant pour s'abattre sur le bras de mer cinq cents mètres plus loin. Une gerbe de gouttelettes a jailli. Il a rebondi comme un galet, ricoché de nouveau et s'est écrasé contre un pan de falaise. Son énergie motrice, jusque-là contenue par magie, s'est libérée en un éclair violet.

Pas un membre de la Compagnie n'avait prononcé un mot. Car au moment où le tapis avait percuté le gréement, nous avions pu entrevoir le visage de son pilote.

Le capitaine.

Qui peut dire son intention ? Essayait-il de nous rejoindre ? Probable. Je le soupçonnais de s'être sacrifié pour détruire le tapis et s'assurer qu'on ne nous donnerait pas la chasse. Ou peut-être était-ce avec lui-même qu'il voulait en finir, pour échapper à un interrogatoire. Ou peut-être avait-il tant de fois vu le tapis en action qu'il avait été tenté de l'utiliser lui aussi.

Qu'importe ? Il avait réussi. On ne pourrait pas nous donner la chasse avec ce tapis. Et lui-même n'aurait pas à subir l'inquisition de l'Œil.

Mais il avait échoué dans son dessein personnel. Il était mort dans les terres du Nord.

Distraits par son vol et sa fin, nous avons vogué jusqu'à l'embouchure du bras de mer, et bientôt Génépi et la rive nord ont disparu à nos regards derrière le cap. Le feu continuait à embraser le ciel au-dessus du château, affadissant les étoiles, mais il faiblissait lentement. L'aube proche ternissait son éclat. Et lorsqu'un terrible hurlement a retenti à la surface du monde, annonçant la défaite de l'un ou l'autre, nous n'avons pas pu deviner le vainqueur.

Pour nous, le résultat importait peu. Nous allions être traqués de toute façon, que ce soit par la Dame ou par son époux longtemps enterré.

Nous avons gagné la pleine mer et obliqué vers le sud. Les marins pestaient sec en remplaçant les haubans rompus par le passage du capitaine. Nous autres de la Compagnie avons gardé le silence, égaillés sur le pont, chacun plongé dans ses pensées. C'est à ce moment seulement que j'ai commencé à me tourmenter pour les camarades que nous avions laissés derrière nous.

Nous avons célébré un long office qui a duré deux jours. Nous avons pleuré tous ceux que nous avions abandonnés là-bas, mais surtout le capitaine. Chaque survivant a pris un moment pour faire son panégyrique. Il avait été chef de famille, patriarche ; notre père à tous.

40

Vydromel : En éclaireurs

Un ciel clément et des vents favorables nous ont conduits à Vydromel en peu de temps. Le commandant de bord était soulagé. Il avait été grassement rétribué d'avance pour ses peines mais il s'est bien gardé de manifester sa cupidité. Comme passagers, nous n'avions pas été des plus faciles. Les océans terrifiaient Qu'un-Œil qui, particulièrement sensible au mal de mer, avait veillé à ce que tout le monde soit aussi malade et angoissé que lui. Gobelin et lui n'avaient pas arrêté de se chercher des poux, malgré les menaces du lieutenant de les jeter tous les deux en pâture aux requins. Lui-même était d'une humeur si exécrable qu'ils le prenaient tout de même à moitié au sérieux.

Conformément au vœu du capitaine, nous avons élu le lieutenant à notre tête, et Candi comme second. Ce grade aurait dû revenir à Elmo... Nous n'avons pas baptisé le lieutenant capitaine. C'eût été inepte avec une troupe aussi amoindrie. Nous n'étions même plus assez nombreux pour former un gang de rue digne de ce nom.

Dernière compagnie franche de Khatovar. Quatre siècles d'esprit de corps fraternel et de traditions réduits à cela. Une escouade déconfite. Ça n'avait plus de sens. Ça ne paraissait pas juste. Les grands exploits de nos prédécesseurs méritaient mieux de leurs successeurs.

Le coffre au trésor était perdu, mais les annales, j'ignore dans quelles circonstances exactement, avaient été embarquées. Je suppose que Silence y avait veillé. Elles revêtaient autant d'importance pour lui que pour moi. La veille au soir de notre arrivée dans le port de Vydromel, j'ai lu à la troupe un extrait du livre de Woeg, qui a tenu la chronique de la Compagnie après sa défaite et son anéantissement presque total lors de la bataille près de Four, dans le Norssele. Seuls cent quatre soldats en avaient réchappé cette fois-là, et la Compagnie s'était pourtant reconstituée.

Ils n'étaient pas prêts à entendre ce discours. La douleur était encore trop fraîche. J'ai renoncé à terminer ma lecture.

Fraîche. Vydromel était rafraîchissante. Une vraie ville, pas un terne iceberg comme Génépi. Nous avons débarqué avec nos armes et le peu de richesse que nous avions amenées à Génépi. Les gens de la ville nous observaient avec crainte. Pourtant, nous ne fanfaronnions pas, conscients de ne pouvoir faire une démonstration de force si jamais le seigneur local nous prenait en grippe.

La présence des trois sorciers constituait notre principal atout. Le lieutenant et Candi espéraient tirer parti de leurs talents pour réunir les fonds nécessaires à la poursuite du voyage à bord d'un autre navire, et ainsi à terme gagner les contrées que nous connaissions, au-delà des côtes méridionales de la mer des Tourments. Mais ce projet impliquait en fin de périple de traverser une zone de terres contrôlées par la Dame. J'estimais plus prudent de longer la côte, de brouiller les pistes et de nous faire embaucher par quelqu'un là-bas, au moins jusqu'à ce que les armées de la

Dame resserrent leur étau. Ce qu'elles ne manqueraient pas de faire un beau jour.

La Dame. Elle m'obsédait. Il n'était que trop probable que ses armées avaient maintenant prêté allégeance au Dominateur.

Au bout de quelques heures à terre, nous avons retrouvé Prêteur et Pilier. Prêteur, arrivé deux jours avant nous seulement, avait affronté une mer démontée et des vents contraires durant son voyage. D'emblée le lieutenant s'en est pris à Pilier.

« Où est-ce que t'étais fourré, mon lascar ? » Il était clair que Pilier avait fait de sa mission des vacances prolongées. C'était bien son genre. « Tu étais supposé revenir dare-dare dès que...

— J'ai pas pu, chef. On est témoins dans une affaire de meurtre. Je suis consigné en ville jusqu'au procès.

— Une affaire de meurtre ?

— Absolument. Corbeau est mort. Prêteur m'a dit que vous étiez au courant. Bon, alors on s'est arrangés pour que le gars Bœuf porte le chapeau. Seulement, faut qu'on reste impérativement dans les parages pour le faire pendre.

— Où se trouve-t-il ? ai-je demandé.

— En taule. »

Le lieutenant lui a passé un méchant savon ; il beuglait, gesticulait sous le nez des passants qui lorgnaient nerveusement ces durs à cuire en train de s'injurier dans de drôles de langues.

« On aurait intérêt à débarrasser le plancher, ai-je suggéré. Gardons le profil bas. On a trop d'emmerdes pour se faire remarquer en plus. Lieutenant, si vous permettez, j'aimerais tailler un brin de causette avec Pilier. Peut-être les autres pourront-ils vous indiquer des planques. Pil', tu viens avec moi. Et vous aussi. »

Je désignais Silence, Gobelin et Qu'un-Œil.

« Où va-t-on ? a demandé Pilier.

— À toi de voir. Un endroit pour discuter. Sérieusement.

— D'ac'. » Il a pris la tête du groupe d'un pas vif, pressé de s'éloigner au plus vite du lieutenant. « C'est vrai tout ça ? Tout ce qu'il raconte sur ce qui s'est passé là-bas ? La mort du capitaine et tout ?

— Et comment, bordel ! »

Il a secoué la tête, accablé par l'idée que la Compagnie avait été détruite. Il a quand même fini par me demander : « Qu'est-ce que tu veux savoir, Toubib ?

— Tout bonnement ce que tu as pu apprendre depuis ton arrivée. Au sujet de Corbeau, surtout. Mais également de ce dénommé Asa. Et du tavernier aussi.

— Shed ? Je l'ai aperçu l'autre jour. Enfin, il me semble que c'était lui. Je ne m'en suis rendu compte qu'après coup. Il n'était pas sapé comme d'habitude. Ouais. Prêteur m'a dit qu'il avait foutu le camp. Comme l'autre, Asa. Lui, je crois savoir où le trouver. Le Shed, par contre... hmm, si tu veux vraiment le toper, va falloir le chercher où j'ai cru le voir la dernière fois.

— Il t'a vu, lui ? »

La question a décontenancé Pilier. Manifestement, se la poser tout seul ne lui avait pas effleuré l'esprit. Pas toujours finaud, le gars. « Je ne crois pas. »

Nous sommes entrés dans une taverne prisée par les marins étrangers. La clientèle polyglotte se composait d'une faune aussi déguenillée que nous. On entendait parler une douzaine de langues. Nous nous sommes installés autour d'une table et avons commencé à discuter dans celle des Cités Précieuses. Pilier, bien que la maîtrisant mal, la comprenait. Je doutais que quiconque ici puisse suivre notre conversation.

« Corbeau, ai-je lancé. C'est de lui que je veux que tu me parles, Pilier. »

326

Il nous a raconté une histoire qui collait d'assez près à celle d'Asa, mais dont les détails se perdaient dans un flou inévitable de la part de qui n'avait pas assisté aux événements.

« Tu crois encore à la possibilité d'une mise en scène de sa part ? a demandé Qu'un-Œil.

— Ouais. C'est moitié de l'intuition, mais j'y crois. Peut-être que je changerai d'avis quand on aura vu sur place. Vous auriez un moyen de découvrir s'il est encore en ville, les gars ? »

Ils se sont concertés et ont fini par répondre négativement.

« Pas sans disposer au préalable d'un objet qui lui aurait appartenu, a ajouté Gobelin. Or on n'en a pas.

— Dis, Pilier. Et Chérie ? Et son navire ?

— Hein ?

— Qu'est-ce qui est arrivé à Chérie après la prétendue mort de Corbeau ? Qu'est devenu son bateau ?

— Je ne sais rien de Chérie. Quant au bateau, il est amarré au quai. »

Nous avons échangé des regards autour de la table. « Si on essaie de nous empêcher de monter sur ce bateau, c'est que quelqu'un y retourne régulièrement. Ces documents dont je vous ai parlé. Asa n'avait rien pu en dire. J'aimerais bien qu'ils réapparaissent. Il n'y a qu'eux qui puissent décider la Dame à nous lâcher les basques.

— Si la Dame existe encore, a fait remarquer Qu'un-Œil. Si le Dominateur sort de sa tombe, ça craint du boudin.

— T'en fais pas. »

Sans savoir pourquoi, je m'étais fourré dans la tête que la Dame l'avait emporté. En partie parce que ça m'arrangeait de l'espérer, je suis sûr. « Pilier, on va aller fureter sur ce bateau dès ce soir. Et Chérie ?

— J'ai d'jà dit. J'en sais rien.

— Tu étais censé la chercher.

— Ouais. Mais elle s'est volatilisée, comme qui dirait.

— Volatilisée ? Comment ?

— Pas "commentî, Toubib, a coupé Qu'un-Œil qui intervenait suite à un signe vigoureux de Silence. "Commentî, on s'en fout maintenant. Quand.

— Bon d'accord. Quand, Pilier ?

— Je ne sais pas. Personne ne l'a revue depuis la nuit où Corbeau est mort.

— Dans le mille, a murmuré doucement Gobelin, la voix empreinte de gravité. Nom d'un chien, Toubib, tes intuitions se confirment.

— Quoi ? a demandé Pilier.

— Elle n'avait aucune raison de disparaître à moins de savoir ce qui allait se produire.

— Pilier, ai-je repris, est-ce que tu es allé voir où ils logeaient ? Je veux parler d'une fouille.

— Ouais. Quelqu'un m'avait devancé.

— Quoi ?

— Tout avait été nettoyé. J'ai demandé au logeur. Il m'a assuré qu'ils n'avaient pas changé d'adresse. Il avait encaissé un mois de loyer d'avance. Ce que j'ai conclu, c'est que quelqu'un, sachant Corbeau canné, avait décidé de vider sa piaule. Asa, très probablement, je me suis dit. Il avait disparu aussitôt après.

— Et ensuite, qu'est-ce que t'as fait ?

— Quoi ? Ben, je croyais que vous vouliez vous débarrasser de Bœuf, à Génépi, alors on l'a fait accuser du meurtre de Corbeau. Il y avait une foule de témoins pour affirmer qu'ils étaient à couteaux tirés. Assez peut-être pour convaincre un tribunal qu'on avait vraiment vu ce qu'on a prétendu.

— Et pour éviter de perdre Chérie de vue, tu as fait quoi ? »

Pilier a gardé le silence, le regard braqué sur ses mains. Nous autres avons échangé des regards énervés. Gobelin a grommelé : « J'avais bien dit à Elmo que c'était une connerie de l'envoyer. »

J'avais tendance à partager son avis. Il ne nous avait fallu que quelques minutes pour mettre le doigt sur plusieurs de ses bourdes.

« Pis comment ça se fait que ça te tracasse autant, Toubib ? a-t-il alors demandé. J'veux dire, après tout, on s'en bat l'œil, non ?

— Écoute, Pil'. Que ça te plaise ou pas, en se retournant contre nous, les Asservis nous ont poussés dans le camp adverse. On est de la Rose Blanche, maintenant. Qu'on le veuille ou non. Ils vont nous pourchasser. La seule chose qui rallie les rebelles, c'est la Rose Blanche. Pas vrai ?

— Si tant est qu'elle existe.

— Elle existe. Chérie *est* la Rose Blanche.

— Arrête, Toubib. Elle est sourde et muette.

— Elle est également insensible à la magie, a fait remarquer Qu'un-Œil.

— Hein ?

— Elle neutralise la magie autour d'elle. On a remarqué ça clairement à Charme. Et selon une évolution logique dans ce genre de cas, ça ne fera que s'accentuer chez elle avec l'âge. »

Je me suis rappelé avoir noté quelques bizarreries à son égard pendant la bataille de Charme, mais je n'en avais tiré aucune conclusion particulière à l'époque. « De quoi tu causes ?

— Je viens de te le dire. Certaines personnes fonctionnent en négatif. Au lieu de jouir d'un talent pour la sorcellerie, elles développent le contraire. La magie n'opère pas autour d'elles. D'ailleurs, à bien y réfléchir, c'est ce qui donne toute sa raison d'être à la Rose Blanche. Comment une enfant sourde et muette pourrait-elle en venir à défier la Dame ou le Dominateur sur leur propre terrain ? Ce n'est sans doute pas ce que la Rose Blanche originelle avait dû faire. »

Je n'en savais rien. Les histoires à son sujet ne mentionnaient ni pouvoirs ni absence de pouvoirs. « Du coup, la retrouver prend d'autant plus d'importance. »

Qu'un-Œil a renchéri d'un hochement de tête.

Pilier, lui, paraissait perplexe. Facilement largué, le gars Pilier, me suis-je dit. Puis je me suis expliqué : « Si la magie ne fonctionne pas autour d'elle, on a intérêt à la retrouver et à ne pas la lâcher d'une semelle. Alors les Asservis ne pourront rien contre nous.

— N'oublie pas quand même qu'ils disposent d'armées entières pour nous traquer.

— S'ils veulent notre peau à ce point... Oh, misère.

— Quoi ?

— Elmo. À supposer qu'il soit encore de ce monde. Il en sait assez pour lancer tout l'Empire à nos trousses. Peut-être pas tant pour nous, d'ailleurs, que dans l'espoir qu'on les mène à la Rose Blanche.

— Qu'est-ce qu'il faut faire ?

— Qu'est-ce que vous avez tous à me regarder comme ça ?

— S'il y en a un qui a l'air de piger la situation, c'est bien toi.

— Mouais. Admettons. D'abord, il faut découvrir ce que sont devenus Corbeau et Chérie. Chérie surtout. Et puis il faudrait remettre la main sur Shed et Asa, au cas où ils auraient une information utile. Faut se magner le train et décaniller de cette ville avant que l'Empire ne resserre l'étau. Sans mettre les autochtones dans la panade. Une petite table ronde avec le lieutenant s'impose. Histoire de déballer le tout aux autres, puis de monter ensemble un plan d'action précis. »

41

Vydromel : Le navire

Notre bateau, apparemment, avait été le dernier à lever l'ancre à Génépi. Nous avons attendu l'éventuel vaisseau qui nous aurait apporté des nouvelles. Il n'y en a pas eu. L'équipage du nôtre ne nous a pas fait de cadeau. Ils nous ont débinés partout. Nous étions examinés sous toutes les coutures par des autochtones méfiants, par ceux qui connaissaient du monde à Génépi et par les autorités de la ville, conscientes qu'un groupe de réfugiés à poigne pouvait leur causer des ennuis. Candi et le lieutenant géraient le problème. Nous autres, nous nous débattions pour survivre.

Les trois sorciers, Otto, Pilier, Prêteur et moi nous sommes enfoncés dans les ombres du quartier portuaire de Vydromel après minuit. Il nous a fallu éviter d'importantes patrouilles de police. Nous leur avons échappé grâce à Qu'un-Œil, Gobelin et Silence. Gobelin s'est montré particulièrement efficace. Il détenait le secret d'un sortilège capable de provoquer le sommeil.

« Le voilà », a murmuré Pilier en désignant le navire de Corbeau. J'avais déjà essayé de savoir qui réglait sa taxe d'amarrage. Sans succès.

C'était un grand et beau navire, qu'on devinait tout neuf malgré l'obscurité. Seules les lanternes réglementaires l'éclairaient : celle de proue, celle en tête du mât d'artimon, celles de bâbord et de tribord, et une dernière au bout de la passerelle où un marin solitaire se morfondait à monter la garde.

« Qu'un-Œil ? »

Il a secoué la tête. « Sais pas. »

J'ai sondé les autres. Ni Silence ni Gobelin n'avaient rien remarqué non plus.

« Bien. Gobelin, balance le jus. Ce sera le test décisif, pas vrai ? »

Il a opiné du chef. Si Chérie se trouvait à bord, son sortilège n'affecterait pas le planton.

À présent, tout le monde reconnaissait la pertinence de mes doutes sur la mort de Corbeau ; j'avais instillé le germe du doute. Pourquoi, autrement, n'avait-il pas fui beaucoup plus tôt à bord de son si précieux navire, vers une destination lointaine ? Vers les îles, par exemple.

Ces îles m'intriguaient. J'ai songé que nous pourrions réquisitionner un bateau et mettre le cap dessus. En embarquant quelqu'un qui saurait la route, bien entendu. Les îles se trouvaient fort loin, aucune liaison commerciale régulière ne les desservait. Pas moyen d'y débarquer par hasard.

« C'est bon, a dit Gobelin. Il pionce. »

Le marin sur le gaillard d'arrière s'était effondré sur un tabouret à portée de main. Il avait piqué du nez dans son bras replié contre le plat-bord.

« Pas de Chérie ? ai-je demandé.

— Pas de Chérie.

— Quelqu'un d'autre dans les parages ?

— Non.

— Allons-y, alors. Motus et fissa, évidemment. »

Nous avons traversé la jetée et gravi la passerelle. Le marin a bougé. Gobelin l'a effleuré et il a replongé dans sa léthargie. Ensuite le sorcier s'est hâté vers la proue, puis vers la poupe, vers les matelots qui montaient la garde contre les rats. Il nous a adressé un signe de tête à son retour. « Huit hommes en dessous, ils dorment tous. Je vais les plonger dans le coma. Filez devant. »

Nous avons commencé par la cabine la plus grande en supposant que ce serait celle du propriétaire. Confirmation. Elle se trouvait à la poupe, ainsi que la plupart des cabines de commandant, et se divisait en compartiments. Dans l'un d'eux, j'ai trouvé des indices prouvant que Chérie avait séjourné là. Dans celui de Corbeau, un vêtement sale abandonné depuis longtemps. L'épaisse poussière révélait que personne n'était entré dans cette cabine depuis des semaines.

Nous n'avons pas trouvé les documents que je cherchais.

En revanche, nous avons découvert de l'argent. Un joli magot. Habilement caché, mais le flair de Qu'un-Œil pour ces choses est infaillible. Nous avons donc sorti un coffre plein à ras bord de pièces d'argent.

« M'est avis que Corbeau n'aura pas besoin de tout cela s'il est mort, a dit Qu'un-Œil. Et s'il ne l'est pas, ben, pas de pot ! Ses vieux potes sont dans la dèche. »

Je trouvais ces pièces bizarres. Après un examen méticuleux, j'ai fini comprendre pourquoi. Elles ressemblaient comme deux gouttes d'eau à celles que Shed avait reçues au château noir. « Renifle-moi ça, ai-je demandé à Qu'un-Œil. Elles proviennent du château noir. Essaie de voir si elles n'ont rien qui cloche.

— Que dalle. Cet argent vaut de l'or. » Il a gloussé.

« Hmm. » Je n'avais pas de scrupules à embarquer ce pactole. Après tout c'était de l'argent sale. Ça donnait le droit de l'empocher. Il n'avait pas de provenance, comme on disait à Génépi. « Approchez, les gars. J'ai une idée. »

Je me suis mis dos à la lanterne de poupe pour observer le quai à travers la baie vitrée.

Les autres se sont attroupés autour de moi et du coffre. « Explique-toi, m'a fait Gobelin.

— Pourquoi se contenter de l'oseille ? Pourquoi ne pas s'emparer carrément de ce putain de bateau ? Que Corbeau soit mort ou qu'il prétende l'être, que voulez-vous qu'il y trouve à redire ? On pourrait en faire notre quartier général. »

L'idée a séduit Gobelin. Donc, évidemment, Qu'un-Œil a renâclé. D'autant que le navire flottait nécessairement sur cette saleté de mer. « Et l'équipage ? a-t-il objecté. Et le capitaine du port et ses hommes ? On va se retrouver hors la loi.

— Peut-être. Mais je pense qu'on est de taille à s'en accommoder. Supposons qu'on investisse le rafiot et qu'on boucle l'équipage : il n'y aura personne pour se plaindre, pourquoi le capitaine du port viendrait-il s'en mêler ?

— Tout l'équipage n'est pas à bord. Certains sont en virée.

— On les coincera à leur retour. Putain, les mecs, où sera-t-on mieux qu'ici, à même de lever les voiles en catastrophe ? Où attendre Corbeau, si jamais il doit reparaître ? »

Qu'un-Œil s'est rendu à ces raisons. Cédant à sa flemme naturelle. Mais à un pétillement dans son regard, j'ai vu aussi qu'il me devançait dans ses conjectures. « On ferait bien d'en référer au lieutenant, a-t-il dit. Les bateaux, c'est son rayon. »

Gobelin connaissait Qu'un-Œil comme s'il l'avait fait. « Ne compte pas sur moi si t'as dans l'idée de te faire pirate. Les aventures, j'en ai plein le dos. Je veux rentrer à la maison. »

Ils ont commencé à se prendre le bec, le ton est monté, si bien qu'il a fallu les faire taire tous deux.

« La priorité, c'est les jours qui viennent, ai-je grondé. Pour la suite, on aura le temps de débattre plus tard. Écoutez, on a maintenant des fringues que

Corbeau et Chérie ont portées. Vous allez peut-être pouvoir les retrouver, non ? »

Ils se sont consultés en aparté. Au bout d'un moment, Gobelin a annoncé : « Silence pense en être capable. L'ennui, c'est qu'il va devoir s'y prendre comme un limier. Accrocher sa piste et la suivre partout où Corbeau s'est rendu. Jusque sur les lieux de sa mort. S'il est bien mort. Sinon, continuer et le débusquer où il se trouvera alors.

— Mais ça... boudi, ça représente deux mois d'allées et venues.

— Les gens passent beaucoup de temps sans se déplacer, Toubib. Silence sautera ces moments-là.

— Quand même, ça risque de traîner en longueur.

— On n'a rien de mieux à te proposer. À moins qu'il ne vienne à nous. Ce qu'il n'est peut-être pas en état de faire, pour une raison ou une autre.

— D'accord, d'accord. Et le bateau ?

— On verra avec le lieutenant. S'agit maintenant de dénicher ces foutus documents, si possible. »

Nous avons fait chou blanc. Qu'un-Œil n'a rien détecté de caché nulle part. Pour en savoir plus, il allait me falloir interroger l'équipage. Quelqu'un avait certainement aidé Corbeau à débarquer la caisse.

Nous avons regagné le quai. Gobelin et Prêteur ont trouvé une planque idéale pour surveiller le bateau. Silence et Otto sont partis sur la piste de Corbeau. Nous autres avons rejoint le reste de la Compagnie et réveillé le lieutenant. Il a donné son aval pour la prise du bateau.

Il n'avait jamais beaucoup porté Corbeau dans son cœur. Je crois qu'il était plutôt motivé par des considérations pratiques.

42

Vydromel : Le réfugié

Des rumeurs et des histoires à dormir debout se répandaient rapidement dans Vydromel. Shed a eu vent de l'arrivée du vaisseau quelques heures à peine après son entrée au port.

Les nouvelles l'ont abasourdi. La Compagnie noire laminée ? Écrasée par ses propres maîtres ? Ça ne rimait à rien. Qu'est-ce qui s'était donc passé là-bas ?

Sa mère. Sal. Ses amis. Qu'étaient-ils devenus ? Si la moitié de ce qui se racontait était vrai, Génépi était un champ de ruines. La bataille contre le château noir avait dévasté la ville.

Il crevait d'envie d'aller trouver quelqu'un pour s'informer sur les siens. Mais cette envie, il l'a réprimée. Il devait oublier d'où il venait. Connaissant ce Toubib et sa bande, tout cela pouvait être une machination pour l'amener à se manifester.

Toute la journée, il s'est cloîtré dans la chambre qu'il s'était louée, tiraillé, pour enfin décider qu'il valait mieux ne rien faire. Si la Compagnie était en fuite, elle repartirait. Au plus tôt. Ses anciens maîtres mèneraient la traque.

Est-ce que les Asservis le feraient rechercher lui aussi ? Non. Ils n'avaient rien à lui reprocher. Ses crimes, ils s'en fichaient pas mal. Les Veilleurs, en revanche... Du coup il a repensé à Bœuf, qui moisissait en prison, accusé du meurtre de Corbeau. Il ne comprenait goutte à cette affaire, mais sa fébrilité l'empêchait d'essayer de l'éclaircir. D'ailleurs, la réponse pèserait bien peu dans l'équation de sa survie.

Après cette journée d'isolement, il s'est décidé à chercher un gagne-pain. Il s'est mis en quête d'une taverne où il pourrait s'associer au tenancier, préférant sur ce plan rester en terrain connu.

Il voulait cette fois un établissement mieux famé. Où il ne risquerait pas les ennuis financiers qu'il avait connus au Lis. Chaque fois que le Lis lui revenait à l'esprit, son cœur se serrait de nostalgie et de mal du pays, et il éprouvait une solitude abyssale. Certes il avait toujours mené sa vie en solitaire, mais il n'avait jamais manqué de compagnie. Il vivait son exil dans la souffrance.

Il remontait la pente d'une étroite ruelle mal éclairée, piétinant d'un pas lourd la boue laissée par une averse nocturne, quand quelque chose en périphérie de son champ de vision l'a soudain fait frémir. Il s'est arrêté net et s'est retourné si brusquement qu'il a bousculé un quidam. Tout en aidant l'homme à se relever et sans cesser de se confondre en excuses, il a gardé le regard rivé vers les ténèbres d'une venelle.

« Ma conscience me joue des tours, on dirait », a-t-il murmuré après s'être éloigné du passant. Pourtant il n'était pas dupe. Il l'avait bien vue. Et entendue, aussi, qui l'appelait doucement par son nom. Il s'est approché du passage entre les bâtiments. Mais elle ne l'avait pas attendu.

Un pâté de maisons plus loin, secoué d'un rire nerveux, il a essayé de se convaincre qu'il n'avait été que la victime de son imagination. Qu'est-ce que les créatures du château pourraient bien fiche à Vydromel ? Elles avaient été anéanties... Pourtant, les fuyards de la Compagnie, comment pouvaient-ils en être si sûrs ?

Puisqu'ils s'étaient sauvés avant la fin du combat. Ils ne pouvaient qu'espérer la victoire de leurs chefs, parce que le camp adverse était encore pire que le leur.

Allons, c'était idiot. Comment cet être aurait-il pu arriver jusque-là ? Aucun commandant n'aurait embarqué à son bord un monstre pareil.

« Shed, tu te ronges les sangs pour rien. »

Il est entré dans une taverne à l'enseigne du Verre Rubis, tenue par un certain Selkirk. Le logeur de Shed lui avait chaudement recommandé les deux.

Leur discussion a été fructueuse. Shed a accepté de revenir l'après-midi suivant.

Shed buvait un coup avec son futur associé. Sa proposition devait être attrayante, car Selkirk, intéressé, lui vantait maintenant le Verre Rubis. « La salle se remplira de nouveau le soir, une fois dissipé le climat de peur actuel.

— De peur ?

— Ouais. Des gens ont disparu dans le quartier. Cinq ou six personnes la semaine dernière. Après le coucher du soleil. Elles n'avaient rien des victimes classiques de gangs de racketteurs. Du coup, les gens ne sortent plus. Et en soirée, on tourne au ralenti. »

La température a chuté de dix degrés. Shed, raide comme une planche, le regard vide, sentait sa vieille angoisse s'insinuer en lui comme un serpent. Machinalement, il a porté la main à son amulette, cachée sous sa chemise.

« Hé, Marron, qu'est-ce que t'as ?

— C'est comme ça que tout a débuté à Génépi, a-t-il murmuré sans s'en rendre compte. À la différence près qu'il ne s'agissait que de cadavres. Mais ils voulaient des vivants. De préférence. Je dois partir.

— Shed ? Qu'est-ce qui se passe, bordel ? »

338

Il est revenu à lui momentanément. « Euh, pardon, Selkirk. Ouais. On a conclu un marché. Mais je dois m'assurer d'une chose au préalable. Un truc à vérifier.

— Quoi ?

— Qui n'a rien à voir avec toi. Avec nous. Pour ce qui nous concerne, ça roule. J'amènerai demain mes affaires et on ira ensemble voir qui de droit pour conclure le contrat légalement. Mais pour l'heure, une autre affaire pressante m'appelle. »

Il est sorti de la taverne presque au pas de course, se demandant ce qu'il devait entreprendre, par quoi commencer, se demandant même si ses hypothèses tenaient debout. Mais il était sûr que ce qui s'était produit à Génépi allait se réitérer à Vydromel. Et bien plus vite si les créatures se chargeaient elles-mêmes de leurs collectes.

Il a effleuré son amulette à nouveau. Quelle protection offrait-elle ? S'agissait-il d'un talisman puissant ou simplement d'une promesse ?

Il est revenu tout droit à sa pension, où d'autres hôtes ont patiemment répondu à ses questions, sachant qu'il n'était pas de la ville. Il s'est renseigné au sujet de Corbeau. On avait beaucoup parlé dans la cité de ce meurtre et de ce policier étranger, accusé par ses propres hommes. Mais personne ne savait rien. Personne n'avait assisté à la mort de Corbeau à part Asa. Or Asa se trouvait à Génépi. Mort lui aussi, probablement. La Compagnie noire s'était sûrement débarrassée d'un témoin potentiellement dangereux.

Il a jugulé son envie de foncer voir les survivants. Qui savait s'ils ne voudraient pas le liquider lui aussi ?

Il devrait donc se débrouiller seul.

Pour commencer, il fallait retourner sur les lieux de la mort de Corbeau. Qui pouvait le guider jusque-là ? Asa. Oui, mais Asa n'était pas là. Qui d'autre ? Bœuf peut-être ?

Ses tripes se sont nouées. Bœuf était l'incarnation de ce qui lui inspirait les pires frayeurs là-bas, à Génépi. Soit, il était ici sous les verrous, mais il n'en restait pas moins un terrible symbole. Serait-il seulement capable de se confronter à ce type ?

Et est-ce que ce type lui dirait quelque chose ?

Trouver Bœuf ne posait pas de difficulté. Une prison, ça ne se promène pas dans la nature. Trouver le courage d'un face-à-face, même séparé par des barreaux, ça, c'était autre chose. Mais la menace pesait sur la ville entière.

Shed souffrait le martyre. La culpabilité le minait. Les crimes qu'il avait commis le taraudaient au point qu'il ne se supportait plus. Des crimes qu'il ne pouvait plus racheter. Pourtant, cette occasion...

« Quel imbécile tu fais, Marron Shed, se disait-il. Au diable cette histoire ! Vydromel se défendra bien toute seule. Fiche le camp ailleurs. »

Mais quelque chose de plus impérieux que sa couardise l'empêchait de fuir. Et il ne s'agissait pas que d'une exigence intérieure. Une créature du château noir était apparue à Vydromel. Deux hommes qui avaient commercé avec le château étaient venus dans cette ville. Impossible de n'y voir qu'une coïncidence. Supposons qu'il prenne ses jambes à son cou. Qu'est-ce qui empêcherait les créatures de surgir à nouveau, où qu'il aille ?

Il avait pactisé avec un démon. D'une façon tout irrationnelle, il sentait que le filet dans lequel il était pris ne pouvait être détruit que maille à maille.

Le Shed trouillard de tous les jours s'est enfoncé dans les méandres de son propre esprit pour aller quérir sur son trône le Shed qui avait affronté Krage, son persécuteur, et avait fini par le tuer.

Il n'a gardé aucun souvenir des calembredaines imaginées pour franchir les postes de garde, toujours est-il qu'à grand renfort de boniments, il a réussi à se frayer un chemin jusqu'à Bœuf.

L'inquisiteur n'avait rien perdu de sa fougue. Il s'est approché des barreaux en crachant et promettant à Shed une mort à petit feu.

« Tu ne décideras plus du sort de personne, à part peut-être d'un cancrelat de ta cellule, a rétorqué Shed. Alors ferme-la et écoute-moi. Oublie qui tu étais et rappelle-toi où tu te trouves. Je suis ton seul espoir de sortir d'ici. » Shed n'en revenait pas. Se serait-il seulement montré moitié moins incisif sans la présence des barreaux ?

Le visage de Bœuf s'est vidé de toute expression. « Je t'écoute, parle.

— J'ignore quels échos ont pu te parvenir ici. Aucun, j'imagine. Laisse-moi te résumer la situation. Le gros de la Compagnie noire a déboulé après ton départ de Génépi. Ils ont pris le pouvoir. Leur Dame, ou quel que soit son nom, est arrivée en ville. Ils ont attaqué le château noir. Je ne sais pas comment l'affaire a tourné. À en croire les rumeurs à Vydromel, la ville a été anéantie. Pendant les combats, certains de la Compagnie ont réquisitionné un navire et se sont réfugiés ici, vu que leurs maîtres entendaient se retourner contre eux. Pourquoi ça ? mystère. »

Bœuf ne le quittait pas du regard, perplexe. « C'est la vérité ?

— D'après ce que j'ai pu entendre dire.

— Ce sont ces salauds de la Compagnie noire qui m'ont fait boucler. Un coup monté. Je ne me suis battu qu'une fois avec Corbeau, et c'est lui qui a failli m'assassiner.

— Il est mort maintenant. » Shed a rapporté ce qu'Asa avait vu. « J'ai ma petite idée sur ce qui l'a tué et pourquoi. Ce que j'ai besoin de savoir, c'est où ça s'est produit. Pour confirmer mes soupçons. Si tu me le dis, j'essaierai de te sortir de là.

— Je n'en ai qu'une notion approximative. Je sais où je les ai rattrapés, lui et Asa, et je sais quelle direction ils ont prise pour fuir. Ça devrait t'aider à circonscrire sérieusement le périmètre. Pourquoi est-ce que tu veux le savoir ?

— Je pense que les servants du château ont inoculé un truc à Corbeau. Comme un germe. C'est ce qui l'a tué. De même que l'homme qui avait apporté le germe initial à Génépi. »

Bœuf a froncé les sourcils.

« D'accord, ça paraît tiré par les cheveux. Mais écoute encore : l'autre jour, j'ai vu une de ces créatures près d'où je loge. Elle m'espionnait. Attends, je sais à quoi elles ressemblent. J'en ai déjà vu de près. Et puis les disparitions reprennent. Peu nombreuses encore. Insuffisantes pour causer la panique, mais suffisantes pour effrayer la population. »

Bœuf s'est rencogné dans le fond de sa cellule, assis par terre, dos contre le mur. Il est resté silencieux plus d'une minute. Shed attendait nerveusement.

« Qu'est-ce que tu cherches au juste, tavernier ?

— À m'acquitter d'une dette. Bœuf, la Compagnie noire m'a séquestré un certain temps. J'en ai appris long sur ce château. Les plus pessimistes tablaient en dessous de la réalité. C'était une sorte de porte. Par laquelle un être appelé le Dominateur essayait d'accéder au monde. J'ai contribué à la croissance de cette monstruosité. Je l'ai aidée à atteindre cette taille inquiétante, ce qui a alerté et attiré la Compagnie noire et ses satanés sorciers. La destruction de Génépi, j'en suis responsable plus que n'importe qui. Maintenant la même menace pèse sur Vydromel. Je dois empêcher ça. Si je peux. »

Bœuf a ricané. Le ricanement s'est mué en gloussement. Le gloussement en gros rire.

« Alors crève donc ici ! a crié Shed, qui a tourné les talons pour partir.

— Attends ! » Shed s'est retourné.

Bœuf a maîtrisé son hilarité. « Désolé. C'était tellement incongru. Toi, si vertueux... Mais bon, je te crois de bonne foi. D'accord, Marron Shed. Tente ton possible. Et si tu parviens à me sortir d'ici, peut-être que j'oublierai de te ramener à Génépi.

— Il n'y a plus de Génépi où me ramener, Bœuf. On raconte que la Dame projette de piller les catacombes quand elle en aura fini avec le château noir. Tu vois d'ici le résultat. Une émeute à tout casser. »

La belle humeur de Bœuf s'est évanouie d'un coup. « Tout droit sur la route de Cornet, après la borne du dix-huitième kilomètre. Prends sur la gauche le premier chemin de ferme, au niveau d'un chêne mort. Continue au moins neuf kilomètres dans cette direction. Dépasse largement les fermes. C'est en rase campagne. Je te conseille d'y aller armé.

— Armé ? » Shed grimaçait un large sourire de faux cul. « Marron Shed n'a jamais eu le cran d'apprendre à se servir d'une arme. Merci.

— Ne m'oublie pas, Shed. Mon procès débutera la première semaine du mois prochain.

— M'en souviendrai. »

Shed a mis pied à terre et continué en menant par la longe sa mule de location lorsqu'il a estimé s'être éloigné d'à peu près neuf kilomètres sur la route de Cornet. Il a continué environ sept cents mètres. Le chemin, à peine mieux tracé qu'une sente à bestiaux, sinuait dans un paysage rocailleux parsemé de bois de feuillus. Rien n'indiquait de façon flagrante que ce layon ait jamais été emprunté par des gens. Bizarre. Qu'est-ce que Corbeau et Asa étaient venus faire dans ce coin ? Il ne voyait aucune explication sensée. Asa avait prétendu qu'ils fuyaient Bœuf. Dans ce cas, pourquoi n'avaient-ils pas filé tout droit sur la route de Cornet ?

Il avait les nerfs à vif. Il a palpé son amulette, le couteau dissimulé dans sa manche. Il s'était payé – au diable l'avarice ! – deux armes de corps à corps : un poignard qu'il portait à la ceinture et un autre dans sa manche.

Ils stimulaient médiocrement sa confiance.

La piste s'incurvait en descendant jusqu'à un ruisseau, le longeait sur plusieurs centaines de mètres et débouchait sur une vaste clairière. Shed a bien failli s'y avancer. C'était un citadin. Sa conception de la nature à l'état sauvage se bornait à ce qu'il connaissait de la Clôture.

Un réflexe inné de prudence l'a retenu en lisière de clairière. Il s'est laissé choir sur un genou, a écarté les broussailles et laissé échapper un juron sourd : la mule l'avait suivi et le poussait du museau.

Il avait vu juste.

Un gros bloc noir se dressait là. De la taille d'une maison, déjà. Shed voyait des visages figés dans des hurlements de terreur et d'agonie.

Ce fond de val faisait un emplacement idéal. Vu sa vitesse de croissance, il aurait atteint la taille critique avant que quiconque l'ait remarqué. Sauf malencontreux hasard. Or le malencontreux découvreur aurait tôt fait d'en devenir partie intégrante.

Le cœur de Shed tambourinait. Il brûlait d'envie de rentrer à Vydromel au galop pour crier dans les rues la menace qui planait sur la ville. Il en avait vu assez. Il savait ce qu'il avait voulu découvrir. Temps de décaniller.

Pourtant il s'est avancé lentement. Il a lâché la longe de sa mule, mais la bête le suivait toujours, appâtée par les hautes herbes. Shed s'est approché prudemment du bloc noir, par avancées successives de quelques pas. Rien ne s'est produit. Il en a fait le tour.

Sa forme se dessinait nettement. De la forteresse qui surplombait Génépi, il serait la parfaite réplique, mis à part son orientation qui répondait à la configuration du terrain. Son portail s'ouvrirait vers le sud. Un sentier bien frayé menait à un trou qui s'ouvrait au ras du sol. Nouvelle confirmation de ses soupçons.

D'où étaient sorties les créatures ? Voyageaient-elles par le monde à leur guise, hantant la nuit à l'insu de tous sauf de ceux avec qui elles négociaient ?

Comme il s'en retournait par où il était venu, son pied a buté contre un obstacle.

Des ossements. Des ossements humains. Un squelette – crâne, bras, jambes, une partie du thorax manquait. Encore vêtu d'atours qu'il avait vu Corbeau porter des centaines de fois. Il s'est agenouillé. « Corbeau. Je te détestais. Mais je t'adorais aussi. Tu étais le pire salaud qu'il m'a été donné de croiser. Et le meilleur ami que j'ai jamais eu. C'est grâce à toi que j'ai commencé à penser en homme. » Ses yeux se sont mouillés de larmes.

Il a fouillé ses souvenirs d'enfance et fini par se rappeler la prière pour le passage du mort. Il s'est mis à la fredonner d'une voix qui n'avait jamais su moduler aucune mélodie.

Il y a eu un bruissement d'herbe, un seul, juste à la limite de l'audible. Une main s'est posée sur son épaule. Une voix a prononcé son nom : « Marron Shed. »

Il a poussé un glapissement et saisi son poignard à sa ceinture.

43

Vydromel : Piste tiède

J'ai passé une sale nuit après notre équipée sur le navire de Corbeau. Une nuit troublée de mauvais rêves. De cauchemars, en somme. J'ai tout gardé pour moi à mon réveil, les autres ayant déjà bien assez de problèmes et d'angoisses.

Elle était venue me rendre visite pendant mon sommeil. Pour la première fois depuis notre terrible retraite pour aller nous retrancher à Charme sous la pression des rebelles, voilà si longtemps. Elle est venue sous la forme d'une silhouette de lumière qui me paraissait réelle tant elle irradiait la chambrée et éclairait les cinq hommes avec qui je la partageais, tandis qu'étendu, le cœur battant, je la contemplais, incrédule. Les autres n'ont pas réagi, et par la suite je me suis demandé si je n'avais pas été le jouet de mon imagination. Exactement comme lors de ses précédentes visites.

« Pourquoi m'as-tu abandonné, docteur ? T'ai-je jamais mal traité ? »

Déconcerté, confus, j'ai répondu d'une voix rauque : « C'était partir ou mourir. Nous n'aurions pas fui si nous avions eu le choix. Nous avons servi votre cause avec dévouement, affronté des dangers, traversé des épreuves parmi les pires de l'histoire de notre Compagnie. Nous avons marché jusqu'au bout du monde pour vous, sans une plainte. Et quand, arrivés dans la ville de Génépi, nous avons perdu la moitié de nos hommes pour tenter d'enlever le château noir, ç'a été pour apprendre que nous finirions massacrés pour toute récompense. »

Le merveilleux visage s'est matérialisé dans l'aura dorée. Un visage sublime marqué de tristesse. « Murmure et Plume avaient pris cette décision. Pour des raisons personnelles. Mais Plume n'est plus et j'ai maté Murmure. Je n'aurais en aucun cas permis ce crime. Vous étiez mon outil de prédilection. Je n'aurais souffert aucune machination des Asservis à votre encontre. Revenez.

— Il est trop tard, ma Dame. Les dés sont jetés. Trop d'hommes valeureux sont morts. Notre flamme s'est éteinte. Nous avons vieilli. Nous n'avons plus qu'un désir : retourner dans le Sud nous reposer sous un soleil plus chaud et oublier.

— Revenez. Il reste beaucoup à accomplir. Vous êtes mon outil entre tous. Je vous récompenserai comme jamais mercenaires ne l'ont été. »

Je ne reniflais pas le moindre soupçon de fourberie. Mais qu'en déduire ? Elle avait tant d'expérience. Elle avait dupé son mari, qui était amplement plus difficile à emberlificoter que moi.

« Il est trop tard, ma Dame.

— Reviens, docteur. Toi, au moins. J'ai besoin de ta plume. »

J'ignore ce qui m'a poussé à dire ce qui a suivi. Ce n'était pas la plus sage déclaration, si elle éprouvait tant soit peu de bienveillance à notre égard, tant soit peu de scrupules à nous tomber dessus sauvagement.

« Nous ferons une dernière chose pour vous. Parce que nous sommes vieux, usés et fatigués de la guerre. Nous ne nous retournerons pas contre vous. Si vous en faites autant. »

L'aura suintait la tristesse. « Je suis désolée. Sincèrement désolée. Tu étais l'un de mes préférés. Un éphémère qui m'intriguait. Non, docteur. Il ne peut en être ainsi. Tu ne peux rester neutre. Tu en serais incapable. Tu seras pour ou contre moi. Il n'y a pas de juste milieu. »

Et sur ce, le halo doré s'est dissipé et j'ai replongé dans un profond sommeil – si tant est que j'avais été éveillé.

À mon réveil, je me sentais dispos mais inquiet, incapable, d'abord, de me souvenir de cette entrevue. Puis ça m'est revenu comme une gifle. Je me suis habillé en hâte et j'ai couru voir le lieutenant. « Lieutenant, il faut qu'on accélère le mouvement et qu'on décampe. Elle a gagné. Elle va se lancer à nos trousses. »

Il a eu l'air déconcerté. Je lui ai rapporté ma vision de la nuit. Il a commencé par prendre mon histoire à la légère, jusqu'à ce que je lui confie qu'il y avait eu un précédent, lors de la longue retraite ponctuée d'escarmouches qui avait attiré le gros des forces rebelles dans le traquenard de Charme. Il ne voulait pas me croire, mais n'osait pas faire autrement. « Sors et trouve-moi cet Asa, dans ce cas, m'a-t-il dit. Candi, on s'empare du bateau ce soir. Toubib, fais passer la consigne. On larguera les amarres dans quatre jours, que vous ayez trouvé Corbeau ou non. »

J'ai bafouillé une protestation. La priorité, désormais, c'était de trouver Chérie. Chérie était notre espoir. « Pourquoi quatre jours ? ai-je demandé.

— Le voyage depuis Génépi nous a pris quatre jours. Avec des vents favorables et une mer calme tout du long. Si la Dame s'est mise en route juste après ton refus, elle n'arrivera pas avant ce délai. Alors c'est celui que je vous laisse. Ensuite on hissera les voiles. Quitte à croiser le fer pour partir.

— D'accord. » Ce n'était pas à mon goût, mais c'était lui qui prenait les décisions. On l'avait élu pour ça. « Hagop, trouve Pilier. On part à la recherche d'Asa. »

Hagop a filé comme s'il avait le feu aux fesses. Il a ramené Pilier quelques instants plus tard. Pil' pestait parce qu'il n'avait pas eu le temps de manger ni de dormir ses huit heures.

« La ferme, Pil'. On est dans un joli merdier. » Je lui ai exposé la situation, même si c'était superflu. « Emporte quelque chose à grignoter en chemin. Il faut trouver Asa. »

Hagop, Pilier, Qu'un-Œil et moi avons filé dans la rue. Comme toujours, nous n'avons pas manqué d'attirer l'attention des marchands matinaux, non seulement parce que nous venions de Génépi, mais aussi parce que Qu'un-Œil était une curiosité de la nature pour eux. On n'avait jamais vu d'homme à la peau noire à Vydromel. Voire même entendu dire qu'il en existait.

Pilier nous a guidés sur un bon kilomètre de ruelles sinueuses. « Je suppose qu'il a dû rester terré dans le même quartier. Celui qu'il connaît. Vu qu'il n'est pas bien malin, ça ne lui sera pas venu à l'esprit de déménager à l'annonce de votre arrivée. Il doit se contenter de se ratatiner dans son trou jusqu'à notre départ. Il s'imagine sûrement qu'on va devoir plier bagage très vite. »

Le raisonnement me paraissait de bon sens. Nous en avons eu confirmation. Après avoir interrogé quelques personnes qu'il avait croisées lors de ses précédentes enquêtes dans le secteur, Pilier a effectivement découvert qu'Asa se planquait dans le quartier. Nul n'a pu nous préciser où, cependant.

« On va le savoir vite fait », a déclaré Qu'un-Œil. Il s'est campé sur le perron d'une porte et a exécuté quelques tours de magie bien tape-à-l'œil. Les gosses des parages se sont arrêtés pour le spectacle. Les rues de Vydromel regorgent de marmaille.

« On s'éloigne », ai-je ordonné aux autres. Nous devions avoir de quoi intimider les petits. Nous avons remonté la rue et laissé Qu'un-Œil drainer son public.

Il leur en a mis plein la vue. Évidemment. Et un quart d'heure plus tard, il nous a rejoints suivi d'une ribambelle de gamins des rues. « C'est réglé, a-t-il annoncé. Mes petits amis vont nous montrer où il est. »

Il m'épate parfois. J'aurais juré qu'il détestait les mioches. Je veux dire, à chaque fois qu'il en parle, ce qui doit arriver une fois par an à tout casser, c'est pour savoir s'ils ont meilleur goût rôtis ou bouillis.

Asa se cachait dans un établissement comme il s'en trouve dans les taudis du monde entier. Sordide et inflammable. J'imagine que la possession d'argent n'avait en rien modifié ses habitudes. Contrairement à ce vieux Shed, qui perdait les pédales dès qu'il avait quelques sous en poche.

Le bâtiment n'avait qu'une sortie, par laquelle nous sommes entrés. Les gamins nous ont suivis. À mon corps défendant, mais que pouvais-je y faire ?

Nous nous sommes engouffrés dans la chambre qu'Asa avait investie comme son chez-lui. Il était étendu sur une paillasse dans un coin. Un autre type cuvait son vin à côté, dans une mare de vomi. Asa, recroquevillé en boule, ronflait. « Il est l'heure de se lever, mon mignon. » Je l'ai secoué doucement.

Il s'est raidi sous ma main. Ses yeux se sont écarquillés d'un coup. Et se sont aussitôt remplis d'effroi. Il m'a fallu le maintenir à terre pour l'empêcher de se lever d'un bond.

« Te voilà repris », ai-je dit.

Il suffoquait. Incapable de prononcer un mot.

« Du calme, Asa. Tout va bien se passer. On veut seulement que tu nous indiques où Corbeau est mort. » Je l'ai relâché.

Il s'est retourné, nous a regardés comme un chat acculé par une meute de chiens. « C'est toujours le même refrain avec vous autres : vous voulez seulement savoir un truc, soi-disant.

— Sois chic, Asa. On n'a pas envie d'user des grands moyens. Mais on y viendra si tu nous y forces. On n'a que quatre jours avant que la Dame n'arrive ici. On doit retrouver Chérie avant. Et tu vas nous y aider. Ce que tu feras ensuite ne regarde que toi. »

Qu'un-Œil ronchonnait dans sa barbe. Il aurait bien vu Asa finir la gorge tranchée. Le petit bonhomme ne méritait pas mieux, de son point de vue.

« Descendez la route de Cornet. Tournez à gauche à la première ferme après la borne du dix-huitième kilomètre. Continuez vers l'est et vous y arriverez. C'est à dix kilomètres à peu près. À un moment le chemin se transforme en sentier. Ne vous en souciez pas. Continuez et vous y êtes. » Il a refermé les yeux, s'est retourné et a fait mine de se rendormir dans un ronflement.

J'ai adressé un signe à Hagop et Pilier. « Levez-le.

— Hé ! a couiné Asa. Je viens de vous donner le tuyau. Qu'est-ce que vous voulez de plus ?

— Que tu nous accompagnes. Au cas où.

— Au cas où quoi ?

— Où tu mentirais et où j'aurais besoin de te mettre la main au col rapidement. »

Qu'un-Œil a ajouté : « On ne croit pas que Corbeau soit mort.

— Je l'ai *vu*.

— Tu as vu quelque chose, ai-je répliqué. Mais ce n'était pas Corbeau, à mon avis. On y va. »

Nous l'avons empoigné par les bras. J'ai chargé Hagop de dénicher des montures et des vivres, puis envoyé Pilier prévenir le lieutenant que nous ne serions pas de retour avant le lendemain. À Hagop j'ai donné une poignée de pièces puisées dans le coffre de Corbeau. Asa a légèrement écarquillé les yeux. Il reconnaissait cette monnaie, même s'il ignorait d'où nous la sortions.

« Pouvez pas m'obliger, les gars, s'est-il regimbé. Vous n'êtes rien de plus que moi. Quand on sera dans la rue, suffira que je me mette à crier pour que...

— Pour que tu le regrettes aussi sec », l'a coupé Qu'un-Œil. Il a fait quelques gestes brefs. Une lueur violette et douce a nimbé ses doigts, fusionnant en une forme serpentine qui s'est mise à se contorsionner au-dessus et au-dessous de ses mains. « Ce petit ami peut te rentrer dans le crâne par l'oreille et te dévorer les yeux de l'intérieur. Tu ne pourras pas crier assez fort ni assez vite pour m'empêcher de te le lâcher. »

Asa a dégluti et s'est aveuli.

« Tout ce que je veux, c'est que tu me montres l'endroit, ai-je dit. Et vite. Je n'ai pas beaucoup de temps. »

Asa a cédé. Il s'attendait au pire de notre part, évidemment. Il avait fréquenté trop de salauds plus vicieux que nous.

Hagop s'est procuré les chevaux en moins d'une demi-heure. Pilier nous a rejoints dans celle qui a suivi. Ce sacré Pilier n'avait pu s'empêcher de lambiner. À son arrivée, Qu'un-Œil lui a jeté un regard si noir qu'il a blêmi et tiré à moitié son épée du fourreau.

« On se met en route », ai-je grondé. Je ne souffrais pas de voir la Compagnie s'en prendre à elle-même comme un animal blessé mordant son propre flanc. J'ai entraîné tout le monde d'un pas énergique, espérant que cette allure fatiguerait mon équipe et tuerait dans l'œuf toute querelle.

Les renseignements d'Asa concernant l'itinéraire se sont avérés exacts et faciles à suivre. J'en ai manifesté du contentement, il s'en est rendu compte et a aussitôt demandé la permission de rebrousser chemin.

« Comment se fait-il que tu veuilles tant éviter de retourner là-bas ? Qu'est-ce qui t'y fait si peur ? »

Il a fallu lui mettre un peu de pression : Qu'un-Œil a produit son serpent violet pour lui délier la langue.

« J'y suis revenu après mon retour de Génépi. Parce que vous autres ne m'aviez pas cru à propos de Corbeau. Je me suis dit que vous aviez peut-être raison et qu'il m'avait roulé, d'une façon ou d'une autre. Dans ce cas je voulais découvrir comment. Et...

— Et ? »

Il nous a sondés du regard l'un après l'autre, essayant d'évaluer notre humeur. « Il y a un autre de ces machins, là-bas. Il n'y en avait pas quand il est mort. Mais maintenant si.

— Un machin ? ai-je demandé. Quel genre de machin ?

— Comme le château noir. Il s'en dresse un à l'endroit même où il est mort. En plein milieu de la clairière.

— Ça pue le mensonge ! a aboyé Qu'un-Œil. Il essayait de nous y envoyer tête baissée. Je vais liquider ce type, Toubib.

— Non, pas question. Fiche-lui la paix. » Pendant le kilomètre qui a suivi, j'ai tiré les vers du nez d'Asa. Il ne m'a rien appris de plus qui vaille.

Hagop, éclaireur émérite, cheminait en tête. Il a levé la main. Je suis allé le rejoindre. Il m'a montré du crottin sur le sentier. « Une monture de grande taille. Mule ou cheval de labour.

— Asa !

— Hein ? » Le petit homme glapissait.

« Qu'est-ce qui se passe devant nous ? Qui est le type qui nous précède ?

— Y a rien devant. Que je sache. Ou peut-être un chasseur. Ils approvisionnent le marché en gibier.

— Peut-être.

— Sûr, a appuyé Qu'un-Œil d'un ton sarcastique tout en jouant avec son serpent violet.

— Dis, Qu'un-Œil, et si tu la mettais en sourdine ? Non, je veux dire, c'est pas le moment d'alerter qui que ce soit. Asa, on est encore loin ?

— Trois bornes en tout et pour tout. Les gars, pourquoi vous ne me laisseriez pas rentrer, maintenant ? Je pourrais encore regagner la ville avant la nuit.

— Nan. Tu viens avec nous. » J'ai lancé un regard à Qu'un-Œil. Il se pliait à mon souhait. On allait pouvoir s'entendre parler. C'était déjà ça. « En selle, Hagop. Après tout, il est seul.

— Ouais, mais seul de quel genre, hein, Toubib ? Suppose qu'il s'agisse d'une de ces saloperies du château noir. Écoute, s'il en est sorti tout un bataillon de nulle part à Génépi, je ne vois pas pourquoi il n'y en aurait pas un seul ici. »

Asa a émis quelques bruits de gorge laissant entendre qu'il avait déjà considéré cette éventualité. Ce qui expliquait sa hâte de retourner en ville.

« Tu as remarqué quoi que ce soit lors de ta dernière venue, Asa ?

— Non. Mais j'ai observé que l'herbe était piétinée comme par des allées et venues.

— Tu essaieras d'en savoir plus quand on arrivera à proximité, Qu'un-Œil. Je ne veux pas de surprise. »

Vingt minutes plus tard, Asa me confiait : « On y est presque. C'est peut-être à deux cents mètres en amont, le long du ruisseau. Je peux rester ici ?

— Arrête de poser des questions idiotes. »

J'ai lancé un coup d'œil à Hagop, qui a désigné les traces. Quelqu'un nous précédait encore.

« Tout le monde à pied. Et plus un mot. À compter de maintenant, on parle avec les mains. Toi, Asa, si tu l'ouvres, vaut mieux que ce soit pour une bonne raison, vu ? »

Nous avons mis pied à terre et nous nous sommes avancés l'arme au clair, couverts par un sortilège de Qu'un-Œil. Hagop et moi avons atteint la clairière les premiers. J'ai grimacé, invité de la main Qu'un-Œil à me rejoindre, puis j'ai tendu le doigt. Il a grimacé aussi. J'ai laissé passer deux minutes pour faire bonne mesure, puis je me suis avancé, me suis planté derrière le type et lui ai posé la main sur l'épaule. « Marron Shed. »

Il a poussé un couinement, essayé de dégainer un couteau et de détaler tout à la fois. Pilier et Hagop lui ont barré le chemin et l'ont ramené en arrière. Pendant ce temps, je m'agenouillais au même endroit que lui et j'examinais les ossements épars.

44

Vydromel : La clairière

J'ai relevé les yeux vers Shed. Il avait l'air résigné. « Tu t'es fait pincer plus tôt que tu ne l'aurais cru, pas vrai ? »

Il s'est mis à bredouiller. Je ne comprenais pas grand-chose à son galimatias car il abordait plusieurs sujets à la fois. Corbeau. Les créatures du château noir. Son désir de recommencer une nouvelle vie. Et ainsi de suite.

« Calme-toi, Shed. On est de ton côté. »

J'ai exposé la situation, annoncé qu'il nous fallait trouver Chérie en moins de quatre jours. Il avait du mal à croire que la fille qu'il avait employée au Lis de fer puisse être la Rose Blanche des rebelles. Je n'ai pas argumenté, je me suis contenté de livrer les faits. « Quatre jours, Shed. Ensuite la Dame et les Asservis arriveront ici. Et je te garantis qu'elle te cherchera toi aussi. À l'heure actuelle, ils savent que ta mort était un coup monté. Ils ont sans doute interrogé assez de monde maintenant pour se figurer d'assez près ce qui se passe. C'est une question de survie, Shed. » J'ai contemplé le gros monticule noir et j'ai murmuré sans m'adresser à personne : « Et cette saloperie ne va pas nous aider. »

J'ai baissé les yeux vers les ossements à nouveau. « Hagop, vois ce que tu peux déduire de ça. Qu'un-

Œil, Asa et toi, vous allez me jouer exactement ce qu'il a vu ce jour-là. Reconstitution. Pilier, tu endosses le rôle de Corbeau. Shed, viens avec moi. »

J'étais satisfait. Shed et Asa exécutaient mes ordres. Shed, bien que secoué par notre retour dans le cadre de sa vie, paraissait ne pas céder à la panique. Je l'observais tandis que Hagop examinait le sol centimètre par centimètre. Le tavernier semblait avoir gagné en maturité ; quelque chose qui n'avait pu pousser dans le sol stérile de Génépi avait éclos en lui.

Il m'a soufflé : « Écoutez, Toubib. La Dame en route pour venir ici, retrouver Chérie, tout cela me dépasse. Et pour tout dire, je m'en fiche un peu. » Il a désigné le monticule noir. « Mais qu'est-ce que vous comptez faire pour ça ?

— Bonne question. » Il n'avait pas besoin d'exprimer le fond de sa pensée. Ce que sa réflexion signifiait, c'était que le Dominateur n'avait pas été définitivement anéanti à Génépi. Il s'était prévu une alternative. Il disposait d'une autre porte qui croissait ici, et qui croissait vite. L'effroi d'Asa vis-à-vis des créatures du château se justifiait. Le Dominateur savait qu'il avait intérêt à se dépêcher – même si je doutais qu'il se soit attendu à être découvert si tôt. « On peut pas *faire* grand-chose, à bien y regarder.

— Il le faut pourtant. Écoutez, je sais. J'ai commercé avec ces choses. Ce qu'elles m'ont fait, et à Corbeau, et à Génépi... Putain, Toubib, on ne peut pas laisser tout ça recommencer ici !

— Je n'ai pas dit que je ne voulais rien faire. J'ai dit que je ne pouvais pas. On ne demande pas à un type armé d'un canif d'abattre une forêt et de bâtir une ville. Il n'est pas outillé pour cela.

— Qui le serait ?

— La Dame.

— Dans ce cas...

— J'ai mes limites, mon pote. Je n'irai pas me faire trucider pour Vydromel. Je n'enverrai pas mon équipe à l'abattoir pour les beaux yeux d'inconnus. On leur est peut-être moralement redevables, mais ça ne représente pas une dette si grosse que ça. »

Il a grommelé, comprenant mes arguments sans les accepter. Ça m'a surpris. Sans l'avouer ouvertement, il s'était lancé en croisade, avais-je l'impression. La vile canaille s'efforçant de racheter sa rédemption. Je n'avais rien contre, loin de là. Mais il n'avait qu'à se débrouiller sans la Compagnie et sans moi.

J'ai regardé Qu'un-Œil et Asa reconstituer par le menu les faits et gestes de Corbeau le jour de sa mort. D'où j'étais assis, je ne détectais pas de hiatus dans le récit d'Asa. J'espérais que Qu'un-Œil serait plus clairvoyant. Lui mieux que quiconque saurait trouver la faille. Il s'entendait autant en magie d'esbroufe qu'en véritable sorcellerie.

Je me souvenais que Corbeau maîtrisait bien certains tours, lui aussi. Son plus impressionnant consistait à faire apparaître des couteaux entre ses doigts. Mais il en connaissait d'autres, avec lesquels il divertissait Chérie.

« Regarde ici, Toubib », m'a dit Hagop.

J'ai regardé. Je n'ai rien remarqué d'anormal. « Quoi ?

— Dans l'herbe vers le monticule. Ç'a presque disparu, mais ça reste décelable. Une sorte de sillon. » Il tenait des brins d'herbe ratatinés.

Il m'a fallu quelque temps pour voir. Un très subtil résidu luisant, comme une vieille trace d'escargot. En regardant de plus près, on s'apercevait qu'il avait dû prendre son départ à l'emplacement supposé du cœur du cadavre. Il fallait un peu d'imagination parce que les charognards avaient éparpillé ses restes.

J'ai ensuite examiné l'ossature décharnée des mains. Certains doigts portaient encore des anneaux.

D'autres breloques de métal et plusieurs couteaux jonchaient également les alentours.

Pilier a pris le relais de Qu'un-Œil qui est allé voir les ossements. « Alors ? ai-je demandé.

— C'est possible. Avec l'aide d'un quelconque subterfuge et d'un peu de magie spectaculaire. Mais je ne saurais pas dire comment il s'y est pris, si jamais il l'a fait.

— On a un corps, ai-je dit en désignant les ossements.

— C'est lui, a insisté Asa. Regardez, bon sang. Il a encore ses bagues aux doigts. Et c'est sa boucle de ceinturon, et son épée, et ses couteaux. »

Pourtant, un voile de doute altérait sa voix. Il commençait à se rendre à mon point de vue.

Pour ma part, je continuais de me demander comment il se faisait que personne n'ait encore revendiqué son navire flambant neuf.

« Hagop, va donc voir dans les parages s'il y a des traces de fuite dans une autre direction. Asa, tu disais avoir mis les bouts sitôt que l'affaire avait pris sale tournure ?

— Ouais.

— Bon. On change de perspective : essaie maintenant de t'imaginer ce qui s'est passé ici. Écoute : ce macchabée devait posséder quelque chose qui est devenu ça. » Je désignais le monticule. Je m'étonnais moi-même de mon aisance à le considérer froidement. On s'habitue à tout, je suppose. J'avais caracolé autour de son grand alter ego, à Génépi, jusqu'à me départir de cette terreur glacée qu'il m'avait si longtemps inspirée. Ce que je veux dire, c'est que si l'homme peut s'habituer aux abattoirs, ou à mon boulot – soldat ou chirurgien –, c'est qu'il peut s'habituer à tout.

« Asa, tu as pas mal côtoyé Corbeau. Shed, il a vécu deux ans à peu près dans ta taverne, et tu es devenu son associé. Qu'est-ce qu'il a ramené de Génépi qui aurait pu prendre vie et se transformer en ce machin-là ? »

Tous les deux secouaient la tête en contemplant les ossements.

« Réfléchissez bien. Shed, ce devait être quelque chose qu'il possédait déjà quand tu étais avec lui. Il a cessé ses visites au château bien avant que tu ne fuies vers le sud. »

Une minute ou deux se sont écoulées. Hagop commençait à passer au crible l'orée de la clairière. J'avais peu d'espoir de le voir découvrir une piste si longtemps après les faits. Je n'étais pas un coureur des bois, mais je connaissais Corbeau.

Asa s'est soudain raidi.

« Qu'est-ce qu'il y a ? ai-je lâché.

— Tout est là. Enfin, ce qui était en métal. Jusqu'aux boutons et tout. Sauf...

— Sauf ?

— Le pendentif qu'il portait. Je ne l'ai entrevu que rarement... Qu'est-ce que t'as, Shed ? »

J'ai pivoté. Shed avait porté une main crispée sur sa poitrine, au niveau de son cœur. Il bafouillait une phrase qui n'arrivait pas à sortir. Il a entrepris d'ouvrir sa chemise en la déchirant.

J'ai cru qu'il avait une attaque. Mais au moment où j'arrivais auprès de lui pour l'aider, il a fini par ouvrir sa chemise et a aussitôt empoigné un colifichet pendu autour de son cou. À une chaînette. Il a essayé de l'arracher de force. La chaînette n'a pas voulu se rompre.

Je la lui ai fait passer par-dessus la tête, puis l'ai extirpée de son poing serré. Et j'ai tendu le bijou à Asa.

Il a légèrement pâli. « Ouais, le même.

— C'est de l'argent », a commenté Qu'un-Œil avant de darder sur Hagop un regard lourd de sous-entendus.

360

C'était sa façon de voir les choses. Il avait peut-être raison. « Hagop ! Viens par ici. »

Qu'un-Œil s'est emparé du pendentif, l'a haussé à la lumière. « Belle orfèvrerie ! » a-t-il murmuré, songeur... Puis il l'a jeté au sol et a bondi comme une grenouille de sa feuille de nénuphar. Tout en sautant en l'air, il a poussé un aboiement de chacal.

Une lumière a fulguré. J'ai fait volte-face. Deux créatures comme celles du château se tenaient près du monticule noir, figées dans leur mouvement, en position de se précipiter sur nous. Shed a poussé un juron. Asa un couinement. Pilier s'est précipité devant moi et est allé planter profondément son épée dans un torse. J'en ai fait autant, tellement paniqué que j'oubliais comme nous en avions réchappé de justesse la dernière fois en pareille situation.

Nous avons tous les deux frappé le même. Avec un bel ensemble, nous avons libéré nos armes d'une secousse. « Le cou, ai-je haleté. Taillade les artères du cou. »

Qu'un-Œil s'était relevé, prêt à l'action. Il m'a raconté par la suite avoir perçu un mouvement dans un angle de son champ de vision et avoir bondi juste à temps pour esquiver quelque chose qu'on lui lançait. On savait donc à qui s'attaquer d'abord. Qui était potentiellement le plus dangereux.

Histoire de ne pas être en reste, Hagop s'est amené par-derrière à l'instant où les créatures recommençaient à se mouvoir. Tout comme Shed, à ma grande surprise. Une dague d'une demi-coudée au poing, il s'est avancé, s'est ramassé et leur a taillade les tendons du genou.

La lutte n'a pas duré longtemps. Qu'un-Œil nous avait donné un laps de temps suffisant. Malgré une évidente mauvaise volonté, les créatures ont fini par succomber. La dernière à flancher a levé les yeux vers

Shed, esquissé un sourire et murmuré : « Marron Shed. On se souviendra de toi. »

Shed s'est mis à trembler.

« Il te connaissait, a dit Asa.

— C'est à lui que je livrais les cadavres. À chaque fois, sauf une.

— Attends un peu, suis-je intervenu. Un seul de ces êtres est parvenu à fuir, à Génépi. Ce serait quand même bien le diable qu'il s'agisse justement de celui qui te connaissait... » Je me suis interrompu. Je venais de remarquer quelque chose de perturbant. Les deux créatures étaient strictement identiques. Jusqu'à une cicatrice leur barrant la poitrine, que j'ai découverte quand je leur ai arraché leur vêtement sombre. Or la créature que le lieutenant et moi avions traînée dans la pente de la colline, après l'avoir tuée devant le portail du château, en arborait également une, la même.

Pendant que chacun s'efforçait de maîtriser ses tremblements nerveux, Qu'un-Œil a demandé à Hagop : « T'avais remarqué aucune babiole en argent à traîner près des ossements, par hasard ? Vu que t'es le premier à t'en être approché, non ?

— Heu... »

Qu'un-Œil a brandi le pendentif de Shed. « Une babiole de ce goût-là. Celle qui a tué notre bonhomme. »

Hagop a dégluti et fouillé une de ses poches. Il en a sorti un pendentif identique à celui de Shed, hormis les serpents, quant à eux dépourvus d'yeux.

« Ouais, a grogné Qu'un-Œil en haussant à nouveau le pendentif de Shed à la lumière. Ouais. Les yeux, c'était bien ça. Au moment opportun. Et sur un site qui convenait. »

Ce qui m'intéressait autrement plus, c'était de savoir ce qui risquait encore de surgir du monticule noir. Je l'ai contourné en entraînant Hagop avec moi, jusque devant son ouverture. On aurait dit l'entrée d'une hutte en torchis. J'ai supposé qu'elle ne se transformerait en véritable portail qu'une fois le monticule assez volumineux. « Qu'est-ce que tu en dis ? ai-je demandé en montrant les traces.

— J'en dis que ça révèle une activité certaine et qu'on ferait mieux de foutre le camp. Ces deux-là n'étaient pas seules.

— Ouais. »

Nous avons rejoint les autres. Qu'un-Œil a emmailloté le pendentif de Shed dans un morceau d'étoffe. « On retourne en ville. Je scellerai ce truc dans un sabot d'acier et je le balancerai dans le port.

— Détruis-le, Qu'un-Œil. Le mal parvient toujours à refaire surface. Le Dominateur en est le parfait exemple.

— Ouais. Entendu. Si je peux. »

Tandis que je rassemblais mon monde pour le départ, j'ai repensé à la charge d'Elmo dans le château noir. J'avais changé d'avis : nous ne passerions pas la nuit dans le secteur. Nous pouvions réussir à couvrir le plus gros du trajet avant la tombée de la nuit. Vydromel, tout comme Génépi, ne possédait ni muraille d'enceinte ni portes. Nous ne resterions pas bloqués à l'extérieur.

J'ai laissé Elmo dormir dans un coin de mon esprit jusqu'à ce qu'une idée fasse son chemin. Et cette idée, une fois mûrie, m'a glacé d'horreur.

Un arbre assure sa reproduction en essaimant des milliers de graines. L'une d'elles, inévitablement, finit par germer, et un nouvel arbre pousse. Je me suis imaginé une cohorte de combattants s'engouffrant dans les boyaux du château noir pour y découvrir des amulettes à foison. Je les voyais d'ici s'en remplir les poches.

À tous les coups. Fichu château de malheur ! Le Dominateur avait certainement dû anticiper sur la Dame.

Mon estime pour le vieux démon a monté d'un cran. Machiavélique, le salopard.

C'est seulement quand nous avons regagné la route de Cornet que j'ai pensé à demander à Hagop s'il avait décelé dans la clairière des traces de fuite dans une autre direction.

« Que dalle, m'a-t-il répondu. Mais ça ne prouve rien.

— Y a pas de temps à perdre à jacasser, a coupé Qu'un-Œil. Shed, tu ne peux pas presser ta satanée mule ? »

Il avait la trouille. Et du coup, moi d'autant plus.

45

Vydromel : Piste chaude

Nous avons réussi à regagner la ville. Mais je jure avoir senti quelque chose nous suivre à la trace jusqu'à ce que nous ayons atteint la sécurité des lumières. Nous avons rejoint nos quartiers pour nous rendre compte que la plupart des gars avaient plié bagage. Où étaient-ils ? Partis prendre possession du bateau de Corbeau, m'a-t-on appris.

Ça m'était complètement sorti de l'esprit. Bon sang, oui, le bateau de Corbeau... Et Silence, qui était lancé à sa recherche. Où se trouvait-il en ce moment ? Bordel ! Tôt ou tard Corbeau le mènerait à la clairière... Bonne façon de savoir si l'oiseau en était reparti ou non, pour sûr. Mais c'était aussi courir le risque de perdre Silence. « Qu'un-Œil, tu pourrais localiser Silence ? »

Il m'a regardé curieusement. Il était vanné et voulait se coucher.

« Écoute, s'il refait toutes les allées et venues de Corbeau, il finira par se rendre à cette clairière. »

Qu'un-Œil a grogné, exprimé son mécontentement par toute une panoplie d'attitudes sans équivoque. Puis il a farfouillé dans le sac contenant son attirail de magie et en a sorti un objet rappelant un doigt desséché. Il l'a emporté dans un coin, s'est mis à communiquer secrètement avec, puis est revenu pour annoncer : « J'ai établi un contact. Je le trouverai.

— Merci.

— Mouais. Espèce de saligaud. Je devrais te forcer à m'accompagner. »

Je me suis installé près du feu avec une bonne grosse bière et je me suis absorbé dans mes pensées. Au bout d'un moment, j'ai dit à Shed : « Il va falloir qu'on retourne là-bas.

— Hein ?

— Avec Silence.

— C'est qui, Silence ?

— Un autre gars de la Compagnie. Un sorcier. Comme Qu'un-Œil et Gobelin. Il est sur la piste de Corbeau, il refait tous ses déplacements depuis l'instant de son arrivée. De la sorte, il espère le retrouver, ou vérifier au moins d'après ses mouvements s'il avait l'intention de berner Asa. »

Shed a haussé les épaules. « Bon, si y a pas l'choix, y a pas l'choix.

— Ho ! Tu me sidères, Shed. Tu as changé.

— Je ne sais pas. Peut-être que j'aurais pu réagir ainsi depuis le début. Tout ce que je sais, c'est que ce truc ne doit pas se reproduire, pour personne.

— Ouais. » J'ai gardé pour moi ma vision de centaines d'hommes s'emparant d'amulettes dans le château de Génépi. Il n'avait pas besoin de cela. Il se sentait investi d'une mission. Inutile de la présenter comme désespérée.

Je suis descendu redemander de la bière au tavernier. La bière, ça m'endort. J'avais une idée. Quelque chose à tenter. Je ne m'en suis ouvert à personne. Elle risquait de déplaire aux autres.

Une heure plus tard, après être allé pisser un coup, je suis monté dans ma chambre, plus intimidé par l'idée d'avoir à retourner à cette clairière que par le projet que j'espérais accomplir dans l'immédiat.

Le sommeil a tardé à venir, bière ou pas. Je n'arrivais pas à me détendre.

J'ai essayé de l'atteindre, d'aller la chercher, ce qui n'avait aucun sens.

C'était un maigre et naïf espoir de penser qu'elle puisse revenir si tôt. Je l'avais envoyée paître. Alors pourquoi daignerait-elle se manifester ? Elle avait tout intérêt à m'ignorer au contraire, jusqu'à ce que ses sbires me ramènent à ses pieds couvert de chaînes.

Peut-être une connexion existe-t-elle à un niveau qui m'échappe. Car quand une envie de retourner aux chiottes m'a réveillé, j'ai découvert, encore à demi assoupi, la lumière dorée irradiant au-dessus de moi. À moins que je ne me sois pas réveillé et que j'aie simplement rêvé le tout. Difficile à dire. Ça a toujours l'air d'un songe, rétrospectivement.

Je ne lui ai pas laissé le temps de commencer. J'ai parlé tout de suite. J'ai déballé à toute allure tout ce qu'elle devait savoir sur le monticule noir de Vydromel et sur le risque que ses troupes aient dispersé dans la nature des centaines de graines du château noir.

« Pourquoi me racontes-tu tout cela puisque tu as décidé de devenir mon ennemi, docteur ?

— Je ne veux pas être votre ennemi. Je le deviendrai si vous ne me laissez pas le choix. » J'ai coupé court au débat. « Nous ne pouvons rien faire. Or il faut absolument entreprendre quelque chose. Le mal est déjà bien assez répandu sur terre comme ça. » Je lui ai raconté que j'avais trouvé une amulette sur un citoyen de Génépi. Sans citer personne. Je lui ai dit qu'on l'entreposerait en un lieu qu'elle serait sûre de pouvoir trouver à son arrivée.

« Mon arrivée ?

— Vous n'êtes pas en route pour venir ? »

Mince sourire réservé, parfaitement conscient de ce que j'allais à la pêche. Pas de réponse. Une question simplement.

« Et toi, où seras-tu ?

— Parti. Parti depuis longtemps, pour une destination lointaine.

— Peut-être. On verra. » Le halo doré commençait à faiblir.

J'avais encore des choses à dire, mais qui n'avaient rien à voir avec le problème du moment. Des questions à lui poser. Je les ai gardées pour moi.

Les dernières rémanences lumineuses se sont évanouies avec ce murmure : « Je te suis redevable, médecin. »

Qu'un-Œil a déboulé peu après l'aurore, l'air accablé de fatigue. Silence le suivait de peu, moulu lui aussi. Il avait suivi la piste de Corbeau sans s'accorder de pause. « Je l'ai rattrapé à temps, a déclaré Qu'un-Œil. À une heure près, il se mettait en route. J'ai réussi à le convaincre d'attendre que le jour soit levé.

— Bien. Tu vas réveiller la troupe ? On part de bonne heure ce matin, il faut qu'on soit de retour avant la nuit.

— Hein ?

— Il me semble avoir été clair. Il faut retourner là-bas. On a déjà grillé une de nos journées.

— Hé, mon pote, je suis claqué. Je vais crever si tu me...

— Tu dormiras en selle. Ç'a toujours été un de tes grands talents. Pioncer n'importe où, n'importe quand.

— Putain de vérole. »

Une heure plus tard, je déambulais de nouveau sur la route de Cornet. Silence, Otto étaient du nombre. Shed avait insisté pour suivre le mouvement, quoique je l'en aurais volontiers dispensé. Asa avait décidé de nous accompagner. Peut-être parce qu'il espérait que nous le protégerions au même titre que Shed. Il clamait haut et fort qu'il se sentait investi d'une mission lui aussi, mais même un sourd aurait entendu combien son discours sonnait faux.

Nous avons voyagé plus vite, cette fois ; nous pressions l'allure, Shed étant juché sur un cheval et non plus une mule. Vers midi, nous avons atteint la clairière. Pendant que Silence inspectait les alentours, je me suis forcé à avancer pour examiner de plus près le monticule.

Aucun changement notable. Seuls les deux corps des créatures avaient disparu. Je n'avais pas besoin de l'œil exercé de Hagop pour voir qu'on les avait traînés jusqu'à l'ouverture de l'entrée.

Silence a longé l'orée de la clairière pas à pas jusqu'à un sillon presque identique à celui tracé par les créatures, qui s'avançait dans la forêt. Il a levé le bras et m'a appelé d'un geste. J'ai accouru, et j'ai deviné sans même déchiffrer la danse de ses doigts. La réponse se lisait sur son visage.

« T'as trouvé, pas vrai ? » ai-je demandé avec plus d'impétuosité que voulue. J'avais commencé à tabler sur la mort de Corbeau. Du coup je n'aimais pas ce que ce squelette impliquait.

Silence a opiné du chef.

« Oye ! ai-je bramé. On a trouvé. On y va. Amenez les chevaux. »

Les autres se sont rassemblés. Asa paraissait un peu vexé. « Comment il a fait ? » a-t-il demandé.

Personne n'a répondu. Plusieurs d'entre nous se sont interrogés sur l'identité du squelette dans la clairière et sur le fait qu'il portait le pendentif de Corbeau. Je me demandais pour ma part comment le stratagème de Corbeau pour disparaître avait pu coïncider si parfaitement avec celui du Dominateur visant à planter un nouveau château noir.

Seul Qu'un-Œil semblait d'humeur à s'exprimer, et ce pour râler. « Si on se lance sur cette piste, on ne sera pas de retour en ville avant la nuit », arguait-il. Et il a continué à nous soûler de ses jérémiades, destinées à faire valoir sa fatigue. Personne ne l'écoutait. Même ceux d'entre nous qui avaient pris un peu de repos étaient exténués.

« Prends la tête du groupe, Silence, ai-je commandé. Otto, tu mèneras son cheval. Qu'un-Œil, ferme la marche. Pour nous éviter toute surprise par-derrière. »

Suivre la piste, pendant tout un moment, s'est résumé à s'enfoncer tout droit dans les broussailles. Nous étions à bout de souffle quand elle a croisé une sente de bête. Corbeau, lui aussi, avait dû se sentir épuisé, car il avait obliqué pour la suivre jusqu'au sommet d'une colline, puis au creux d'un val et à nouveau sur une autre colline. Il avait ensuite bifurqué sur un sentier moins fréquenté qui s'étirait sur une crête en direction de la route de Cornet. Les deux dernières heures, nous sommes tombés sur une succession de croisements. Chaque fois, Corbeau avait pris la voie qui filait au plus direct vers l'ouest.

« Ce salaud voulait revenir à la grand-route ! a pesté Qu'un-Œil. On aurait pu s'en douter dès le début, couper par l'autre côté et s'éviter tout ce temps perdu à crapahuter dans les buissons. »

Les autres l'ont rabroué. Ses commentaires finissaient par leur taper sur les nerfs. Même Asa lui a lancé un regard noir par-dessus l'épaule.

Corbeau n'avait pas choisi l'itinéraire le plus court, aucun doute. À vue de nez, je dirais que nous avons facilement avalé quinze kilomètres avant de déboucher sur une crête d'où s'ouvrait une pente douce et dégagée qui s'abaissait jusqu'à la grand-route. Plusieurs fermes s'égrenaient sur notre droite. La brume bleutée de la mer barrait l'horizon au loin. La campagne se parait de brun surtout, car l'automne s'était installé sur Vydromel. Les feuilles changeaient de teinte. Asa a désigné un boqueteau d'érables en prédisant qu'ils auraient belle allure une semaine plus tard. Marrant. On a souvent du mal à se figurer que des types comme Asa puissent manifester une once de sensibilité esthétique.

« Par ici ! » Otto désignait un ensemble de bâtiments à un kilomètre au sud. Ça n'avait pas l'air d'une ferme. « On dirait un relais de grand chemin, a-t-il fait remarquer. On parie que c'est là qu'il se rendait ?

— Silence ? »

Silence a opiné du chef, mais ne s'y est pas dirigé. Il préférait ne pas s'écarter de la piste, pour s'en assurer. Nous sommes remontés en selle, le laissant parachever le tronçon restant. Pour ma part, j'en avais ma claque de marcher.

« Et si on y passait la nuit ? » a suggéré Qu'un-Œil.

J'ai jeté un coup d'œil au soleil. « J'y pensais. Tu crois qu'on y serait en sécurité ? »

Il a haussé les épaules. « Les cheminées fument. Ils n'ont pas l'air d'avoir eu de problème. »

Il avait lu mes pensées. En route, j'avais observé les fermes successives, en quête d'indices d'éventuels raids commis par les créatures du monticule dans les environs. Toutes avaient paru paisibles et en activité. J'ai supposé que les êtres se cantonnaient à prélever leurs victimes en ville, où cela passait sûrement plus inaperçu.

La piste de Corbeau rejoignait la route de Cornet sept cents mètres en amont des bâtiments qu'Otto pensait être un relais. J'ai consulté les bornes mais sans parvenir à évaluer de combien au sud des dix-huit kilomètres nous nous étions écartés. Silence nous a adressé un signe et a tendu le doigt. Corbeau avait obliqué vers le sud. Nous avons donc obliqué aussi et bientôt passé la borne vingt-quatre.

« Jusqu'où vas-tu le suivre, Toubib ? m'a demandé Qu'un-Œil. Je parierais qu'il est passé par ici pour récupérer Chérie avant de continuer sa route.

— Ça ne m'étonnerait pas. À quelle distance est-on encore de Cornet ? Quelqu'un le sait ?

— Trois cent soixante-dix kilomètres, a annoncé Pilier.

— De la cambrousse ? Ça pourrait être dangereux ? Il y a des bandits ou autres ?

— Pas que je sache, a répondu Pilier. Des montagnes, en revanche. Et raidasses. Qui prendront un moment à franchir. »

J'ai opéré un rapide calcul. Disons trois semaines pour couvrir la distance sans brûler les étapes. Corbeau ne forcerait pas avec Chérie et les documents. « Une carriole. Faut qu'il ait pris une carriole. »

Silence lui aussi s'était remis en selle. Nous avons gagné en hâte les bâtiments. Otto avait raison. Il s'agissait bien d'un relais. Une fille est sortie tandis que nous mettions pied à terre, elle nous a dévisagés les yeux écarquillés et s'est dépêchée de rentrer. J'imagine notre allure : patibulaires, les types. Du genre qui n'ont pas besoin d'en rajouter pour faire peur.

Un type inquiet est arrivé, étranglant son tablier. Son visage rougeaud semblait hésiter à rester tel quel ou à virer au blanc crayeux. « Bonjour, ai-je lancé. Est-ce qu'on pourrait avoir un repas et du fourrage pour les bêtes ?

— Et du vin, a rajouté Qu'un-Œil en desserrant sa sous-ventrière. J'ai besoin de plonger dans un tonnelet de vin. Et dans un lit de plumes.

— M'est avis que c'est possible », a répondu l'homme. Il était difficile à comprendre. La langue en usage à Vydromel était une variante dialectale de celle de Génépi. En ville, nous arrivions à nous débrouiller, du fait des constants échanges entre les deux cités.

Mais ce rustaud parlait un patois de campagne, avec un autre débit. « Z'avez de quoi payer ? »

J'ai déboursé deux des pièces d'argent de Corbeau et les lui ai tendues. « Faites-moi savoir quand nous aurons épuisé ce crédit. »

J'ai noué mes rênes à un poteau, gravi le perron et lui ai tapoté l'épaule en passant. « Ne vous faites pas de mouron. Nous ne sommes pas des bandits mais des soldats. À la poursuite de quelqu'un qui est passé par ici, voilà quelque temps. »

Il m'a dévisagé avec un froncement de sourcils perplexe. De toute évidence, nous n'appartenions pas à l'armée régulière du prince de Vydromel.

L'auberge était agréable et, malgré les filles du gros bonhomme, tout le monde s'est bien tenu. Après le repas et une fois la plupart d'entre nous montés se coucher, l'aubergiste a commencé à se détendre. « J'aurais bien quelques questions à vous poser, ai-je demandé en glissant une pièce d'argent sur la table. Ça pourrait rapporter une petite récompense. »

Il s'est attablé face à moi et m'a lorgné en plissant les yeux derrière son énorme chope de bière. Il l'avait remplie et vidée au moins six fois depuis notre arrivée, ce qui expliquait son tour de taille. « Qu'est-ce que vous voulez savoir ?

— Le grand, qui ne peut pas parler... il recherche sa fille.

— Hein ? »

J'ai désigné Silence, qui avait pris ses aises au coin du feu, assis par terre, les genoux repliés, sur le point de s'endormir. « Une fille sourde et muette qui est passée par ici il y a quelque temps. Sans doute à bord d'un chariot. Elle aurait rencontré un type ici que ça ne m'étonnerait pas. » J'ai donné la description de Corbeau.

Il est devenu livide. Il se souvenait de Corbeau. Et n'avait pas envie d'en parler.

« Silence ! »

Le sorcier est sorti de sa somnolence, comme piqué par un aiguillon. Je lui ai transmis un message par signes. Il a affiché un sourire vicieux.

« Il ne paie pas de mine, ai-je glissé à l'aubergiste. Mais c'est un sorcier. Alors, que je t'explique : le type qui était ici t'a peut-être promis de revenir te trancher la gorge si tu parlais. Le risque est minime. D'autre part, Silence peut lancer quelques sortilèges qui rendront tes vaches squelettiques et tes champs stériles, et feront tourner ton stock de vin et de bière. »

Silence s'est fendu d'un de ces petits tours qui ont le don de les amuser, lui, Qu'un-Œil et Gobelin. Une étrange boule de feu s'est promenée dans la salle commune comme un tout jeune chiot, allant buter contre les obstacles dressés sur son chemin.

L'aubergiste m'a cru suffisamment pour que nous en restions là. « D'accord. Ils sont passés par ici. Comme vous disiez, tout concorde. L'été, ici, ça circule, et si, comme vous l'avez souligné, elle n'avait pas été sourde et muette, je ne les aurais sans doute pas remarqués, elle et son drôle de lascar. Elle s'est amenée un beau matin, après avoir voyagé toute la nuit, apparemment. Dans un chariot. Lui a déboulé au soir, à pied. Ils sont restés toute la soirée dans leur coin. Et sont repartis le lendemain. » Il a jeté un coup d'œil à ma pièce. « Ils ont payé avec la même drôle de monnaie, maintenant que j'y repense.

— Bon.

— Ils arrivaient de loin, non ?

— Ouais. Où sont-ils partis ?

— Vers le sud. Par la grand-route. D'après les questions du gars que j'ai pu surprendre, je crois qu'ils voulaient gagner Cheminée. »

J'ai haussé un sourcil. C'était la première fois que j'entendais ce nom.

« Sur la côte. Après Cornet. Faut prendre la route d'Aiguille en sortant de Cornet. Pis celle de Slogan, à Aiguille. Quelque part au sud de Slogan, vous tomberez sur une croisée de chemins. Faut tourner vers l'ouest. Cheminée se trouve sur la presqu'île de Salada. J'sais pas exactement où. Ce que j'en dis, hein, c'est ce que rapportent les voyageurs.

— Hmm. Une belle trotte. Quelle distance, à votre avis ?

— Voyons. Trois cent trente-six kilomètres jusqu'à Cornet. À peu près trois cents de plus jusqu'à Aiguille. Slogan se trouve à deux cent soixante-dix d'Aiguille, il me semble. Ou peut-être pas loin de trois cents. Je ne me souviens pas trop. Le croisement est bien à cent cinquante au sud de Slogan, et pis faut encore atteindre Cheminée. Je ne sais pas s'il y a loin. Au moins cent cinquante de plus. Peut-être deux, trois cents. Tout ça, c'est des vagues souvenirs d'une carte qu'un type m'avait montrée, un jour. La presqu'île dessine une espèce de pouce le long de la côte. »

Silence est venu se joindre à nous. Il a sorti un petit bout de papier et un fin stylet à pointe d'acier. Il a prié l'aubergiste de recommencer. Il a esquissé une carte qu'il a affinée en fonction des détails que le gros bonhomme était en mesure de se rappeler. Parallèlement, il jonglait avec des chiffres qu'il alignait dans une colonne. Au bout du compte, il a établi une estimation surévaluée qui avoisinait les mille quatre cents kilomètres depuis Vydromel. Il a opéré un rapide calcul et inscrit à côté le nombre de jours en l'accompagnant du signe *plus*. J'ai opiné du chef.

« Un voyage de quatre mois au moins, ai-je commenté. Et plus encore s'ils s'accordent une bonne halte dans une de ces villes. »

Silence a tiré une ligne droite entre Vydromel et l'extrémité de la presqu'île de Salada, puis a écrit : *Env. 600 milles marins à 6 nœuds = 100 heures*.

« Ouais, ai-je dit. Bien sûr. Voilà pourquoi le navire restait à quai. Il attendait de nous voir partir d'abord. Je crois qu'on ira toucher deux mots à l'équipage demain. Merci, l'aubergiste. » J'ai poussé la pièce vers lui. « Des événements sortant de l'ordinaire dans le coin, dernièrement ? »

Un faible sourire lui a étiré les lèvres. « Pas jusqu'à aujourd'hui.

— Je vois. Non. Je veux parler de disparitions dans le voisinage ou de choses de ce genre. »

Il a secoué la tête. « Non. À moins de compter Moleskine. Ça fait une paye que je ne l'ai pas vu. M'enfin, pas de quoi se faire de cheveux.

— Moleskine ?

— Un chasseur. Il ratisse la forêt, plus à l'est. Surtout pour les fourrures et les peaux, mais il me troque aussi du gibier contre du sel ou ce dont il a besoin. Il ne vient jamais à date fixe, mais là, ça fait quand même un sacré bail. D'habitude il passe vers l'automne faire le plein de provisions pour l'hiver. J'ai cru que c'était lui, quand votre pote a passé ma porte.

— Hein ? Quel pote ?

— Celui que vous traquez. Celui qu'a embarqué la fille à l'autre, là. »

Silence et moi avons échangé un regard. « Ne compte plus trop revoir Moleskine. Je crois qu'il est mort.

— Qu'est-ce qui vous fait dire ça ? »

Je lui ai expliqué succinctement comment Corbeau avait mis en scène sa propre mort et laissé sur place un cadavre pour le faire passer pour le sien.

« Pas joli-joli, dites. Faut être tordu pour jouer des coups pareils. J'espère que vous le rattraperez. » Ses yeux se sont étrécis de ruse. « Vous autres n'êtes pas

de la troupe qu'a débarqué de Génépi, par hasard ?
Tous ceux qui partaient vers le sud racontent comment... » Silence lui a rivé le clou d'un regard.

« Je vais dormir, ai-je dit. Réveillez-moi à l'aube si aucun de mes gars n'est levé à ce moment-là.

— Oui, m'sieur, a fait l'aubergiste. Un bon petit-déjeuner qu'on vous servira, m'sieur. »

46

Vydromel : Tuiles

Et c'est un bon petit-déjeuner qu'on a pris. J'ai laissé à l'aubergiste une autre pièce d'argent en pourboire. Il a dû me croire cinglé.

Un kilomètre plus loin sur la route, Qu'un-Œil a imposé une halte.

« Tu vas les laisser comme ça ? m'a-t-il demandé.

— Quoi ?

— Ces gens. Le premier Asservi venu découvrira tout ce qu'on a fait. »

Sa remarque a fait mouche. Je voyais où il voulait en venir. J'y avais bien pensé moi-même plus tôt, mais n'avais pu me résoudre à donner l'ordre. « Pas la peine, ai-je dit. Tout le monde à Vydromel nous verra prendre le large.

— Tout le monde à Vydromel n'est pas au courant de notre destination. L'idée ne me réjouit pas plus que toi, Toubib. Mais il faut bien couper la piste à un moment ou un autre. Corbeau ne l'a pas fait. Résultat : on est sur ses talons.

— Ouais, je sais. » J'ai jeté un coup d'œil à Asa et Shed. Ils tiraient une figure de trois pieds de long. Asa, tout au moins, se figurait que son tour viendrait ensuite.

« On ne peut pas les emmener avec nous, Toubib.

— Je sais. »

Il s'est retourné et a rebroussé chemin. Seul. Pas même Otto n'est allé le rejoindre ; pourtant ce n'est pas la conscience qui l'étouffe.

« Qu'est-ce qu'il va faire ? a demandé Asa.

— Employer sa magie pour qu'ils oublient, ai-je menti. On continue. Il nous rattrapera. »

Shed ne cessait de me lancer des regards. De ceux dont il avait dû harceler Corbeau quand il avait découvert qu'il vendait des cadavres. Mais il n'a rien dit.

Qu'un-Œil nous a rejoints une heure plus tard. Il rigolait à pleine gorge. « Ils étaient partis, a-t-il annoncé. Tous jusqu'au dernier, avec les chiens et les vaches. Dans la forêt. Couillons de paysans. » Et il est reparti à rire, d'un rire presque hystérique. Je crois qu'il devait se sentir soulagé.

« Il nous reste moins de deux jours, ai-je déclaré. On allonge le pas. Plus longue sera notre marge d'avance, mieux ça vaudra. »

Nous avons atteint les faubourgs de Vydromel cinq heures plus tard, sans avoir forcé l'allure autant que je l'aurais souhaité. Quand nous sommes entrés dans la ville nous avons encore ralenti. Je crois que nous nous sommes tous rendu compte qu'il y régnait une drôle d'atmosphère. Finalement, je me suis arrêté. « Pilier, toi et Asa, vous partez vadrouiller alentour et essayer de glaner des informations. On vous attendra près de la fontaine, là-bas. » Pas un gosse ne traînait dans les rues. Les adultes semblaient hébétés. Ceux que nous croisions nous fuyaient comme des lépreux.

Pilier est revenu deux minutes plus tard. Sans rouler des mécaniques. « Il y a un os, Toubib. Les Asservis sont arrivés ce matin. Ça pète dans le port. »

J'ai jeté un coup d'œil dans la direction. Des fumées en montaient, de celles qui succèdent généralement à un incendie violent. Le ciel était sali à l'ouest, dans le sens où soufflait le vent.

Asa était de retour une minute plus tard avec la même nouvelle et quelques détails en plus. « Ils sont entrés en lutte contre le prince. Et ce n'est pas fini, d'après certains.

— Plutôt déséquilibré, comme combat, a fait remarquer Qu'un-Œil.

— Je ne sais pas, ai-je objecté. Même la Dame ne peut être partout à la fois. Mais comment diable ont-ils pu arriver si vite ? Ils n'avaient plus de tapis.

— Par la terre ferme, est intervenu Shed.

— La terre ferme ? Mais...

— C'est plus rapide que par mer. Les routes coupent court. En chevauchant à bride abattue, nuit et jour, on peut couvrir la distance en deux jours. Quand j'étais gamin, il y avait des courses. C'est le nouveau duc qui les a interdites, à son accession au pouvoir.

— T'as qu'à te dire que c'est pas grave. Bon. On fait quoi ?

— Il faut découvrir ce qui s'est passé », a déclaré Qu'un-Œil. Et puis il a maugréé à voix basse : « Si ce salopard de Gobelin a trouvé le moyen de se faire tuer, je lui tords le cou.

— D'accord, mais comment on s'y prend ? On va avoir les Asservis sur le dos, maintenant.

— Je m'en charge », a déclaré Shed.

Des regards plus durs que ceux que nous avons dardés sur Marron Shed, j'aurais du mal à m'en imaginer. Il a failli flancher. Puis il a ajouté : « Je ne me laisserai pas me prendre. Et puis pourquoi se soucieraient-ils de moi ? Ils ne me connaissent pas.

— Soit, ai-je décidé. File.

— Toubib...

— Bien obligés de lui faire confiance, Qu'un-Œil. À moins que tu ne veuilles t'en charger.

— Non, non. Shed, si tu essaies de nous rouler, je te le ferai payer, quitte à devoir sortir de la tombe pour tenir parole. »

380

Shed a souri légèrement et est parti. À pied. Il n'y avait pas beaucoup de cavaliers dans les rues de Vydromel. Nous avons déniché une taverne et nous y avons pris nos aises, deux hommes restant de guet dans la rue. Le soleil se couchait quand Shed est revenu.

« Alors ? ai-je demandé en commandant d'un geste un autre pichet de bière.

— Les nouvelles sont mauvaises. Les gars, vous êtes coincés. Votre lieutenant a levé les voiles avec le navire. Vingt, vingt-cinq de vos hommes sont restés sur le carreau. Les autres ont embarqué. Le prince a perdu...

— Pas tous ses hommes, en tout cas, l'a interrompu Qu'un-Œil en tapotant de son doigt tendu contre le rebord de sa chope. Quelqu'un t'a suivi, Shed. »

Shed a fait volte-face, terrifié.

Gobelin et Prêteur se tenaient dans l'encadrement de la porte. Prêteur avait pris des coups. Il s'est avancé en boitant jusqu'à une chaise et s'est effondré dessus. J'ai examiné ses blessures. Gobelin et Qu'un-Œil échangeaient des regards qui pouvaient vouloir dire n'importe quoi, mais qui exprimaient sans doute leur joie de se revoir.

Les autres clients de la taverne ont entrepris de s'éclipser. Notre identité commençait à s'éventer. Ils savaient que nous avions de sinistres ennemis aux trousses.

« Assieds-toi, Gobelin, ai-je dit. Pilier, toi et Otto, allez chercher des chevaux frais. » Je leur ai donné le plus gros de l'argent que j'avais. « Tous les vivres que vous pourrez acheter aussi. Je crois qu'un long voyage nous attend. Ça va, Gobelin ? »

Il a hoché la tête.

« Annonce la couleur.

— Murmure et le Boiteux ont déboulé ce matin. Flanqués d'une cinquantaine d'hommes. Des gars de la Compagnie. Qui nous cherchaient. Ils ont fait assez de barouf pour qu'on soit prévenus de leur arrivée. Le lieutenant a sonné le rappel à terre. Certains n'ont pas pu embarquer à temps. Murmure a foncé sur le bateau. Le lieutenant à dû larguer les amarres. On a laissé dix-neuf hommes en rade.

— Qu'est-ce que tu fais ici ?

— Je me suis porté volontaire. Je suis passé par-dessus bord au large du môle, j'ai regagné la côte à la nage et je suis revenu vous attendre. Je suis tombé sur Pilier par hasard. Je m'efforçais de le remettre sur pied quand j'ai aperçu Shed qui furetait dans le coin. On l'a suivi jusqu'ici. »

J'ai poussé un soupir. « Ils sont partis pour Cheminée, non ? »

Ça l'a soufflé. « Ouais. Comment tu sais ça ? »

J'ai expliqué succinctement.

« Prêteur, autant que tu leur dises ce que tu sais, a-t-il déclaré. Prêteur s'est retrouvé coincé à terre. C'est le seul survivant que j'ai croisé.

— C'est une initiative personnelle des Asservis, a-t-il déclaré. Ils se sont ramenés en douce. Ils sont censés se trouver ailleurs. Je suppose qu'ils ont voulu saisir l'occasion de se venger, maintenant qu'on n'est plus en odeur de sainteté auprès de la Dame.

— Elle ne sait pas qu'ils sont ici ?

— Non. »

J'ai gloussé. Impossible de m'en retenir malgré la gravité de la situation. « Alors ils vont avoir une surprise. La vieille ordure va débouler en personne elle aussi. Il y a un autre château noir qui pousse ici. »

Plusieurs des gars m'ont lancé des regards interrogateurs, se demandant comment je pouvais savoir à l'avance ce que la Dame entendait faire. Je n'avais parlé de mes rêves à personne, hormis le lieutenant. J'ai fini de retaper Prêteur. « Tu pourras voyager, mais ménage-toi. Comment as-tu découvert tout ça ?

— Par Tremblote. On a causé avant qu'il n'essaye de me tuer.

— Tremblote ! a aboyé Qu'un-Œil. Putain, mais pourquoi ?

— Je ne sais pas ce que les Asservis ont raconté à ces gars. Mais ils étaient remontés à bloc. Ils en voulaient à notre peau, salement. Les couillons. La plupart se sont fait tuer pour leur peine.

— Tuer ?

— Le prince ou je ne sais qui a pris la mouche quand il a vu les Asservis débarquer en ville comme en terrain conquis. Ça a dégénéré en bataille avec le Boiteux et nos gars. Les nôtres se sont fait hacher menu. Peut-être qu'ils auraient mieux résisté s'ils avaient eu le temps de prendre un peu de repos. »

Marrant. Nous en parlions comme s'ils n'étaient pas devenus de mortels ennemis, avec de la sympathie. Doublée, pour ce qui me concernait, d'une haine féroce envers les Asservis qui les avaient retournés contre nous et envoyés au casse-pipe.

« Est-ce que Tremblote t'a dit quoi que ce soit sur Génépi ?

— Ouais. Bain de sang dans la grande tradition, là-bas. Tout y est en ruine. Nous compris, la Compagnie était réduite à six cents hommes quand la Dame en a eu fini avec le château. Beaucoup d'autres sont morts dans les émeutes qui ont suivi, quand elle a vidé les catacombes. Un vent de folie s'est mis à souffler sur cette putain de ville. C'est ce Hardagon qui menait la rébellion. Il a réussi à acculer nos gars à Duretile. À ce moment-là, la Dame s'est mise en rogne. Elle a dévasté ce qui restait de la ville. »

J'ai secoué la tête. « Le capitaine avait vu juste, à propos des catacombes.

— Trajet a pris la tête des survivants de la Compagnie, a dit Gobelin. Ils étaient censés plier bagage avec le butin une fois tous rassemblés. La ville était tellement saccagée qu'il n'y avait plus aucune raison d'y rester. »

J'ai jeté un coup d'œil à Shed. Difficile d'imaginer plus pâle que lui. Il était noué par sa douleur et ses questions. Il voulait savoir ce qu'étaient devenus les siens. Mais n'osait parler de peur de s'attirer des reproches. « T'y es pour rien, mon gars, lui ai-je dit. Le duc avait fait appel à la Dame avant que tu ne sois impliqué. Tout cela se serait produit de toute façon, quoi que tu aies fait.

— Comment peut-on en arriver à commettre des choses pareilles ? »

Asa l'a regardé étrangement. « Shed, c'est une question à la con. Comment t'as pu agir comme tu l'as fait ? Le désespoir, voilà tout. Quand on est désespéré, on fait des folies. »

Qu'un-Œil m'a lancé un regard éberlué. Même Asa pouvait réfléchir de temps en temps.

« Prêteur, est-ce que Tremblote t'a dit quelque chose à propos d'Elmo ? » Elmo restait mon principal tourment.

« Non. J'ai pas demandé. On n'a pas eu beaucoup de temps.

— C'est quoi, le plan d'action ? a demandé Gobelin.

— On filera vers le sud dès qu'Otto et Pilier seront de retour avec vivres et montures. » Puis j'ai soupiré : « On risque d'en baver. Il me reste deux levas à tout casser. Et vous, les gars ? »

Nous avons compté nos richesses.

« On est dans la mouise, ai-je conclu.

— Le lieutenant nous a laissé ça. » Gobelin a déposé une bourse sur la table. Elle contenait cinquante pièces d'argent du château prélevées sur le pactole de Corbeau.

« Ça donnera un coup de pouce. Mais ça nous fait quand même très peu.

« — Moi aussi j'ai de l'argent, est intervenu Shed. Une jolie somme. Je l'ai laissée dans ma chambre. »

Je l'ai dévisagé avec des yeux ronds. « Tu n'es pas obligé de venir. Tu n'es pas concerné.

— Si, je le suis.

— Depuis que je te connais, tu cherches à prendre la tangente par tous les moyens...

— J'ai une raison de me battre à présent, Toubib : ce qu'ils ont fait à Génépi. Ça me restera en travers de la gorge.

— Moi pareil, a ajouté Asa. Je possède encore presque tout l'argent que Corbeau m'avait donné après le raid aux catacombes. »

J'ai sondé les autres en silence. Ils n'ont rien répondu. À moi de choisir. « D'accord, allez chercher vos sous. Mais ne lambinez pas. Il faut partir au plus vite.

— Je pourrai vous rattraper sur la route, a dit Shed. Et sûrement qu'Asa aussi, d'ailleurs. » Il s'est levé. Timidement, il a tendu la main. Je n'ai hésité qu'un instant.

« Bienvenue au sein de la Compagnie noire, Shed. »

Asa s'est gardé de faire la même proposition.

« Tu crois qu'ils reviendront ? m'a demandé Qu'un-Œil après leur départ.

— Qu'est-ce que tu en dis ?

— Que non. J'espère que tu sais ce que tu fais, Toubib. Ils pourraient lancer les Asservis à nos trousses s'ils se font prendre.

— Ouais, possible. » Je comptais là-dessus, pour être franc. Une idée tordue m'était venue. « Allez, tournée pour tout le monde. Ce sera notre dernière avant longtemps. »

47

le relais : Traqués

À ma très grande surprise, Shed nous a rejoints à quinze kilomètres de Vydromel. Et il n'était pas seul.

« Sainte merde ! ai-je entendu Qu'un-Œil brailler à l'arrière. Toubib, viens voir ça ! »

Je me suis retourné. C'était Shed. Flanqué d'un Bœuf en loques. « J'avais promis de le faire évader si je pouvais. M'a fallu graisser quelques pattes, mais ça n'a pas été si dur. C'est chacun pour soi, maintenant, là-bas. »

J'ai regardé Bœuf. Il m'a regardé. « Alors ?

— Shed m'a mis au courant, Toubib. Je crois que je vais me joindre à vous. Si vous êtes d'accord. Je ne vois pas où j'irais sinon.

— Merde. Si Asa se pointe, il faudra que je reconsidère ma foi en l'être humain. Et ça risque aussi de flanquer mon plan par terre. D'accord, Bœuf. Putain de bordel. Mais rappelle-toi bien qu'on n'est plus à Génépi. On est en cavale, avec les Asservis aux fesses. Alors ce n'est pas le moment de pinailler sur qui a fait quoi. Tes envies d'en découdre, tu les gardes pour eux.

— C'est toi le chef. Donne-moi juste une chance de te revaloir ça. » Il m'a emboîté le pas et nous sommes remontés en tête de colonne.

« Il n'y a pas grande différence entre votre Dame et un type comme Krage, pas vrai ?

— Question d'envergure, ai-je répondu. Ta chance pourrait se présenter plus tôt que tu ne le crois. »

Silence et Otto sont sortis des ténèbres au petit trot. « Du bon boulot, ai-je dit. Pas un clébard n'a aboyé. » J'avais envoyé Silence parce qu'il a le don de s'y prendre avec les animaux.

« Ils sont tous revenus de la forêt et au chaud dans leur lit, a rapporté Otto.

— Bien. On y va. Sans un bruit. Et on ne maltraite personne. C'est clair ? Qu'un-Œil ?

— Je t'entends.

— Gobelin. Prêteur. Shed. Gardez les chevaux. Je vous donnerai le signal avec une lanterne. »

S'emparer du relais s'est avéré plus facile à faire qu'à organiser. Nous avons surpris tout le monde en plein sommeil grâce à Silence qui avait neutralisé les chiens. L'aubergiste s'est réveillé haletant, hoquetant de panique. Je l'ai traîné au rez-de-chaussée pendant que Qu'un-Œil surveillait tous les autres, au nombre desquels une troupe de voyageurs en route vers le nord – une tuile de plus – qui heureusement se sont tenus à carreau.

« Assieds-toi, ai-je ordonné au gros. Qu'est-ce que tu prendras ce matin, thé ou bière ?

— Thé, a-t-il couiné.

— Il chauffe. Bon. Nous revoilà. Ce n'était pas prévu au programme, mais les circonstances nous imposent de voyager par les terres. Je veux disposer de ton auberge pendant deux jours. Il va donc falloir qu'on trouve un arrangement tous les deux. »

Hagop a apporté un thé si fort qu'il empestait. Le gros en a sifflé une tasse aussi grande que sa chope à bière.

« Je n'ai pas l'intention de faire de mal à quiconque, ai-je poursuivi après en avoir siroté une gorgée moi-même. Et je te revaudrai ce service à ma façon. Mais pour ça, tu vas devoir coopérer. »

Il a émis un grognement.

« Je veux que tout le monde ignore notre présence. Donc pas un client ne doit sortir d'ici. Ceux qui arriveront par la suite ne devront se douter de rien. Tu piges ? »

Il était plus malin qu'il n'en avait l'air. « Parce que vous attendez quelqu'un. » Aucun d'entre nous n'y avait fait allusion, à ma connaissance.

« Oui. Quelqu'un qui t'en fera baver autant tu m'en penses capable, sauf que lui le fera de toute façon. À moins que mon traquenard ne fonctionne. » Mon idée était dingue. Si Asa nous revenait, elle tombait à l'eau.

J'ai l'impression qu'il m'a cru quand je lui ai assuré que je ne voulais pas de mal à sa famille. Pour l'instant. « Cette personne, elle serait pas de ceux qu'ont provoqué tout le grabuge en ville hier ?

— Les nouvelles vont vite.

— Quand elles sont mauvaises, oui.

— Oui. Il s'agit bien d'eux. Ceux qui ont tué une vingtaine de mes hommes. Et flanqué une belle mouscaille en ville par l'occasion.

— Je sais. Comme je disais, les mauvaises nouvelles vont vite. Mon frère est au nombre des morts. Il faisait partie de la garde du prince. Sergent, qu'il était. Le seul de la famille qu'avait réussi à se faire une situation. Il a été tué par quelque chose qui l'a rongé, à ce qu'on m'a dit. Qu'un sorcier avait lancé sur lui.

— Ouais. Un mauvais, celui-là. Pire que mon pote qui ne peut pas parler. »

J'ignorais qui nous tomberait dessus. Mais j'aurais mis ma main à couper qu'Asa nous amènerait du monde. Je pensais également que la traque s'organiserait rapidement. Asa ferait savoir que la Dame était en route pour Vydromel.

Le gros m'a guigné d'un air soupçonneux. La haine couvait dans son regard. J'ai essayé de la canaliser. « Je le tuerai.

— D'accord. À petit feu ? Comme mon frère ?

— Je ne pense pas. Si je ne frappe pas par surprise, c'est lui qui m'aura. Ou elle. Ils sont deux, à vrai dire. Et je ne sais pas lequel viendra. » Je me disais qu'on pourrait gagner beaucoup de temps en éliminant l'un des Asservis. La Dame aurait trop à faire avec ces saletés de châteaux noirs et seulement deux paires de mains pour l'épauler. Je devais aussi m'acquitter d'une dette affective et faire passer un message clairement.

« Laisse-moi éloigner ma femme et mes gosses, a-t-il dit. Je me rangerai à vos côtés. »

J'ai brièvement consulté Silence du regard. Il a légèrement hoché la tête. « C'est bon. Et les autres clients ?

— Je les connais. Ils se tiendront tranquilles.

— Bien. Occupe-toi des tiens. »

Il s'est éclipsé. J'ai tenu conseil avec Silence et les autres. Je n'avais pas été désigné comme chef. J'avais pris leur tête momentanément en tant qu'officier supérieur du groupe. Ça a chauffé un peu. Mais j'ai fini par emporter le morceau.

La peur est un stimulant merveilleux. Elle a motivé Gobelin et Qu'un-Œil mieux que n'importe quoi. Et les hommes aussi. Ils ont fait feu de tout bois. Piégé des objets. Aménagé des caches pour s'embusquer, chacune camouflée par un charme de dissimulation. Ils fourbissaient leurs armes avec un zèle maniaque.

Les Asservis ne sont pas invulnérables. Simplement difficiles à frapper, d'autant plus quand ils sont sur leurs gardes. Et celui qui viendrait, quel qu'il soit, le serait.

Silence a accompagné le gros et sa famille dans la forêt. Il en est revenu avec un faucon qu'il a apprivoisé en un temps record et envoyé dans les airs pour patrouiller au-dessus de la route entre Vydromel et le relais. Nous serions prévenus.

L'aubergiste a cuisiné des plats empoisonnés, quoique je lui aie spécifié que les Asservis mangeaient rarement. Il a aussi imploré Silence de lui donner des conseils concernant ses chiens. Il possédait une véritable meute de redoutables mastiffs qu'il entendait engager dans l'action. Silence leur a trouvé un rôle dans le plan. Nous avons fait tout notre possible, puis nous nous sommes installés pour attendre. À l'heure de la relève, je suis allé prendre un peu de repos à mon tour.

Elle est venue. Au moment où je fermais les paupières, m'a-t-il semblé. J'ai paniqué un instant, tenté d'effacer nos intentions et nos cachettes de mon esprit. Mais à quoi bon ? Elle m'avait déjà localisé. Ce qu'il fallait lui dissimuler, c'était l'embuscade.

« As-tu réfléchi ? m'a-t-elle demandé. Tu ne peux pas m'échapper. Je te veux, médecin.

— Est-ce pour cela que vous avez lancé Murmure et le Boiteux à nos trousses ? Pour nous ramener dans le troupeau ? Ils ont massacré la moitié de nos hommes, perdu la plupart des leurs, ravagé la ville, se sont mis tout le monde à dos. Est-ce ainsi que vous comptez nous convaincre de revenir ? »

Elle n'y était pour rien, bien sûr. Prêteur avait déclaré que les Asservis agissaient de leur propre chef. Je voulais susciter sa colère et détourner son attention. Je voulais voir sa réaction.

« Ils étaient censés retourner aux Tumulus, a-t-elle dit.

— Sans doute. Mais ils ne se gênent pas pour aller où bon leur semble quand ça les chante, pour régler des querelles vieilles de dix ans.

— Savent-ils où vous êtes ?

— Pas encore. » J'avais désormais la sensation qu'elle pouvait me localiser précisément. « Je me trouve hors de la ville, couché, pour l'heure.

— Où ? »

J'ai concédé une image mentale. « Près du site où pousse le nouveau château noir. L'auberge la plus proche où nous pouvions passer la nuit. » Je me disais qu'un bon influx de vérité devait passer. De toute façon, je voulais qu'elle trouve le cadeau que j'avais l'intention de lui laisser.

« Restez où vous êtes et faites-vous discrets. Je serai là bientôt.

— Je me disais aussi...

— Ne titille pas trop ma patience, médecin. Tu m'amuses, mais ne te crois à l'abri de tout. J'ai les nerfs à fleur de peau. Murmure et le Boiteux ont poussé le bouchon une fois de trop. »

La porte de la chambre s'est ouverte. « À qui tu parles, Toubib ? » m'a demandé Qu'un-Œil.

J'ai haussé les épaules. Il se tenait devant l'aura de lumière sans la voir. J'étais réveillé.

« À ma fiancée », ai-je répondu. Et je me suis mis à rire nerveusement.

L'instant d'après je défaillais, en proie à un intense vertige. Quelque chose me quittait, qui laissait dans son sillage un parfum à la fois d'amusement et d'irritation. J'ai repris mes esprits.

« Qu'est-ce qui se passe ? », m'a demandé Qu'un-Œil, agenouillé près de moi.

J'ai répondu par un signe négatif. « La tête m'a tourné. Je n'aurais pas dû boire cette bière. Qu'est-ce qu'il y a ? »

Il m'a adressé une grimace suspicieuse. « Le faucon de Silence est revenu. Ils sont en route. Rejoins-nous en bas. Il faut revoir tous nos plans.

— Ils ?

— Le Boiteux et neuf hommes. C'est bien ce que je dis, il faut revoir nos plans. Pour l'instant, le rapport de forces penche nettement en leur faveur.

— Ouais. »

Il s'agissait certainement d'hommes de la Compagnie. Ils ne tomberaient pas dans le traquenard à l'auberge. Les tavernes sont des pôles stratégiques, dans l'arrière-pays. Le capitaine les utilisait fréquemment pour attirer les rebelles.

Silence n'avait pas grand-chose à ajouter, sinon que nous disposions seulement du temps que mettraient nos poursuivants à couvrir neuf kilomètres.

« Hé ! » Illumination. Tout d'un coup, j'ai su pourquoi les Asservis étaient venus à Vydromel. « Vous avez un chariot et un attelage ? » ai-je demandé à l'aubergiste. J'ignorais toujours son nom.

« Ouais. Je m'en sers pour aller à Vydromel, ramener mon stock de farine et de bière. Pourquoi ?

— Parce que les Asservis sont à la recherche de ces documents qui me tracassaient. » Il m'a fallu révéler leur provenance.

« Ceux qu'on a déterrés dans la forêt de la Nuée ? a demandé Qu'un-Œil.

— Oui. Écoutez. Volesprit m'a appris que le véritable nom du Boiteux est inscrit dessus, quelque part. Ils comportent aussi les papiers secrets du magicien Bomanz, sur lesquels, paraît-il, figure le vrai nom de la Dame, en code.

— Pétard ! s'est exclamé Gobelin.

— Tu l'as dit.

— Et en quoi est-ce que tout ça nous concerne ? a demandé Qu'un-Œil.

— Le Boiteux veut à tout prix remettre la main sur son nom. Imagine qu'il tombe sur une poignée de types en train de décamper à bord d'un chariot. Qu'est-ce qu'il va s'imaginer ? Asa lui a bourré le mou avec des tuyaux véreux et lui a laissé croire que les types en question sont avec Corbeau. Asa n'est pas au courant de tout ce qu'on vient de préparer. »

Silence est intervenu par signes : Effectivement, Asa accompagne le Boiteux.

« Parfait. Il s'est conduit comme je l'espérais. Bien. Le Boiteux se met en tête qu'il s'agit de nous et que nous décampons en catastrophe avec les documents. Surtout si on laisse quelques feuilles voleter ici et là.

— Je pige, a dit Qu'un-Œil. Seulement, on n'est pas assez nombreux pour exécuter ton plan. Il n'y a que Bœuf et l'aubergiste qu'Asa ne sache pas avec nous.

— On ferait mieux d'agir plutôt que de perdre notre temps en parlote. Ils approchent. »

J'ai appelé le gros. « Tes amis du Sud vont devoir nous rendre un gros service. Dis-leur que c'est leur unique chance de s'en sortir vivants. »

48

le relais : Guet-apens

Les quatre types du Sud tremblaient, transpiraient. Ils ne comprenaient rien à ce qui se passait ni à ce qu'ils voyaient. Mais ils étaient convaincus d'une chose : s'ils ne coopéraient pas, ils n'en réchapperaient pas. « Gobelin ! ai-je crié vers l'étage. Tu les vois ?

— C'est bientôt le moment. Comptez jusqu'à cinquante, et puis allez-y. »

Je me suis mis à compter. Lentement, en m'efforçant de ne pas accélérer. J'avais autant la trouille que les voyageurs.

« Maintenant ! »

Gobelin a dévalé les escaliers. Nous avons tous foncé vers la grange, où nous attendaient les bêtes et le chariot ; nous avons jailli dehors, cavalé comme des dératés vers la route et viré à tombeau ouvert cap au sud, comme huit miraculés ayant échappé de peu à la capture. Derrière nous, la troupe du Boiteux a marqué un temps d'arrêt et, après un court conciliabule, s'est jetée à nos trousses. J'ai eu le temps de remarquer que c'était le Boiteux qui menait le groupe. Bon. Ses hommes ne brûlaient pas d'en découdre avec leurs vieux potes.

Je fermais la course, derrière Gobelin, Qu'un-Œil et le chariot. C'était Qu'un-Œil qui le conduisait. Gobelin chevauchait juste à côté.

Nous nous sommes engagés dans un premier lacet : la route gravissait un versant boisé au sud du relais. L'aubergiste nous avait informés que la forêt s'étendait sur des kilomètres. Lui était parti devant avec Silence, Bœuf et les hommes du Sud – enfin, qu'ils avaient la prétention d'être.

« Yo ! » nous a crié quelqu'un en se retournant. J'ai aperçu dans la course l'éclair d'une d'étoffe rouge sur le bas-côté. Qu'un-Œil s'est levé dans le chariot et en a enjambé la ridelle tout en s'agrippant aux traits. Gobelin s'est approché au galop. Qu'un-Œil a sauté.

L'espace d'un instant, j'ai cru qu'il allait manquer son coup. Gobelin a failli le rater. Les pieds de Qu'un-Œil ont raclé la poussière. Puis il a réussi à se hisser tant bien que mal et à se caler sur le ventre derrière son ami. Alors il m'a lancé un regard, me défiant de sourire.

J'ai souri quand même.

Le chariot a heurté le tronc disposé à dessein, a sauté en l'air, chaviré. Dans un concert de hennissements, les chevaux ont lutté en vain pour en garder le contrôle. Le chariot et l'attelage ont valdingué dans le décor, percuté des arbres ; les bêtes hurlaient de peur et de douleur tandis que le véhicule se disloquait. Les deux auteurs de l'accident ont disparu aussitôt.

J'ai éperonné ma monture, dépassé Gobelin, Qu'un-Œil et Prêteur, et je suis allé brailler aux gars du Sud, à grand renfort de gestes, de continuer à fuir ventre à terre, d'aller se perdre au diable.

Cent mètres plus loin, j'ai bifurqué sur le chemin de traverse dont nous avait parlé le gros et je me suis enfoncé dans le bois, à couvert, où j'ai fait halte le temps que Qu'un-Œil s'installe correctement. Et nous sommes repartis à bride abattue vers l'auberge.

Au-dessus de nous, le Boiteux et les siens arrivaient près du chariot démantibulé dont les chevaux continuaient de pousser des hennissements à fendre l'âme.

Ça a commencé.

Vociférations. Hurlements. Des types mouraient. Sifflements et mugissements des sortilèges. Silence n'avait pas une chance, mais il s'était porté volontaire. Le chariot était censé détourner l'attention du Boiteux le bref moment nécessaire pour que les attaquants groupés fondent sur lui.

La clameur montait encore, assourdie par la distance, quand nous avons débouché en rase campagne. « Ça ne peut pas être le fiasco, ai-je crié. Ça dure trop longtemps. »

Je n'éprouvais pas l'optimisme que j'affichais. J'aurais voulu que ça s'arrête. Ce que j'avais espéré, c'était une attaque éclair centrée sur le Boiteux, puis une retraite précipitée, le tout visant à le blesser suffisamment pour qu'il revienne à l'auberge panser ses plaies.

Nous avons rentré en hâte nos montures à l'écurie et gagné nos affûts. « Dire qu'on n'en serait pas là si Corbeau avait liquidé le Boiteux quand il en a eu l'occasion », ai-je ronchonné.

Il y avait bien longtemps, nous avions participé à la capture de Murmure comme elle tentait de rallier le Boiteux à sa cause, et là, Corbeau avait tenu une fantastique opportunité de le tuer. Il n'avait pu passer à l'acte, malgré toute sa haine contre l'Asservi. Sa miséricorde revenait nous hanter.

Prêteur est rentré dans la porcherie, où il avait construit une petite baliste rudimentaire, conformément à notre plan initial. Gobelin lui avait jeté un sort temporaire qui le faisait passer pour un cochon parmi les autres. Je préférais qu'il s'abstienne de prendre part à l'action, si possible. Je doutais que nous recourrions à sa baliste.

Gobelin et moi sommes montés dare-dare à l'étage pour surveiller la route et la crête à l'est. Lorsqu'il romprait le combat, ce qu'il n'avait pas fait en temps prévu, Silence filerait dans les bois jusqu'à cette crête, d'où il pourrait observer le relais et la suite des événements. J'espérais qu'une partie des hommes du Boiteux continueraient à poursuivre les gars du Sud. Eux, je ne leur en avais rien dit, toutefois. Je misais sur le fait qu'ils avaient sûrement assez de bon sens pour galoper sans s'arrêter.

« Ho ! m'a averti Gobelin. Voilà Silence. Il s'en est tiré. »

Les hommes se sont profilés brièvement. Trop loin pour qu'on les reconnaisse. « Il n'y en a plus que trois », ai-je murmuré. Ce qui signifiait que quatre d'entre eux étaient restés sur le carreau. « La vache !

— Ça a dû fonctionner, a commenté Gobelin. Sans quoi ils ne seraient pas là-haut. »

Je n'en menais pas large. Je n'avais pas eu souvent l'occasion de commander en opération. Je n'avais pas appris à maîtriser les émotions qui vous étreignent quand des hommes meurent en essayant d'exécuter vos ordres.

« Les voilà ! »

Des cavaliers sortaient du bois, redescendaient la route de Cornet assombrie par les ombres qui s'étiraient. « J'en compte six, ai-je dit. Non, sept. Ils ont dû se lancer aux trousses des autres.

— On dirait qu'ils sont tous blessés.

— L'élément de surprise. Le Boiteux est du nombre ? Tu le vois ?

— Non. Celui-ci... c'est Asa. Nom de d'là, c'est ce vieux Shed sur le troisième cheval, et l'aubergiste à côté du dernier. »

Un peu de positif donc. Ils étaient moitié moins nombreux qu'au départ. J'avais quant à moi perdu deux des sept hommes engagés.

« Qu'est-ce qu'on fait si le Boiteux n'est pas avec eux ? a demandé Gobelin.

— On fera avec ce qui nous viendra. » Silence avait disparu de la crête, au loin.

« Le voilà, Toubib. Devant l'aubergiste. Il a l'air inconscient. »

Ça semblait trop beau. Pourtant, effectivement, l'Asservi paraissait hors de combat. « On descend ! »

Je les ai regardés entrer dans la cour du relais par la fente d'un volet. Le seul indemne du groupe, c'était Asa. On lui avait ligoté les mains à la selle et les pieds aux étriers. L'un des blessés a mis pied à terre, l'a libéré avant d'aider les autres à descendre de cheval tout en le gardant sous la menace de son couteau. Tous étaient mal en point, à différents degrés. Shed paraissait à l'article de la mort. L'autre aubergiste était en meilleur état. Il semblait n'avoir essuyé qu'une bonne volée de coups.

Ils ont contraint Asa et le gros à descendre le Boiteux de sa monture. C'est alors que j'ai failli me trahir. L'Asservi avait perdu presque tout son bras droit. Et ce n'était pas sa seule blessure. Mais bien entendu, il s'en remettrait s'il restait sous la protection de ses alliés. Les Asservis ont la peau dure.

Asa et le gros se sont avancés vers la porte. Le Boiteux pendouillait entre eux comme une corde mouillée. Le type qui surveillait Asa leur a ouvert la porte.

Le Boiteux s'est réveillé. « Non ! a-t-il couiné. Piège ! »

Asa et l'aubergiste l'ont laissé tomber. Asa a pris ses jambes à son cou, les yeux fermés. L'aubergiste a poussé un sifflement strident. Ses chiens ont jailli hors de la grange.

Gobelin et Qu'un-Œil sont passés à l'attaque. Je me suis précipité sur le Boiteux comme il essayait de se relever.

Mon épée s'est fichée dans son épaule droite au-dessus de son moignon de bras. Son poing gauche a fusé et m'a effleuré le ventre.

Ça m'a d'un coup expulsé l'air des poumons. J'ai manqué m'évanouir. Je me suis effondré par terre et j'ai vidé mes tripes, à peine conscient de ce qui m'entourait.

Les chiens grouillaient autour des hommes du Boiteux, les harcelaient sauvagement. Plusieurs s'en sont pris à l'Asservi. Il ripostait à coups de poing, chaque fois mortels.

Gobelin et Qu'un-Œil se sont acharnés sur lui, déchaînant tous leurs moyens. Leurs sortilèges lui glissaient dessus comme de l'eau de pluie. Il a décoché un coup à Qu'un-Œil et s'est retourné contre Gobelin.

Lequel a pris la poudre d'escampette. Le Boiteux s'est relevé lourdement et s'est élancé en titubant à sa poursuite ; les molosses survivants claquaient des mâchoires dans son dos.

Gobelin a foncé vers la porcherie. Il s'est étalé dans la boue avant de l'atteindre et est resté à terre, agité de faibles convulsions. Le Boiteux claudiquait sur ses talons, poing brandi pour la mise à mort.

Le trait de Prêteur lui a défoncé le sternum pour ressortir de trente centimètres dans son dos. Cloué sur place, chancelant, le petit homme en guenilles brunes a entrepris d'arracher le trait. Visiblement, l'opération requérait toute sa concentration. Gobelin en a profité pour se carapater en rampant. Dans la porcherie, Prêteur bandait de nouveau la baliste et encochait un autre javelot.

Chloc ! Celui-là l'a traversé de part en part. Et l'a fauché proprement. Les chiens se sont jetés à sa gorge.

J'ai retrouvé mon souffle. J'ai tâtonné à la recherche de mon épée. Vaguement, j'ai entendu des hurlements monter d'un buisson de mûres situé près d'un fossé, à deux cents mètres au nord. Un chien solitaire tournait autour en grondant. Asa. Il avait plongé sous le seul couvert à disposition.

Je me suis remis debout. Le gros a aidé Qu'un-Œil à se relever aussi, puis il a empoigné une arme abandonnée. Tous les trois, nous avons fondu sur le Boiteux. Il était toujours étendu dans la boue, légèrement plié ; son masque avait glissé, révélant le visage ravagé qu'il dissimulait. Il ne parvenait pas à croire à ce qui lui arrivait. Il agitait faiblement la main pour se défendre des chiens.

« Tout ça pour rien, lui ai-je dit. Les documents ne sont plus ici depuis des mois.

— Pour mon frère », a ajouté l'aubergiste. Et il l'a frappé de son arme. Mais, moulu par tous les coups qu'il avait pris, il n'a pas réussi à porter une estocade efficace.

Le Boiteux a voulu riposter. Mais n'a pas pu. Il s'est rendu compte qu'il allait mourir. Au bout de tant de siècles. Après avoir survécu aux Roses Blanches, au courroux de la Dame qu'il avait trahie lors de la bataille de la Roseraie et dans la forêt de la Nuée.

Ses yeux se sont révulsés et il s'est pâmé ; je savais qu'il requérait de toutes ses forces l'aide de Maman.

« Finissons-le vite, ai-je dit. Il appelle la Dame. »

Nous avons cogné, taillé, martelé. Les chiens grognaient, mordaient. Pas moyen d'en venir à bout. Même quand nos forces ont commencé à s'épuiser, une étincelle de vie subsistait en lui.

« Traînons-le par-devant les bâtiments. »

C'est ce que nous avons fait. Et j'ai vu Shed étendu par terre avec des hommes qui étaient mes frères d'armes de la Compagnie noire il y avait peu encore. J'ai regardé vers le jour déclinant et j'ai aperçu Silence qui approchait, flanqué de Hagop et d'Otto. J'ai ressenti un immense plaisir à voir que ces deux-là avaient survécu. Ils étaient amis d'aussi loin que je pouvais me rappeler. Je n'imaginais pas l'un des deux sans l'autre.

« Bœuf y est passé, hein ?

— Ouais, a confirmé le gros. Lui et ce Shed. Si tu les avais vus... Ils ont bondi en travers de la route et ont désarçonné le sorcier. Bœuf lui a tranché le bras. À eux deux, ils ont tué quatre hommes.

— Bœuf ?

— Il a eu le crâne ouvert. Comme un melon d'un coup de machette.

— Pilier ?

— Mort piétiné. Mais il leur a donné du fil à retordre. »

Je me suis accroupi auprès de Shed, Qu'un-Œil aussi. « Comment est-ce qu'ils t'ont eu ? lui ai-je demandé.

— J'suis trop gros pour courir vite. » Il est parvenu à se fendre d'un maigre sourire. « J'étais pas fait pour être soldat. »

J'ai souri à mon tour. « Qu'est-ce que tu en dis, Qu'un-Œil ? » Je lui ai adressé un regard et j'ai compris qu'il n'y avait plus rien à espérer pour Shed.

Qu'un-Œil a secoué la tête.

« Deux de ces gars sont encore vivants, Toubib. Qu'est-ce qu'on en fait, à ton avis ?

— Emmène-les à l'intérieur. Je vais les rafistoler. » C'étaient des frères. Manipulés et retournés contre nous par les Asservis, ils n'en méritaient pas moins mes soins.

Silence a surgi, haute silhouette dans la pénombre. Belle manœuvre, Toubib, m'a-t-il déclaré par signes. Digne du capitaine.

« Bien. » J'ai reposé le regard sur Shed, plus ému que je ne pensais devoir l'être.

Il était couché devant moi. Il avait dans sa vie plongé plus bas que quiconque de ma connaissance. Et puis il s'était battu pour remonter la pente, peu à peu, et redevenir quelqu'un d'estimable. Il valait mieux que moi car il avait su se fixer une ligne de conduite morale et régler son attitude en fonction, quitte à le payer de sa vie. Peut-être avait-il remboursé sa dette, ne serait-ce qu'un petit peu.

Mais bien davantage, il s'était fait tuer dans un combat qui n'était pas le sien, de mon point de vue. Ça lui a donné pour moi une stature de saint patron, d'exemple pour les jours à venir. Le modèle qu'il était devenu ces derniers temps serait difficile à surpasser.

Il a rouvert les yeux avant d'expirer. Il souriait. « On a réussi ? a-t-il demandé.

— On a réussi, Shed. Grâce à Bœuf et toi.

— Bon. » Toujours souriant, il a refermé les paupières.

« Hé, Toubib ! a beuglé Hagop. Qu'est-ce qu'on fait de cette lopette d'Asa ? »

Asa, toujours fourré dans son roncier, appelait au secours. Les chiens avaient cerné le buisson.

« Lardez-le donc d'une paire de javelots, a murmuré Qu'un-Œil.

— Non, a jeté Shed dans un souffle. Laissez-le. C'était mon ami. Il a essayé de revenir. Mais les autres l'ont pincé. Laissez-le libre.

— D'accord, Shed. Hagop ! Sors-le de sa broussaille et laisse-le filer.

— Quoi ?

— Tu m'as bien entendu. » J'ai dévisagé Shed. « Satisfait ? »

Il n'a rien répondu. Il ne le pouvait plus. Mais il souriait.

Je me suis relevé. « Au moins quelqu'un qui est mort comme il l'avait souhaité, ai-je dit. Otto, va chercher une putain de pelle.

— Ahr, Toubib...

— Trouve-moi une putain de pelle et au boulot ! Silence, Qu'un-Œil, Gobelin, à l'intérieur. Il faut qu'on avise. »

Le crépuscule tombait. D'après l'estimation du lieutenant, l'arrivée de la Dame à Vydromel n'était plus qu'une question d'heures.

49

En route

« On a besoin de repos, a protesté Qu'un-Œil.

— On n'en prendra pas tant qu'on tiendra debout, ai-je rétorqué. On est dans l'autre camp, maintenant. On a réussi là où les rebelles avaient échoué. On a éliminé le Boiteux, le dernier des Asservis originels. Elle s'occupera de notre peau dès qu'elle en aura fini avec ces germes de château noir. Aucun doute là-dessus. Si elle ne nous prend pas rapidement, tous les rebelles dans un rayon de dix mille kilomètres vont se monter la tête pour tenter un coup. Il ne reste plus que deux Asservis, et Murmure est la seule à valoir vraiment quelque chose.

— Ouais. Je sais. J'aimerais prendre mes désirs pour des réalités. Mais après tout, on peut toujours rêver, Toubib, pas vrai ? »

Je contemplais le pendentif qu'avait porté Shed. Il fallait que je le laisse sur place pour la Dame. Pourtant l'argent de la monture pourrait nous rendre des services tôt ou tard pendant le long voyage qui nous attendait. J'ai pris mon courage à deux mains et commencé à dessertir les yeux.

« Qu'est-ce que tu fous, bordel ?

— Je vais les laisser avec le Boiteux. Ils vont s'en nourrir. J'imagine qu'ils vont éclore.

— Ho ! a fait Gobelin. Cynique. Mais bien vu.

404

— J'y vois un retour de justice intéressant. Une manière de rendre son Asservi au Dominateur.

— Et de contraindre la Dame à le détruire. Ça me plaît bien. »

À contrecœur, Qu'un-Œil a donné aussi son aval.

« M'étonne pas de vous, les gars. Allons voir s'ils ont enterré tout le monde.

— Ça ne fait jamais que dix minutes qu'ils sont de retour avec les corps.

— C'est bon. Va les aider. » Je me suis levé et je suis allé voir les hommes que j'avais soignés. J'ignorais si ceux qu'Otto et Hagop avaient ramenés de l'embuscade vivaient encore à leur arrivée. En tout cas, ils devaient être morts à l'heure actuelle. Pilier l'était depuis longtemps, bien qu'ils me l'aient amené tout de même pour que je l'examine.

Mes patients se portaient bien. L'un d'eux était assez conscient pour avoir peur. Je lui ai tapoté l'avant-bras et je suis sorti clopin-clopant.

Ils avaient descendu Pilier dans la fosse, près de Shed, de Bœuf et des gars du Boiteux qu'ils avaient ensevelis. Seuls deux corps n'étaient pas encore enterrés. Asa faisait voler les pelletées de boue. Les autres regardaient en se tournant les pouces. Jusqu'à ce qu'ils s'aperçoivent du regard noir que je leur lançais.

« Ça nous donne quoi ? » ai-je demandé à l'aubergiste. Je l'avais chargé de délester les morts de leurs objets de valeur.

« Pas grand-chose. » Il m'a montré un chapeau rempli de menues babioles.

« Garde de quoi te rembourser de tes frais.

— Vous autres en aurez plus besoin que moi.

— Tu as perdu un chariot et un attelage dans l'affaire, sans parler de tes chiens. Prends ce qu'il te faut. Je pourrai toujours dévaliser le premier venu dont la tête ne me reviendra pas. » Personne ne savait que j'avais chipé la bourse de Shed. Son poids m'avait surpris. Elle constituerait ma réserve secrète.

« Prends une paire de chevaux aussi. »

Il a secoué la tête. « Pas envie de me faire choper avec des chevaux qui ne sont pas à moi quand la fièvre sera retombée et que le prince se mettra en quête de boucs émissaires. » Il a choisi quelques pièces d'argent. « J'ai obtenu ce que je voulais.

— Comme tu voudras. Je te conseille de te terrer un moment dans les bois. La Dame va venir ici. Elle est pire que le Boiteux.

— D'accord.

— Hagop, puisque tu ne creuses pas, va préparer les chevaux. Grouille ! » J'ai interpellé Silence. À deux, nous avons traîné le Boiteux sous l'ombrage d'un arbre un peu plus loin, devant les bâtiments. Silence a noué une corde à l'un de ses membres. Je lui ai glissé de force les yeux du serpent dans la gorge. Et puis nous l'avons hissé en l'air. Il a tournoyé doucement sur lui-même dans la clarté froide de la lune. Je me suis frotté les mains devant le spectacle : « Ça a mis le temps, mon pote, mais t'as quand même fini par te faire avoir. »

Dix ans que je souhaitais sa mort ! Il s'était montré le plus inhumain des Asservis.

Asa est venu me retrouver. « Tous enterrés, Toubib.

— Bien. Merci pour le coup de main. » Je me suis dirigé vers la grange.

« Est-ce que je peux venir avec vous, les gars ? »

J'ai éclaté de rire.

« S'il te plaît, Toubib ! Me laissez pas là où...

— Je m'en balance, Asa. Mais ne compte pas sur moi pour te servir d'ange gardien. Et ne t'avise pas de nous jouer de tour foireux. J'aurais tôt fait de te tuer comme bonjour.

— Merci, Toubib. » Il a filé au pas de course et est allé seller un cheval supplémentaire en hâte. Qu'un-Œil m'a dévisagé en secouant la tête.

« En selle, les gars. Il faut trouver Corbeau. »

Nous avons eu beau forcer l'allure, nous n'avions pas couvert trente kilomètres au sud du relais quand mon esprit a encaissé comme un coup de poing de boxeur. Un nuage doré s'est matérialisé, irradiant la colère. « Tu as épuisé ma patience, docteur.

— Il y a longtemps que vous avez épuisé la mienne.

— Tu te repentiras de cet assassinat.

— J'en jubile au contraire. C'est la seule de mes actions dont je sois fier de ce côté-ci de la mer des Tourments. Allez donc trouver vos œufs de château. Laissez-moi tranquille. Nous voilà quittes.

— Oh non. Tu entendras bientôt parler de moi. Sitôt que j'aurai refermé toutes ses portes à mon mari.

— Prenez garde, votre chance pourrait tourner, vieille sorcière. Je suis à deux doigts de transgresser les règles du jeu. Si vous m'y poussez, je pourrais bien apprendre le telleKure. »

Ça l'a percutée dans l'angle mort.

« Demandez à Murmure ce qu'elle a perdu dans la forêt de la Nuée et qu'elle espérait récupérer à Vydromel. Et puis réfléchissez à ce qu'un Toubib poussé à bout pourrait en faire, si d'aventure c'était lui qui s'en emparait. »

J'ai chancelé de vertige comme elle se retirait.

Tous mes compagnons me reluquaient avec un drôle d'air. « Je disais juste adieu à ma copine », ai-je expliqué.

Asa nous a lâchés à Cornet. Nous nous sommes accordé une journée de répit en prévision de l'étape suivante. À l'heure fixée pour le départ, toujours pas d'Asa. Nul ne s'est donné la peine de le chercher.

M'exprimant au nom de Shed, j'ai adressé en partant quelques vœux à son étoile. Il devait en avoir une mais, à en juger par son passé, sûrement une mauvaise.

Mon adieu à la Dame n'avait pas dû être compris comme définitif. Trois mois après la mort du Boiteux, alors que nous nous reposions avant de repartir à l'assaut de l'ultime chaîne montagneuse qui nous séparait de Cheminée, le nuage doré est revenu me rendre visite. Cette fois la Dame était moins acerbe. Pour tout dire, elle avait l'air doucement amusée.

« Salutations, médecin. Je pensais qu'il t'intéresserait de savoir, pour tes annales, que la menace du château noir n'existe plus. Tous les germes ont été localisés et détruits. » Regain d'amusement. « Mon mari ne dispose plus d'aucune porte pour sortir de son sépulcre. Il est abandonné à lui-même, sans aucun moyen de communiquer avec ses sympathisants. Une armée occupe en permanence les Tumulus. »

Je ne trouvais rien à dire. Je n'en avais pas attendu moins d'elle, et j'avais été jusqu'à appeler de mes vœux sa réussite, car des deux elle n'était pas la pire, et je soupçonnais même qu'au fond d'elle-même subsistait une étincelle qui résistait encore à l'appel du mal. En plusieurs occasions, elle avait fait preuve de retenue alors qu'elle aurait pu se permettre de débrider sa cruauté.

Peut-être, si elle sentait son pouvoir incontesté, évoluerait-elle vers la lumière plutôt que l'ombre.

« J'ai questionné Murmure. Avec l'Œil. Mets-toi au clair, Toubib. »

C'était la première fois qu'elle m'appelait par mon nom. Je me suis assis et j'ai pris note de la menace sous-jacente. Elle ne riait plus.

« Que je me mette au clair ?

— À propos de ces documents. De la fille.

— La fille ? Quelle fille ?

— Ne joue pas l'innocent. Je suis au courant. Tu as laissé derrière toi plus d'indices que tu ne le penses. Même les morts fournissent des réponses à qui sait les interroger comme il convient. À mon retour à Génépi, j'ai appris l'essentiel de l'histoire par certains hommes de votre Compagnie, enfin ce qu'il en restait. Si tu veux finir tes jours en paix, tue-la. Sinon, c'est moi qui la tuerai. Elle et tous ceux qui l'accompagneront.

— Je ne sais pas de quoi vous parlez. »

Amusement à nouveau, mais d'un genre plus acerbe. Malveillant, cette fois.

« Continue de tenir tes annales, médecin. Je resterai en contact. Je te tiendrai au courant des progrès de l'Empire.

— Pourquoi ? ai-je demandé, perplexe.

— Parce que ça m'amuse. Sois sage. » Sur ce, elle a disparu.

Nous sommes descendus jusqu'à Cheminée, tous exténués, aux trois quarts morts. Nous y avons retrouvé le lieutenant, le navire et – surprise ! – Chérie, qui vivait à bord avec la Compagnie. Le lieutenant avait enrôlé nos hommes dans la milice privée d'un agent de commerce. Il a ajouté nos noms à la liste dès que nous avons eu récupéré physiquement.

Nous n'avons pas trouvé Corbeau. Il avait fui la réconciliation ou la confrontation avec ses anciens camarades par une drôle de pirouette.

La destinée est une garce qui raffole d'ironie. Après tout ce qu'il avait vécu, tout ce qu'il avait accompli, tous les mauvais pas auxquels il avait survécu, le matin même de l'arrivée du lieutenant, il a glissé sur le marbre mouillé d'un plongeoir de bain public, s'est ouvert le crâne, a dégringolé dans le bassin et s'y est noyé.

J'ai refusé d'y croire. C'était trop invraisemblable, surtout après son coup monté dans le Nord. J'ai mené l'enquête, joué les fouineurs. Je me suis obstiné. Mais des dizaines de témoins oculaires assuraient l'avoir vu mort. La plus crédible de tous étant Chérie, absolument convaincue du fait. J'ai fini par abandonner. Cette fois j'allais garder mes doutes pour moi.

Le lieutenant lui-même a prétendu avoir reconnu le corps au moment où les flammes du bûcher funéraire s'élevaient autour de lui, le matin de son arrivée. C'était là qu'il avait trouvé Chérie et il l'avait ramenée dans le giron de la Compagnie noire.

Qu'aurais-je pu dire ? Si Chérie le croyait, ce devait être vrai. Corbeau n'aurait pu lui mentir.

Nous étions depuis dix-neuf jours à Cheminée quand la ville a connu une nouvelle arrivée, qui expliquait en partie la remarque nébuleuse de la Dame à propos de ceux qu'elle avait interrogés à son retour à Génépi.

C'était Elmo qui déboulait avec soixante-dix hommes, dont beaucoup de frères d'armes de l'ancien temps. Ils avaient réussi à déguerpir de Génépi en l'absence de tous les Asservis excepté Trajet, lequel était dans un tel état de confusion dû aux ordres contradictoires de la Dame qu'il en avait laissé la situation aller à vau-l'eau à Vydromel. Elmo m'avait suivi en longeant la côte.

Ainsi, en deux ans, la Compagnie noire avait sillonné le monde de long en large, des confins de l'Orient jusqu'à l'extrême Occident – soit près de six mille kilomètres –, puis frôlé la destruction et trouvé finalement une nouvelle raison d'être, une nouvelle vie.

Nous étions désormais les champions de la Rose Blanche, le noyau dérisoire et miteux de l'armée légendaire censée abattre la Dame.

Je ne croyais pas un mot de tout cela. Mais Corbeau avait révélé à Chérie sa véritable identité. Et elle, en tout cas, était prête à assumer son rôle.

Nous n'avions d'autre choix qu'essayer.

J'ai brandi mon verre de vin dans la cabine du commandant. Elmo, Silence, Qu'un-Œil, Gobelin, le lieutenant et Chérie ont levé le leur. Au-dessus, les hommes se préparaient pour l'appareillage. Elmo avait rapporté le coffre au trésor de la Compagnie. Nous n'avions plus besoin de travailler. J'ai proposé un toast. « Aux vingt-neuf ans. »

Vingt-neuf ans. C'était, à en croire la légende, le nombre des années qui nous séparaient du retour de la Grande Comète annonçant la bonne fortune de la Rose Blanche.

« Aux vingt-neuf ans ! » ont-ils tous repris.

En périphérie de mon champ de vision, j'ai cru détecter comme un tout léger halo doré, comme un soupçon d'amusement.

Table

7591

Composition PCA à Rezé
Achevé d'imprimer en France (La Flèche)
par Brodard et Taupin
le 1er mars 2005. 28530
Dépôt légal mars 2005. ISBN 2-290-32992-4

Éditions J'ai lu
84, rue de Grenelle, 75007 Paris
Diffusion France et étranger : Flammarion